民俗典籍文字研究

第 二 辑

北京师范大学民俗典籍文字研究中心 编

商务印书馆
2005年·北京

图书在版编目(CIP)数据

民俗典籍文字研究　第二辑/北京师范大学民俗典籍文字研究中心编．—北京：商务印书馆，2005
ISBN 7-100-04428-6

I.民… II.北… III.①民俗学—研究—中国②汉语—语言学—研究　IV.①K892②H1

中国版本图书馆 CIP 数据核字(2005)第 034173 号

所有权利保留。
未经许可，不得以任何方式使用。

MÍNSÚ DIǍNJÍ WÉNZÌ YÁNJIŪ
民 俗 典 籍 文 字 研 究
第 二 辑
北京师范大学民俗典籍文字研究中心　编

商 务 印 书 馆 出 版
(北京王府井大街36号　邮政编码100710)
商 务 印 书 馆 发 行
北 京 民 族 印 刷 厂 印 刷
ISBN 7-100-04428-6/H·1106

2005年1月第1版　　开本 787×1092　1/16
2005年1月北京第1次印刷　印张 $16\frac{1}{2}$
定价：24.00元

《民俗典籍文字研究》学术指导委员会

主　任：启　功　季羡林

委员（按音序排列）：

　　　　陈　原　　陈新雄　　陈振寰　　程毅中　　傅熹年　　郭锡良
　　　　江蓝生　　金开诚　　何九盈　　李　强　　鲁国尧　　刘魁立
　　　　李学勤　　陆学艺　　裘锡圭　　王邦维　　赵　诚

主　编：王　宁
副主编：董晓萍

编　务：黄易青

目　录

训诂研究

汉语词汇语义学在训诂学基础上的重建与完善 …………………… 王　宁　1
传统"义训"之批判与引申推义之提出
　　——训诂学与词汇学结合的思考 …………………………… 白兆麟　10
随文释义材料的综合与词义的加工 ……………………………… 宋永培　19
从《广雅疏证》看训诂学对汉语词汇的研究 …………………… 唐子恒　24
从孙诒让的训诂看词汇与训诂研究的异同 ……………………… 方向东　34
汉语释词中的直接定义法
　　——兼论汉语义训法体系 …………………………………… 冯浩菲　40

词汇研究

词汇词义研究的差异与互补
　　——训诂学与现代词汇学的关系 …………………………… 杨端志　55
古汉语词汇研究中有关语义单位的几点思考 …………………… 张联荣　70
从基本范畴的角度看基本词汇问题 ……………………………… 杨同用　83
现代汉语原生词素集的形成及结构系统 ………………………… 孙银新　89
语义韵律和同义词辨析 …………………………………………… 王泽鹏　101
汉语双音化语义研究二题 ………………………………………… 符　渝　112
中型语文词典加强释义理据性的体会 …………………………… 赵丕杰　119
论词的理据与编码度的关系 ……………………………………… 解海江　128
隐喻与词义引申及词汇教学 ……………………………………… 朱志平　135

词源研究

词源学的流派和理论 ……………………………… 张志毅　姜　岚　145
汉语命名造词的哲学意蕴
　　——兼论任意性与可论证性的争议 ………………………… 周光庆　160

词源与字源	张世超	171
汉语同源字与同源词	杜永俐	176
声符系源的"义通"探索	包诗林	184
古文字材料和汉语同源词研究	金国泰	192
杨树达先生汉语词源研究述评	曾昭聪	199
浅论《释名》名源	魏宇文	208
文化词源和比较文化词源	李海霞	221
夬族同源词试联	董莲池	228
"趵突泉"释名	吴庆峰	232
"不穀"蠡测	廖扬敏 雷莉	236
释"寮"	傅亚庶	242
温州方言"出""赤"考	许小颖	245

附：各篇英文标题及提要 …………………………………… 248

汉语词汇语义学在训诂学基础上的重建与完善

王 宁

提要： 中国语言学学科结构的完善离不开汉语词汇语义学的重建和完善。传统训诂学研究的核心是词义，这是建设汉语词汇语义学的基础和优势。传统训诂学使我们确立这样的语义观：语义是语言的核心，词义是有系统的，语义研究完全有独立的研究价值。词汇依其自组织原则而累积发展成系统，词汇意义是自成体系，与语音系统、语法系统并行的系统。

关键词： 语义学　训诂学　学科建设

前　言

20世纪的后20年，是汉语研究走向世界的20年；是汉语研究进入自己方法论的探讨、寻找自己道路的20年；也是中国语言学逐步有了自己的流派、自己的理论、自己的队伍的20年。

20—21世纪之交，汉语研究在走过很多曲折的道路后认识到，固守旧传统而不加变革是没有出路的，全盘西化不但没有出路，而且是危险的。遵循汉语的事实、继承和发扬自己的优秀传统、学习借鉴西方真正先进的语言学理念，在方法上走向辩证和综合，应当是今后发展的趋势。

中国语言学学科结构的完善，是哲学社会科学学科建设一盘棋上的一个棋子。如果说，20世纪中国语言学学科结构的进步表现，是语法学打破文字、音韵、训诂的格局得到发展；那么是否可以预测，21世纪中国语言学学科结构的进一步完善，应当是文字学的回归和语义学打破语音、词汇、语法的格局得到大力的发展。

汉语词汇语义学在当代兴盛的必然性

语义学的兴盛是世界语言学的发展趋势，更是汉语语言学发展的必然。

西方结构语言学从语言形式出发,进行普遍句法的描写,在发展比较成熟以后,由于方法论的缺欠,产生了危机,需要增加新的解释机制,语义因素的介入于是成为必然的趋势。

在当代经济全球化的环境中,人机的对话与多语的对译成为迫切的需要,这一工作赋予语言学新的任务,就是从信息论的角度处理语义,探讨语义解释的模型。

高科技的发展迫切要求人类智力的开发,语言习得问题成为不可避免的尖锐话题,引发了认知心理学对语言学的介入。认知心理学探讨接受者对语言理解的速度与信度,最关注的必然是语言的意义。

正是在西方语言学打破纯形式研究为主流的格局,向语义关注的时候,汉语训诂学复苏后,明确地找到了它在当代汉语语言学学科结构中的位置。

中国传统语言学的核心是研究意义,"小学"以意义的解释为研究的出发点,又以对意义系统的认识为研究的落脚点,积累了丰富的处理语义的经验,形成了围绕意义考虑语言问题的习惯。加之汉字是表意文字,它使意义脱离语境仍然是既可识又可辨的实体,在汉语研究中,对意义的关注,产生意义不依附语境而独立存在的意识,都是"与生俱来"的。19—20世纪西方语言学传入中国后,虽然很多人亦步亦趋地对它模仿,向它学习,但是由于汉语缺乏典型的语法范畴,对纯粹形式化的句法研究不能适应,因此,并没有也不可能完全剥夺了中国传统语言学发展的空间。旧训诂学由于实用的目的,理论的提炼是不够的,内容有一定程度的芜杂,因此定位不明,难以进入现代语言科学领域。训诂学在20世纪80年代恢复了正常的继承后,意识到自己的弱点,努力寻找它在当代的定位。

学科的定位必须做到:研究的对象是固定的,与周边的关系是清晰的。一个历史的学科要在现代定位,取决于两个方面:第一,历史为之积淀的先天基础是什么;第二,现代科学已有的结构给它留下了什么位置。

章太炎先生把旧"小学"改定为"中国语言文字学"[1],内容包括自隋代开始就已经逐步界划明确的文字学、音韵学、训诂学三科[2]。三者都以汉字为基础单位。训诂学研究的范围是意义——文字的造意映射出的语言的词义。训诂学的这个历史定位,成为这门学科走向现代的先天条件,决定了训诂学在现代语言学领域里只能是也已经是汉语词汇语义学的前身,但它立足于实词意义系统规律的探讨,是与西方词汇语义学

---

[1] 章太炎《论语言文字之学》,《国粹学报》第2年24—25期。
[2] 《隋书·经籍志》在刘歆《七略》列"小学"的基础上,将"小学"分为训诂、体势、音韵三类。宋代王应麟在《玉海》里解释"体势"一词说:"谓点画有衡从(横纵)曲折之殊,《说文》之类。这就是"小学"的下位概念,专门研究文字形体的"文字学"。

立足点、方法论和追求目标完全不同的词汇语义学。

中国训诂学继承下来并在现代发展起来的语义观

语义是语言的内容,如何看待语义,是语言研究中最重要的问题。19—20世纪的语言学,实际上是根据对语义不同的看法来形成流派的。当代语义学主要源于以拉丁语系和斯拉夫语系为母语的欧美国家,训诂学则以汉语为主要研究对象,决定了相互关注的重心不同,研究的切入点不同。

近年来,关于语义问题的争论焦点,主要围绕以下三个问题进行:第一,语义与语法的关系;第二,语义在语言学里的独立研究价值;第三,音义关系的任意性和理据性。我们在这三个问题上,通过下面的表格,来比较中国训诂学和当代语义学观点的异同。[3]

结构主义语言学	句法语义学	认知语言学	训诂学
句法是人类共有的自足系统,一个不受语义支配的系统	语义范畴是从语法范畴中生出的,句法支配语义	语义与语法有对应关系,语义支配句法	词汇意义与句法结构是两个不同的系统,语义是语言的核心
语义不是语言学研究的对象	语言学要研究的是语义范畴对语法范畴的解释	语义、语法是语言学不可分割的研究对象	汉语词汇意义的研究,应当也可以脱离句法而独立
强调音义关系任意性		强调音义关系的理据性	音义关系是总体的约定性和个体的理据性的统一

在本文里,我们暂不涉及音义关系的问题,仅从语义与语法的关系上来看基于训诂学的汉语词汇语义学与西方语义学的区别。分解上面的比较表的前三栏,可以看到其中包含三个相互关联的可以讨论的问题。第一,语义是否是语言中相对独立的要素?第二,语义在语言中依存的形式是什么?第三,语义和语法谁决定谁?——在这三个问题上,今天的理论训诂学有自己与西方不同的语义观。

怎样衡量语义观的正确与否:第一,看这种观点是否符合语言事实;第二,看这种观

---

[3] 表中对西方语言学流派的语义观的概括,是我在学习西方语义学流派的代表作和介绍这方面文章后按自己的理解归纳的,其中参考我国学者的介绍评论论著较多的是张志毅、沈家煊、石毓智三位。除向他们致谢外,还需说明:表中所说是很简单的概括,如果有不完全、不准确的地方,是我自己的理解、综合有误,与介绍者无关。

点在哲学上是否符合辩证唯物主义世界观——不要怕西方接受不了我们的观点,我们应当有自己信奉的哲学方法论,没有必要迎合西方的意识形态和学术口味;也不要怕有人说我们教条,辩证唯物主义是经过验证的科学。从训诂学里体现出来又经过现代进一步概括出的语义观,是中国固有的语义观,是符合汉语实际的语义观,也是符合辩证唯物主义的语义观,它包括以下三个主要的观点:

一、语义中心论

语言中的语义首先指的是实词的词汇意义,而且是词根的意义。它被词形(口语:音;书面语:字)承负而成为实体。语义中心,就是语义首先决定语音、语法。语义是语言的内容,根据内容决定形式的普遍哲理,不但首先是语义决定语法,而且语义系统也决定音系的规模。语法、语音在自成体系并且成熟后,对语义也要产生影响,甚至在一定程度上还有制约作用,但这只是反作用。

二、词汇意义系统论

语义中心论建立在语义独立的基础上,实现这一点的前提,必然是实词的词汇意义自成系统。语义以词音和语法为依托形式,但它是一个具有独立价值的系统,它的系统首先在自身的聚合中实现,并不依靠语法。

传统"小学"从完全依靠语言环境的随文释义,发展到脱离文献的纂集专书(《说文》、《尔雅》、《方言》、《释名》等等),实现了意义的类聚,使意义脱离了文献的言语,不再依赖具体环境,而成为互相依赖的一群。这就使它很容易从具体词语释读的目的,进入词汇意义系统的思考。

词汇意义系统论的具体观点是:同一种语言的意义之间互有联系,或处于级层关系,或处于亲(直接)、疏(间接)的关系,词汇意义的演变牵一发而动全局,首先是自身系统决定的。

三、语义的独立研究价值

语义系统和语法系统、语音系统都是相互关联的,但他们是不同的系统,只承认形式有系统不承认意义也有系统是不彻底的语言观。语义和语音、语义和语法是不可分割的整体,具有协同发展的关系,具有解释对方的价值;但是,这一点只有在三者独立的系统都描写清楚后,才可能验证。

这种彻底的语义观,才可以使语义学脱离语法学而成为独立的语言学门类。

词汇系统是不依赖语法而存在的系统[4]

语义系统不是一个理论推理问题,它应当是可以描写的,正如语言形式之可以描写。不承认语义系统可以独立描写,是不彻底的语言观。但描写的作用不是复写,而是为了验证,语义的具体性和经验性,决定了它的普遍存在是个性化的,数量十分庞大。词汇随着社会发展的细节而衍生,经常处于动态,内部的能量交换无时无刻不在进行,因此,只能人为封闭,难以穷尽归纳。但是,局部的描写和实际的验证是完全可以做到的。下面举出若干汉语语言事实,来证实语义系统的存在。

一、从历时的角度观察,语法化与词汇化常常处于反向推动的关系中。这里举出两个事实来证明。

第一个事实,语法结构模式弱化和消失推动词汇化。例如:

名词做状语弱化后,"名状式"构词能产量提高:

名+形:"油滑"、"天大"、"雪亮"、"血红"……

名+动:"笔谈"、"袋装"、"雷鸣"、"冰释"、"鞭策"……

使动形式弱化后,形容词兼类现象大量出现:

"热饭"、"松绑"、"紧扣儿"、"亮灯"……

第二个事实,双音合成词的词汇化,是以单音语素退出造句法、沦为不(半)自由语素为代价的。例如:

"践"有"踩"义,引申为"实行",这个意义现代汉语已经不能单独直接进入造句法,下面词汇凝结成词:

"践踏"、"糟践"、"践约"、"实践"

"矫"的本义是"将弯曲的东西弄直",这个意义现代汉语已经不能单独直接进入造句法,下面词汇凝结成词:

"矫正"、"矫形"

"响"的"响亮"、"声响"义在现代汉语里还保留单独造句功能,而"回声"义现代汉语已经不能单独直接进入造句法,下面词汇凝结成词:

"响应"、"影响"、"回响"、"反响"

"宿(夙)"的"住宿"义在方言里保留单独造句功能,而其引申义"旧有的"现代汉语

---

[4] 这两部分所用语例,有一些我在其他论著中曾使用过,这次因为论证的重点不同,因此作某些补充后,再次使用。

已经不能单独直接进入造句法,下面词汇凝结成词:

"夙(宿)愿"、"夙(宿)怨"

这种现象在汉语里非常普遍。

二、从共时的角度观察:构词法则与造句法则在很多层面上没有同一关系,构词不保护语法属性。

第一个事实,在造句法中,联合短语的词性与两个语素的词性是一致的,但汉语的联合式构词法不保护语素原有的词性。例如:

开关、语言、告示、出入、得失、丧葬(动词+动词=名词)

肥瘦、深浅、利害、方圆(形容词+形容词=名词)

物色、介绍(名词+名词=动词)

寻常(单位[名]词+单位[名]词=形容词)

的确(形容词+形容词=副词)

根本(名词+名词=副词)

一再、再三、千万(数词+数词=副词)

第二个事实,构词也不保护造句法的语序。例如:

名词→形容词≠主谓:

"油滑"、"天大"、"雪亮"、"血红"

名词→动词≠主谓:

"笔谈"、"袋装"、"雷鸣"、"冰释"、"鞭策"

动词→形容词≠述补:

"飞快"、"滚圆"、"张狂"、"流畅"

动词→动词≠联合和连动:

"渴望"、"跃进"、"飞奔"、"绕行"、"游说"

第三个事实,语法解释不了双音词语素的结合关系。这里,我们用同义词构成的联合式双音词为例。以下三组双音词都属于这类双音词,如果从语法的角度看,它们是因为词性相同而具有联合凝聚的可能性的:

(1) 土 地 壤—土地(天地)、土壤(天壤)、*壤地、*地壤

(2) 燃 烧 焚—燃烧、焚烧、*焚燃、*燃焚

(3) 亲 近 切 密—亲近、亲切、切近、亲密、密切、*密近、*近密

从上面三组同义词组合为双音词的事实看,同一组同义词有的可以结合为双音词,有的却不能。这个原因,只能从语义特点的角度去解释:在(1)组中,是"壤"是耕作过的松土,"土"既是"壤"的上位概念,又可以与"壤"相对,作为"坚土"来使用,所以可以以后

一身份和"壤"结合。"地"是天的反义词,"土"是"地"的质地,所以可以与"地"构成近似同一关系的结合。但"地"与"壤"不经过"土"则不存在语义关系,因此没有结合的内在因子。在(2)组中,"燃"指燃烧物的自燃,"焚"指燃烧物的被燃,二者不可能涉及同一对象,反映在语法关系上,"燃"的宾语只能是燃料,而"焚"的宾语只能是被点燃的他物,二者无法沟通。只有"烧"可以二者兼顾,所以"燃"、"焚"只能分别与"烧"结合,彼此不能结合。在(3)组中,"亲"与"切"都是两两无距离的接近,"密"则是多向的无距离接近,因此,"亲""切"与"密"可以合成,而"近"是两两距离短,又并不一定紧挨,与"密"的共同因子十分缺乏,所以二者不相结合。因此可以看出,双音词语素的结合,是按意义系统的内在关系互相选择的。这种选择是语法关系无法体现的。

词汇遵循自组织的原则在累积中自成系统[5]

汉语词汇遵循以下三个规律发展演变:第一,累积律,词汇不是以新旧替代的方式增长,而是以新旧并存的方式逐步累积起来。第二,区别律,一切新词的产生必须与已有的旧词相区别;因此,语言必须不断增加别词的手段,才能保证词汇的累积。第三,协调律,词汇遵循自组织的原则自成系统,词汇的内部词与词之间必然时时协调其音与义。其次,词汇是语言的材料,它与语音、语法是协调发展、相互制约的。

在以上三个规律的支配下,汉语词汇的递增速度一般要高于综合性语言和分析性较弱的语言。汉语词汇的增长必然带来适合于他自身的构词方式的演变。从上古单音音(字)变造词,到汉代能产量剧增的双音合成造词,是汉语构词方式演变的基本事实。

汉语在单音造词阶段,是在语义分化基础上形成系统:

1. 广义分化:切割词的义域,用新的词形来承负分割出的子义域,这种分化有两种类型:

(1) 同位分化。不保留上位词,义域的切割是均匀的。如:

内向精神为"性",外泄精神为"情";
面向为"迎",背向为"逆"。

(2) 下位全程分化。保留上位词,上位词独用。如:

上位词"和"保留,分化出"盉"、"龢"。
上位词"正"保留,分化出"征"、"政"、"整"。

---

[5] 这两部分所用语例,有一些我在其他论著中曾使用过,这次因为论证的重点不同,因此作某些补充后,再次使用。

(3) 下位半程分化。保留上位词,上位词兼用。如:

保留上位词"落",草落曰"零",木落兼用"落"。

使"落"具有泛指与专指两重身份。这种分化形成"对文则异,散文则通"的格局。

2. 引义分化:分割词的义位,用新的词形来承担引申出的诸义位,这种分化也有两种类型:

(1) 同类分化。词类相同。如:

"唱"、"倡"分化,

"武"、"舞"分化。

(2) 异类分化。词类不同。如:

"解"、"懈"、"蟹"分化。

这说明,词汇分化是自身系统能量的加减交替,不受语法的制约。这种分化使词汇之间的级层关系能够保持平衡。

双音合成词与现代汉语单音词在表义功能上构成系统分布,或互补分布。它们可以构成上下位关系,例如:

"光"与"光泽"、"光亮"、"光芒"、"光彩"……

"分"与"切分"、"划分"、"瓜分"、"等分"……

"大"与"庞大"、"伟大"、"肥大"、"高大"……

可以构成不同语体色彩的互补,例如:

"长"与"冗长"　"巧"与"工巧"　"迷"与"迷失"……

可以构成不同感情色彩的互补,例如:

"成"(中性)与"酿成"(贬义)、"告成"(褒义)

"取"(中性)与"攫取"(贬义)、"捞取"(贬义)

"久"(中性)与"悠久"(褒义)、"恒久"(褒义)……

这说明,不论是双音化,还是单音词的存留,都是汉语词汇系统自身决定的。一个词,必须在词汇系统中具有自己的位置,构成自己有序的周边关系,成为词汇系统有机的组成部分,才能有生命力。

结　　论

汉语词汇语义学应当在自己的传统中总结,因为汉语研究的传统含有最全面、最彻底的科学语义观,因而有可能产生最先进的方法。在语义的研究上,全盘西化是舍本求末,舍近求远。

　　传统汉语研究中,语音与语义一直是结合的。在主要借鉴西方的语法学产生后,语义有了语法系统做参照系,在建立自身系统时,绝不可置语法于不顾,因此存在重建与完善的问题。当然,汉语语法有了词汇语义系统做参照,也需要有新的思路。

　　汉语词汇语义学的重建和完善,要坚持内容决定形式、形式对内容起反作用的观点,也要坚持内因起主导作用的观点。这不是教条,是经过无数语言事实验证了的;要坚持系统论,这是中西方成功的研究中的共识。世界观和方法论问题是最大的问题,正确的世界观和方法论是我们选择继承与选择借鉴的第一个标准。

（王宁:北京师范大学民俗典籍文字研究中心,100875,北京）

传统"义训"之批判与引申推义之提出
——训诂学与词汇学结合的思考

白兆麟

提要： 本文在揭示"方法"一词的内涵和分析传统训诂方法鼎足三立的基础上，指出传统"义训"的缺陷，并提出"引申推义"法，以与"以形索义"、"因声求义"并列。

关键词： 形训 音训 义训 直陈词义 引申推义

训诂，作为学术上的一个特定意义，指的是关于古代文献解释的专门工作。因此，训诂学也就是研究古代文献训释的科学。有一点是学界公认的，即训诂学的研究对象必然要全面涉及古代文献的言语。这就要引出另一个问题：训诂学所要研究的主要内容是什么？在我们看来，训诂学研究的主要内容是古代文献的言语的意义，而其基础就是字词的意义。当然，独立的训诂学还要总结前人的注疏经验，阐明历代训诂的体制和义例、方式和方法、原则和运用等等，以便指导各个方面的训诂实践。我们始终认为，传统训诂学是运用文字、词汇、音韵、语法、修辞等有关知识来解决古代文献释读障碍的综合性的应用学科（《简明训诂学》，1984）。但是，上述种种都是以分析古代文献言语的各种矛盾，研究文献字词意义的复杂情况为前提的。我们既要考虑到训诂学的综合性与实用性这两大特征，也要强调训诂学研究文献言语意义的理论性和基础性。只有这样，我们才能把握住训诂学的核心。

词汇，作为语言三要素之一，是指语言的建筑材料。而以词汇为研究对象的词汇学，是研究语言词汇的构成、词的意义与结构、词义的演变及规律等。训诂学与词汇学，各自独立又相互联系。本文无意全面论述训诂学与词汇学的关系，只想从训诂方法问题着手，展示一下汉语言文字学这两个分支学科的密切联系。

一 对传统"义训"的批判

传统训诂学在论及训诂方法时，有所谓"形训、音训、义训"三者并列之说，以为"形训"即"以形索义","音训"即"因声求义",而"义训"即"直陈词义"。今天从逻辑学的角度来思考,"义训"之定名、解释及其赋予的涵义,都是不科学的。

先看"义训"的名称。如果说"三者并列"的"义训"就是所谓"直陈词义",那么"形训"就似乎是训释形体,"音训"就似乎是注释读音。这显然是不确切的。因为无论"形训"还是"音训",其目的也都是解释字词的意义,在这一点上与"义训"完全一样。如果要取一个与"形训"、"音训"相对应的名称,那不如借用扬雄与郭璞所用过的"转训"为好。所谓"转训",即训释与"本义"相对而又有关联的"转义",包括一般所谓"引申义"和"比喻义"。

次看"直陈词义"的解说。顾名思义,所谓"直陈词义",就是把词义直接陈述出来。至于该词义是如何探求出来的,究竟凭借什么条件,都不得而知。不像"以形索义"和"因声求义",其名称即已分别揭示,是凭借记载文献言语的汉字的形体和字词的语音来探求其意义的。

最后看传统"义训"所包含的内容。无论是按照旧的提法,如"互训、递训、义界"等,还是按照新的说法,如"同义相训、反义相训、描述比况"等,都只是解释字词意义的方式,而并非探求字词意义的方法。如前所说,"形训"即以形索义,"音训"即因声求义,二者都有一个探求字词意义所凭借的条件,这就是词的书写形式(字形)和词的口头形式(语音)。而传统所谓"直陈词义"的"义训",却没有指明一个赖以借助的条件。且看上述几种训诂方式:

同训是一种常见的方式,即用当时读者所熟悉的同义词来解释某词。例如《诗》毛传:"晞,干也。"《周礼》郑笺:"佐,犹助也。"《方言》:"崽者,子也。"《尔雅·释诂》:"宪、刑、范、辟、律、则,法也。"《尔雅·释鱼》:"蝾螈,蜥蜴;蜥蜴,蝘蜓;蝘蜓,守宫也。"这里有单个同义词的解释,有若干近义词类聚的同义词解释,也有几个同义词的辗转递训。但是,这都是对被释词的词义了解之后,选择一个适合的同义词来表述罢了。如果被释词是一个未知数,那就根本无法选择某个同义词来训释。同理,用某词的反义词来解释该词意义的反训,如《方言》郭注:"苦而为快者,犹以臭为香、治为乱、徂为存,此训义之反复用之是也。"也只有在已知该词意义的前提下,才能选择某个合适的反义词来表述。可见,无论同义相训还是反义相训,都是对已知词义的表述方式,而不是探求字词意义的方法。

所谓描述比况,是对被释词所表示的事物加以描写,或用类似的事物加以比拟。例如《尔雅·释鸟》:"二足而羽谓之禽,四足而毛谓之兽。"《说文·水部》:"漏,以铜受水,刻节,昼夜百节。"《尔雅·释兽》:"兕,似牛。犀,似豕。"以上描写也好,比拟也好,都是对被释字词的指称有所见闻之后,才能作出如上的描述和比况。如果无所见闻,那也不可能进行具体的描写与比拟。要说采用的方法,那应当是所谓"目验法"。描述比况不过是一种表达方式而已。

至于"义界",那是用下定义的方式来表达被释词的内容和特点。例如《诗》郑笺:"规者,正圆之器也。"《尔雅·释宫》:"宫中之门谓之闱,其小者谓之闺。"《说文·赤部》:"赧,面惭而赤也。"这显然用共名加上义差的表达方式。试想,如果对被释词所属的类名及其性质特点一无了解,又如何去表明义界?因此,表明义界本身并非训诂方法,也仅仅是对已知词义的一种比较准确的表达方式。

二 引申推义法的原理

以上分析表明,传统所谓直陈词义的"义训",不仅定名不当,而且与"以形索义"、"因声求义"鼎足三立也不符合逻辑。

首先,无论以形索义的"形训"还是因声求义的"音训",都不过是以字词的形式(书写的或口头的)为根据来索求字词的意义,并没有涉及字词的内容,即没有从词义本身的运动规律来探明词义。这显然是不完备的,因而也就是不科学的。如果说,训诂的产生一开始就存在所谓"形训"、"音训"、"义训",那么,这"义训"(当改为"转训")不是什么"直陈词义",而应该是"引申推义"。因为字词意义是字词的内容,而"引申"是词义运动的基本形式。

其次,前人的训诂实践和传统的训诂理论告诉我们,古代文献的字词有所谓本义和引申义,又有所谓语源义以及通假义。以形索义的"形训"法,它所探索的是字词的本义;因声求义的"音训"法,它所探索的是字词的语源义及通假义。而古代文献里大量出现的引申义,传统训诂的所谓"义训"并没有为我们提供什么探明的方法。应该说,这是一个明显的缺憾。古代训诂家的训诂实践可以给我们以启示,探明字词的引申义是凭靠词义的引申规律。显然,提出"引申推义"的方法,以此探明字词的引申义,正好弥补了上述二法的不足。这样,古代文献字词的所有意义就基本上诠释完备了。

汉语词汇的发展,总是遵循着由单音词向复音词转化的趋势。汉语词义的演变,也有规律可循。这就是"引申推义法"提出的理论根据。我们曾经指出,王宁在其《训诂方法论》里所提出的训诂方法系统,在训诂学理论建设上是一个重大的建树:

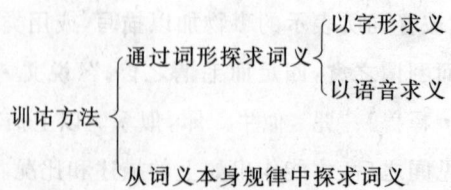

拙文《试论引申推义》,曾经阐述对上述训诂方法系统的重大理论意义(《古汉语研究》,1991)。这里不再重复。不过,著者当时为"从词义本身规律中探求词义"之方法定名为"比较互证",却是有些欠妥。一是因为这个名称不但不能体现著者所说的上述涵义,而且还模糊了它的内涵与外延;二是因为这个名称所表述的方法并非训诂学所独有的根本方法,它不仅为其他学科所使用,而且还能作为"形训"和"音训"二法的辅助手段。程俊英《应用训诂学》也使用"比较互证"的名称,但却是另外一种涵义:"这里所谓比较互证,是指利用含有同义、近义、相关义成分的不同语言材料,进行比较寻绎,互相证发,以探求和确定词语含义的训诂方法。"因此,"比较互证"的名称,不能与"以形索义"、"因声求义"二法相提并论。王宁的贡献在于:她把现代词汇学有关词义的科学理论引入训诂学领域,明确地提出了"根据词义引申转化来推求和证明词义的方法"。正是根据这一点,我们把它定名为"引申推义法",以便同"以形索义"和"因声求义"二法并列为三,正好与作为汉语书写符号的汉字具有形、声、义三者相切合。

三　引申规律的探讨

在语言的三要素中,词汇与社会生产与生活的联系最为直接,因而对社会变化的反映也最为敏感。旧词的消亡,新词的产生,词义的演变,都是古今学者明显感觉到并加以考察的语言现象。不过,古代的训诂家是从文献释读的角度来考察,而现代的词汇家却是从语言建筑材料的角度来研究。虽然有言语和语言的区分,有历史与现代的差异,但毕竟都涉及词义这个核心。所以,训诂学与词汇学在某个方面的结合,不仅完全可能,而且很有必要。

正确地应用引申推义的方法,须有一个前提,那就是在对引申有一个明确认识的基础上归纳出若干比较合理的引申规律。这就需要掌握词汇学原理。古代并无今之所谓词汇学,古代学者对字词的产生与发展,对词汇的内部构造,对词义辗转演变的规律,其探讨往往散见于文献训释之中。譬如先秦时期的《墨经》、《荀子》即有这方面的阐述。且以词义演变引申为例,《韩非子·解老》篇就开始涉及词义之间的联系问题:"人希见生象也,而得死象之骨,按其图以想其生也。故诸人之所以意想者,皆谓之象也。"这是在探寻"象"的"大象"义与"意象"义之间的联系。唐代训诂家在其注疏中,已经注意探求字词本义与转义之间的关联。例如《诗·幽风·狼跋》:"公孙硕肤,德音不瑕。"毛传:"瑕,过也。"孔颖达疏曰:"瑕者,玉之病。玉之有瑕,犹人之有过,故以瑕为过。"这是说明"瑕"由"瑕疵"义辗转为"过误"义的理据。宋代学者徐锴在其《说文解字系统》里也有意识地解说字词的引申义。如《说文》:"材,木梃也。"徐锴云:"木之劲直堪入于用者,故曰入山抡材，抡可为材者也。人之有才，义出于此。"明末清初的顾炎武，在其《日知录》里更是比较系统地说明某些字词引申的义列，其中对"寺"字辗转演变的解说就是一个突出的例子。后来，乾嘉学者王念孙、段玉裁等还有意识地揭示过字词引申的规律。历代学者和训诂家在这方面的努力，使得借助字词演变规律来探讨与考证字词意义成为可能。

关于词义引申，当代训诂学家陆宗达、王宁合著的《训诂方法论》里，有一段准确的表述："引申是一种有规律的词义运动。词义从一点（本义）出发，沿着它的特点所决定的方向，按照各民族的习惯，不断产生新义或派生新词，从而构成有系统的义列。这就是词义引申的基本表现。"

这一段阐述含有三层意思：一层，词义引申是词义不断辗转演变的一个系列；二层，词义引申受各个民族心理习惯的制约；三层，词义引申的结果，或产生新义，或派生新词。其中第二层值得注意，它等于说，词义引申既有各民族语言共有的一般规律，也有各民族独有的特殊规律。

关于词义引申的一般规律，词汇学界在过去已经作了很好的归纳，大致有如下四条：一是由个别到一般，二是由具体到抽象，三是由兼该到偏指，四是由实在到虚灵。因为不少概论性的词汇学著作都有所论及，这里就不再举例分析了。至于古代书面汉语词义引申的特殊规律，王宁以及其他几位学者都有比较系统的论述，譬如"理性引申"（因果、时空、动静、正反等），"联想引申"（同状、同用、同所、通感等），"礼俗引申"，"语法引申"，等等，值得读者参阅，这里不再赘述。不仅如此，词汇学家还对词义引申的方式和结果进行过归纳，指出其方式有所谓"辐射式"、"链条式"、"综合式"。"辐射式"是直接引申，"链条式"是间接引申，"综合式"是直接与间接相交替的引申。其结果有所谓"扩大"、"缩小"、"增义"、"减义"和"转移"。"扩大"是词义经过概括而所指范围更大，"缩小"是词义内涵增加而所指范围变小，"增义"与"减义"是字词的义项的增加和减少，"转移"则是词义的易位。词汇学的这些成果，都使得"引申推义"成为一种可操作的方法。当然，词义引申的范畴和规律，是一个十分复杂的课题，其研究还有待于进一步的深入。

四 引申推义法的应用

必须指出，传统训诂学虽然没有为"引申"作过科学的界定，也没有系统地归纳过词义引申的规律，但是如前所述，历代睿智的训诂家对其先前文献里的词义引申现象一向比较重视，有的还进行过细致的考察和具体的研究。宋明以来，不仅有学者依据《说文》

探索字词本义这个引申的起点,开始整理由本义的特点所决定的引申义例,而且还凭借某些引申规律,运用这种引申系列,来推求字词的新义或论证新义的合理性。清代乾嘉时期的训诂大师们,在这方面做出了尤其出色的成绩。戴震《孟子字义疏证》于"理"字,就有一段精彩的阐述:

> 理者,察之而几微必区以别之名也,是故谓之分理。在物之质曰肌理,曰腠理,曰文理。得其分则有条而不紊,谓之条理。……《中庸》曰:"文理密察,足以有别也。"《乐记》曰:"乐者,通伦理者也。"郑康成注云:"理,分也。"……问:古人之言天理,何谓也?曰:理也者,情之不爽失也,未有情不得而理得者也。天理云者,言乎自然之分理也。自然之分理,以我之情絜人之情,而无不得其平也。

戴氏从字词出发,紧紧抓住"理"引申为"分理""肌理、腠理、文理""条理""伦理""天理""情理"等意义的根据。这种对字义的疏证,实际上已经整理出了"理"字的引申系列。也正因为如此,我们今天读起来仍然感到其疏证是那样的自然可信。

段玉裁为《说文解字》作注,分析引申义列达一千一百余条,为词义引申的研究提供了丰富而可贵的资料。下面举其数端并略加分析:

《说文·目部》:"眚,目病生翳也。"段注:"引申为过误。如'眚灾肆赦','不以一眚掩大德'是也。又为灾眚。李奇曰:'内妖曰眚,外妖曰祥'是也。"

《说文·示部》:"祥,福也。"段注:"凡统言则灾亦谓之祥,析言则善者谓之祥。"

《说文·木部》:"梳,所以理发也。"段注:"器曰梳,用之理发亦曰梳。凡字之体用同称如此。"

《说文·刀部》:"副,判也。"段注:"副之则一物成二,因仍谓之副。因之凡分而合者皆谓之副。训诂中如此者致多。……《史记》曰:'藏之名山,副在京师。'《汉书》曰:'臧诸宗庙,副在有司。'"

《说文·飞部》:"翼,翅也。"段注:"翼必两相辅,故引申为辅翼。《行苇》郑笺云:'在前曰引,在旁曰翼。'又凡敬者,必如两翼之整齐。故毛传曰:'翼,敬也。'郑笺云:'小心翼翼,恭慎貌。'"

《说文·页部》:"顾,还视也。"段注:"还视者,返而视也。……又引申为临终之命曰顾命。又引申为语将转之词。"

段氏在分析词义引申时,有的已经指出引申的根据,有的则未指出引申的根据。但是可以肯定,段氏在阐述词义引申的系列时,他的观念中是有联系相关义项的合理根据的。否则,我们今天读来,不会感到那么令人信服。譬如:"眚"由"目病"引申为"过误",是具体到抽象;"祥"由包含"福、灾"两面引申为"福",是由兼该到偏指;"顾"由"还视"引申为"语将转之词"(即转折连词),是由实在到虚灵;"梳"由"器"

转为"理发",是动静引申;"翼"由"翅"到"辅翼",是同用引申;而由"翅"转为"翼敬",则是同状引申。

如果说戴震所阐述的,是抓住词的本义的某个特点,以此系联引申义的方法;段玉裁所提供的,是大量的词义引申例证和探索词义引申的规律;那么,王念孙在《广雅疏证》里,则是为我们运用引申义列来求证词义指明了具体的途径:

> 鼻之言自也。《说文》:"自,始也。读若鼻。今俗以始生子为鼻子是。"《方言》:"鼻,始也。"兽之初生谓之鼻。人之初生谓之首。(卷一上)

> 凯者,《吕氏春秋·不屈篇》云:"诗曰'恺悌君子',恺者大也,悌者长也"。凯与恺通。般者,《方言》:"般,大也。"郭璞音盘桓之盘。……郑注云:"胖犹大也。"槃,大也。"槃、胖并与般通。……凡人忧则气敛,乐则气舒。故乐谓之般,亦谓之凯;大谓之凯,亦谓之般,义相因也。(卷一上)

> 元、良为长幼之长。《尔雅》:"元、良,首也"。首亦长也。《乾文言》云:"元者,善之长也"。《司马法·天子之义篇》云:"周曰元戎、先良也。"《齐语》云:"四里为连,连谓之长。十连为乡,乡有良人。"是良与乡同义。(卷四下)

对于"鼻"字,王氏除用《说文》、《方言》里的训释材料说明其有"始"义而外,还用"鼻"字与"首"字皆有"初生"的引申义,进一步证明"鼻"字确有"始"义。对于"凯"字,王氏先用因声求义的方法,指出"凯"与"恺"声近义通而有"大"义,"般"与"胖、槃"等声近义通而有"大"义,然后又用"凯"的引申义列与"般"的引申义列相比较,来证明"凯"是由"乐"义引申为"大"义是完全合理的。

至于"良"字,《说文》解为"善",《尔雅》训诂为"首"。如何判定,段注、郭注、郝疏均未涉及。王氏运用引申推义法的分析向我们显示,"良"的本义是"首"而不是"善"。正因为"良"的本义是"首",所以引申为长幼之长。这同"元"的本义是"首"而引申为幼之长一样。"良"的本义为"首",又引申为首长义,如《国语·齐语》"乡有良人",韦昭注:"良人,乡大夫也"。这也同"首"引申为首长,"元"引申为"元戎"一样。凡为首长,须有声望,因而"良"又引申出"善"义。《说文》训"良"为"善",正是其引申义。这与"元"引申为"善之长",《左传·文公十八年》杜注"元,善也",又是一样。

以上戴、王、段三家对字词意义的推求与考证例都有力地证明,引申推义确实是过去的训诂家用来判定和考证疑难词义的有效方法。

运用引申推义法,不仅能考求字词的意义,还能推求出字词的意义网络来。譬如"节"字,先根据甲骨文字形与《说文》的有关解说,索求其本义当是人的"膝关节"。这是"节"字的引申起点。试看下列例句:

(1) 彼节者有间。(《庄子·养生主》)

(2) 节,竹约也。(《说文·竹部》)

(3) 司马握节以死。(《左传·文公八年》)

(4) 夫祀,国之大节也。(《国语·鲁语》)

根据词义由个别到一般的引申规律,可以判定例(1)的"节"是指一切动物肢体的关节。例(2)释"节"为"竹约",显然是同状引申的规律起了作用,因为竹节的外形与动物的关节相似。根据中国古代文化常识,作为凭证的信物常用竹片刻字做成,因而判定例(3)的"节"为"符节",这是词义的同所引申。符节有一定的尺度,又具有一定的约束力,因而,"节"又产生"约束"义,这显然是动静引申。根据词义由具体到抽象的引申规范,"节"又派生出"制度"义,例(4)即是。而"节"的"约束"义用在不同的场合,又派生出许多不同的转义。再看下列例句:

(5) 节用而爱民。(《论语·学而》)

(6) 仓廪实而知礼节。(贾谊《论积贮疏》)

(7) 四时八位十二度二十四节。(《史记·自序》)

(8) 其节数以急。(韩愈《送孟东野序》)

例(5)"节",指财务上的约束,即"节省"。例(6)"节",指伦理道德上的约束,与"礼"同义。例(7)"节",是时令上的约束,即"节气"。例(8)"节",是音乐长短上的约束,即"节拍、节奏"。以上都是词义的同用引申。

五 小 结

通过以上对训诂的三个基本方法的论证,可列一简表总结如下:

以形索义法(形训)——依据形义相关原则——索其本
因声求义法(音训)——依据音近义通原理——探其源(假)
引申推义法(转训)——依据词义引申规律——推其流

综合运用训诂三法,既可据本定假,由源及流,亦可以假济本,溯流探源。可谓三法齐备,相辅相成。从训诂学的角度来看,需要分别吸收文字学、音韵学、词汇学的研究成果,以增强自身的理论厚度。其中,词汇学显得更为重要。

参考文献

白兆麟(1997)《文法训诂论集》,语文出版社。
———(1984)《简明训诂学》,浙江教育出版社。
程俊英、梁永昌(1989)《应用训诂学》,华东师范大学出版社。

葛本仪(1997)《汉语词汇论》,山东大学出版社。
陆宗达、王宁(1983)《训诂方法论》,中国社会科学出版社。
蒋绍愚(1989)《古汉语词汇纲要》,北京大学出版社。

(白兆麟:安徽大学中文系,230039,安徽合肥)

随文释义材料的综合与词义的加工

宋永培

提要： 对随文释义材料作分析与综合，首先应检验该释义材料是否体现了被解释语词所在的文献正文的语境，其次应检验该释义材料的训释意图、训释方法是否有助于表述被解释语词的言语意义，最后应检验诸多释义材料是如何从多个侧面表述同一个义项的，或者说，某一个义项是如何对多个释义材料进行综合的。

关键词： 随文释义　综合　词义加工

一个语词包含多个义项，叫做一词多义。一个义项有多种表述形式，叫做随文释义。现在，凭借着新出版的《故训汇纂》，特别是各种古代文献传注的电子检索文本，人们已能较为便捷地对某一义项的随文释义材料作穷尽性的收罗与精确的统计。无疑，这为全面地分析、综合这些训释材料创造了很好的条件，但同时应清醒地认识到，穷尽性的搜罗与精确的统计毕竟不是分析与综合。对随文释义材料作分析与综合，首先应检验该释义材料是否体现了被解释语词所在的文献正文的语境，其次应检验该释义材料的训释意图、训释方法是否有助于表述被解释语词的言语意义，最后应检验诸多释义材料是如何从多个侧面表述同一个义项的，或者说，某一个义项是如何对多个释义材料进行综合的。

现在以语词"麓"的随文释义材料为例来说明这一问题。

文献正文的语境，是指出于表达特定主旨的需要，由语词连缀而成的文献的上下文。就内容而言，语境主要包括所表述的主旨、背景、人、事、物与过程。文献的上下文形成的语境总是切实的与具体的，对文献正文中的语词所作的有价值的训释，首先应能体现这种切实的与具体的语境。而体现出的这种语境，应能便于人们确切把握语词的言语意义。

《淮南子·泰族》：既入大麓，烈风雷雨而不迷。

许慎注：[1] 林属于山曰麓。尧使舜入林麓之中，遭大风雨不迷也。

---

[1]《淮南子》二十一卷，流传至今的只有题名高诱注并有高诱叙的一种，据前人考证，其中《原道》、《俶真》、《天文》、《地形》、《时则》、《览冥》、《精神》、《本经》、《主术》、《泛论》、《说山》、《说林》、《修务》等十三篇为高注，《缪称》、《齐俗》、《道应》、《诠言》、《兵略》、《人间》、《泰族》、《要略》等八篇为许注。见《淮南鸿烈集解》之"点校说明"，中华书局，1989年。

许氏对《泰族》正文中"麓"的训释,是体现了"麓"所在的上下文的语境的。正文的"入大麓",显现的是"向下进入于林麓之中",即"进入'林属于山'之中"这种具体的语境。这种语境展示的"麓"的言语意义,是指"麓"是附属于山的大林。确切地表述这一言语意义,则是:麓的地势低,是在山之下;麓的占地面积大,所以称为大麓。

不同的文献正文,其语境容有不同,但如果这些文献正文中运用了语词"麓",那么多部文献中"麓"的言语意义在主要方面会是相同的。如果前代留下了对于数种文献中的"麓"作随文解释的有价值的材料,那么这些解释在意义上或者相同,或者可以彼此贯通。例如:

《后汉书·班固传》:西郊则有上囿禁苑,林麓薮泽。

李贤注:《穀梁传》曰:林属于山为麓。

《文选·张协〈七命〉》:携公子而双游,时娱观于林麓。

吕延济注:山下林曰麓。

在《班固传》与《七命》的正文中,都是"林"与"麓"同义连用,说明"麓"即是"林",可见这两篇正文中"麓"的言语意义在主要方面(都指称"林")是相同的。

就"麓"的释义材料来考察,《班固传》注把"麓"释为"林属于山",《七命》注把"麓"释为"山下林",表面看似不同,其实二者在意义上是贯通的。"林属于山",是指在"山之下"依附于山的"林"(下文将作出论证),简言之就是"山下林",可以说《七命》所注"山下林"是对"林属于山"含义的简要而显豁的说明。

有什么样的训释意图,就会采用什么样的训释方法,运用特定的训释方法。其直接的作用,是为了把被解释语词的言语意义表达清楚。训释意图、训释方法与被解释语词的言语意义之间存在的关系,实质上是后代的注释者与前代文献正文的作者之间如何沟通的关系。注释者不论确立何种注释意图,采用何种训释方法,都应有助于客观地反映文献正文作者所表达的内容,都应有助于读者对正文中被解释语词的言语意义的理解。

训释意图与训释方法并非单纯的技巧,只有在对文献正文的内容与表达方式研精覃思、博综融贯之后,才能形成高明的训释意图与得体的训释方法。

从上文的分析看出,许慎作的训释"林属于山曰麓。尧使舜入林麓之中",客观地反映了《淮南子·泰族》的正文"既入大麓"表达的内容,确切地展示了"麓"的言语意义:"麓"是在山之下,附属于山的大林。那么,"林属于山曰麓"这条训诂材料,它包含着何种训释意图,采用的是何种训释方法呢?这种训释意图与训释方法,是如何表述"麓"的言语意义的呢?

"林属于山"的释义,包含着从语源上揭示"麓"词义来源的训释意图。依照《淮南子·泰族》"既入大麓"许慎注,"麓"的音与义都是"属"。因而许氏采用的训释方法,是"义界式声训"法。"林属于山曰麓"是"义界式训释",就是用一句话来给"麓"下定义,而其中的主训词"属",则是用来发掘"麓"的语源义的。

从上古音来说,"属"与"麓"同在段玉裁《六书音韵表》第三部入声屋沃烛觉韵,它们在意义上都记录"在下、相连"义。请看"属"为"在下、相连"义的文献用例与训释材料:

  《周礼·天官·叙官》:乃立天官冢宰,使帅其属而掌邦治。

  贾公彦疏:此"属"唯指六十官之属也。

  孙诒让正义引《说文·尾部》云:属,连也。

《叙官》的正文是说天官冢宰统领其下属。贾疏与孙诒让正义则表明属官在下而连属于冢宰。可见"属"的词义是"在下、相连"。

  《汉书·司马相如传上》:上干青云,……下属江河。

  颜师古注引郭璞曰:属,连也。

《司马相如传》的正文中,"属"之前用"下"来限定,表明"属"的词义特点是"在下",郭璞与师古的注也表明,"属"的词义是"在下、相连"。

  《汉书·郊祀志上》:文公梦黄蛇自天下属地,其口止于鄜衍。

"自天下属地",是说从天上向下连属于地。"属"之前用"下"来限定,也表明"属"的词义是"在下、相连"。

"属"与别的词组合,所显示的也是"在下、相连"之义。例如"属车",《汉书·贾捐之传》云"属车在后",师古注:"属车,相连属而陈于后也。""陈于后"即"陈于下",《群经平议·春秋穀梁传》"使之如下齐而来我然"俞樾按:"下者,后也。盖古人谓前为上,谓后为下"。所以,"属车"是指陈列在下位而相连属之车。又"属妇"之"属"指"地位低下",如《小尔雅·广义》:"妾妇之贱者谓之属妇。"

"属"的词义是"在下、连属",则"林属于山曰麓"这个解释语中的"林属于山",就应是"林在山下,连属于山",作完整的表述,"麓"就是指在山下而附属于山的林。此即"麓"在《淮南子·泰族》"既如大麓"一语中的言语意义。

由此可知,是许慎确立的揭示语源的训释意图,把"属"与"麓"连接了起来;又是他采用的"义界式声训"的训释方法,把"林"与"山"也连接了起来,这样就凸显了"麓是林","在山之下","与山连属"这三个词义要点。这些要点会合起来,就是"麓"的言语意义的全面表述。

文献正文中某个语词的某一义项,在当时和后世不同的注释者的笔下会有各种解释形式出现,由此而造成同一义项存在着诸多随文释义的材料。语词"麓"的训释材料

是多种多样的,在表述上涉及"山"或"林",并且表述形式不重复的,计有五种:

1. 林属于山曰麓。(《淮南子·泰族》许慎注,《说文·林部》"麓"下一曰)
2. 山下林曰麓。(《文选·张协〈七命〉》吕延济注)
3. 麓,大林也。(《郑驸马宅宴洞中》仇兆鳌详注引服虔曰)
4. 山足曰麓。(《周礼·天官·叙官》郑玄注)
5. 麓,守山林吏也。(《说文·林部》)

依照《说文通训定声·需部》"麓"下义项的排列与解说,第1种训释的"林属于山曰麓"是"麓"的本义,第5种训释的"麓,守山林吏也"是"麓"的引申义。上文已作分析,"林属于山"与"山下林"在意义上是相同的;由于麓在山之下,占地面积大,故在《淮南子·泰族》中称为"大麓",麓既然是"林属于山",所以"大麓"又可称为"大林"。第3种训释的"麓,大林也"的解释,其着眼点已在发生变化:已不是全面地从"林"与"山"的关系来释"麓",而是省略了"山",着眼于"林",并且进一步就"林"的外观特点来解释,是"大林"了。《说文·林部》桂馥义证所说"麓,则林之大者也"更关注于"大",表明桂氏已经在对"麓"的随文释义材料作概括了。

这样就只剩下了"山足曰麓"的训释,与第1、2、3种训释相比,"山足"的训释很特别,在表述上它不涉及"林"与"山"的关系,也不涉及"林",十分突兀地就把"麓"解释为"山足"。由于上文已考察了"麓"所在的语境,明白了麓的地势低,是在山之下;接着,上文又发掘了"麓"的语源是"属","属"的词义特点是指"在下",因此"麓"直接指称的就是"山下之林",换言之,"林"所丛集的区域是"山下",而"山下"的实体正是"山足"。《诗·召南·殷其雷》"在南山之下"郑玄笺确切地表述说:"下,谓山足。"

麓是在山之下,因而"山足"就是麓的具体所指。这个具体所指,是对麓的其他训释材料进行概括的根本依据。麓在文献中可以用"林"、"大林"来替代,这是从第2种训释"山下林曰麓"发展而出的,是对"山下林"的概括。上文已说明,"山下林"在意义上同于"林属于山",我们现在则可说,"林属于山"的具体所指即是"山足","山足"之"足"恰好是"林属于山"之"属"的语源。探求其上古音,"足"与"属""麓"同在段玉裁《六书音韵表》第三部入声屋沃烛觉韵,它们在意义上都记录"在下、相连、附著"义。语词"麓"在上古时代产生时,汉民族祖先的思维主体,是直接对"山足"的表象加以记录。随着思维形式建立起表象与表象之间的联系,反映事物内在联系的思维活动也随之开始并推进。按照上古汉民族"近取诸身,远取诸物"(《易·系词下》)的命名造词方式,我们分析"足"是"属"的语源义,"足"、"属"又是"麓"的语源义,当时的人们从"麓"的"山足"义出发,逐步发展出"林属于山"、"山下林"、"林之大者"等释义形式,因而可以推知,词义的具体所指是造成与综合多种随文释义材料的依据。

"古人正名百物,未尝假借",[2] 就是说,先秦时期语词产生时,其词义是直接而具体地记录某一特定事物的。现在一般流行的看法是说每一词义都是在作概括,这其实只说对了一半。就词义对同类事物的反映而言,它确实是在对该类事物的普遍特点进行概括,但是上古汉民族揭示某类事物的普遍特点,以及区分此事物与彼事物,却是始终紧扣着词义对该事物的具体所指来进行的。因此,就汉民族对事物的反映而言,他们用语词来记录词义,其实质不是在作概括,而是在作加工,是带着汉民族的情感、观念、思维方式对所选取事物的形象特征进行具体的加工。经由这种加工而熔铸在语词里的词义的具体所指,不但成为该语词词义引申的基本依据,也成为该词义的义项对多种随文释义材料实行综合的基本依据。

(宋永培:中国人民大学中文系,100872,北京)

---

[2] 阎若璩《尚书古文疏证》,1064页,上海古籍出版社,1987年。

从《广雅疏证》看训诂学
对汉语词汇的研究

唐子恒

提要: 从《尔雅》《广雅》以及《广雅疏证》的内容看,我国传统的训诂学对汉语词汇特别是词义的研究做出了巨大的贡献。这种贡献绝不仅仅局限在收集解释了古籍中的部分词语,更重要的是战国末或汉初的《尔雅》就已经为古汉语词汇的研究勾画了一个大致轮廓,奠定了基础。而且,《广雅》的收词量以及王念孙的疏证内容都可以说明:训诂学对词汇的研究不仅仅是为解经服务的;训诂学者所关注研究的对象并不局限于古籍中冷僻难懂的词,还包括大量的新词、常用词、口语词等。此外,重视词的音、形、义三者的联系,是符合汉语实际的行之有效的研究方法。

关键词: 训诂学 广雅疏证 词汇 词义

传统的训诂学的核心是语义的阐释和探求,这就决定了训诂学与词义、词汇研究之间存在着密不可分的关系。事实上,训诂学对汉语词汇的研究经历了两千多年的历程,积累了丰富的经验,取得了大量优秀成果。而且,其研究方法、经验完全是从当时汉语的实际出发,在传统文化的背景下积累起来的,其成果对今天的汉语词汇研究有着直接的借鉴作用。本文即打算主要以《广雅疏证》为例,谈谈训诂学在词汇研究方面的成就以及值得总结的经验。

一

《广雅》属"雅学"类训诂著作,是扩充《尔雅》而成的。《尔雅》在古汉语词汇研究方面即已奠定了坚实的基础。殷师孟伦先生曾高度评价《尔雅》价值,专门撰写了论文《从〈尔雅〉看古汉语词汇研究》,认为:"今天研究汉语词汇,虽然可以利用词汇学新的体系作为蓝图,但对《尔雅》却不能低估了它的价值。尽管现代的任何一部辞书所收集的词语,多至十几万个乃至几十万个的那样丰富,编制的条理尽管也是细密非常,为二千年前的辞书——《尔雅》所不能比拟,但《尔雅》的重要性和所起的启导作用仍然不可忽视。"[1] 该文还认为:"《尔雅》又总结了曾经行用过的古汉语的词语,加以类聚群分,勒成专书,这便为古汉语词汇的研究勾画出了一个大的轮廓。惟其如此,这就使《尔雅》由主要以服务于古代文献为目的的著作,进而成为独立研究词汇这一学科的开端的著作,而且成为最早一部研究古汉语词汇规模初具的一部著作。"[2]

该文还从五个方面总结了《尔雅》在汉语词汇研究史上的地位:1.明显区分了当时汉语的基本词汇和一般词汇,为后人的研究开分类之端;2.从篇制上已明显区分了通用词和专用词;3.方言词和全民词的区别在《尔雅》中也有较明显的反映,这主要从《方言》、《说文》及郭璞《尔雅》注等稍后于《尔雅》的一些语言学著述中反映出来;4.从该书所类聚的一般词语中可以证明同义词在语言中的作用;5.其编制者本着舍异求同的原则,建立若干义类,以古代文献可证为断,今天的读者可以通过这些义类认识古人思想意识中所概括反映出的客观对象的轮廓。因此,"《尔雅》的出现,是汉语词汇研究史上的一个重要里程碑。"[3]

后来的"雅学"的出现,一方面更能说明《尔雅》一书的意义价值和影响,另一方面也使传统的训诂学对词义、词汇研究付出了越来越多的精力,产生了一大批在训诂、词汇方面都很引人注目的成果,《广雅》就是其中的佼佼者。

《广雅》的分篇一如《尔雅》,其分条、释义的方式也与《尔雅》有许多相似之处,但是,《广雅》绝不是《尔雅》的简单重复。

自《尔雅》到《广雅》,已经历了四百余年的历史变迁,汉语词汇有了明显的发展变化,如新词新义的产生,古今语、方俗语之间的音转字异,等等。学者对语言本身的变化也有了越来越深刻的认识,在语言学史上影响巨大的《方言》《说文》等书产生于汉代,就是这种认识的部分结果。从词汇研究上看,特别是《方言》的出现,说明语言学者们对方言词语的意义以及与共同语之间在语音文字上的关系等问题给予了相当程度的关注。而且,自西汉以来,经学在思想界的统治地位确立并不断巩固,学者传经解经,兼及诸子、文史,注释章句之学大兴,在训诂方面出现了很多《尔雅》时没有的新成果。在这种情况下,张揖"择撰群艺,文同义异,音转失读,八方殊语,庶物易名,不在《尔雅》者,详录品覈,以箸于篇"(张揖《上广雅表》语)[4],写成了《广雅》。可见,《广雅》的产生本身就是以社会的发展、语言的变化为背景。清人王念孙在《广雅疏证自叙》中总结该书的

---

[1] 殷孟伦《子云乡人类稿》,61页,齐鲁书社,1985年。
[2] 同上,61—62页。
[3] 同上,83页。
[4] 王念孙《广雅疏证》,3页,江苏古籍出版社,1984年影印。

体例、内容、意义说:"《广雅》分别部居,依乎《尔雅》,凡所不载,悉箸于篇。其自《易》、《书》、《诗》、《三礼》、《三传》经师之训,《论语》、《孟子》、《鸿烈》、《法言》之注,《楚辞》、汉赋之解,谶纬之记,《仓颉》、《训纂》、《滂喜》、《方言》、《说文》之说,靡不兼载。盖周秦两汉古义之存者,可据以证其得失;其散逸不传者,可藉以窥其端绪。则其书之为功于训诂也大矣。"[5] 而且,同《尔雅》一样,《广雅》的学术意义不仅表现在训诂方面,在词汇研究方面的作用也是不可低估的。

为了更具体地认识《广雅》对汉末、三国初时汉语词汇的概括作用,我们应当考察两方面的材料:第一是当时的文献常用字词的大致数量,第二是《广雅》所解释的词语数量。

对第一方面的材料,现在很难得到一个准确的结论,但也不是完全无法了解的。据《汉书·艺文志》记载,秦汉间社会上流行一些童蒙识字课本之类的书,秦代即有所谓"三仓",即李斯的《仓颉篇》、赵高的《爰历篇》、胡毋敬的《博学篇》。到西汉,又有司马相如的《凡将篇》、史游的《急就篇》、李长的《元尚篇》等。"至元始中,征天下通小学者以百数,各令记字于庭中。扬雄取其有用者以作《训纂篇》,顺续《仓颉》,又易《仓颉》中重复之字,凡八十九章。臣复续扬雄作十三章,凡一百二章,无复字,六艺群书所载略备矣。"[6] 扬雄《训纂篇》连同秦代的"三仓"共收字 5430 个,班固增收的字 780 个,共 6120 个,班固说这些字"六艺群书所载略备矣",可见,在东汉时期文献常用的汉字有 6000 多个。

以上所说的虽然只是汉字数,不是词语数,但是,当时典籍中的单音词数量较多且使用频率较高,所以,上面的数字对我们大致了解当时常用词语的数量也不是完全没有参考价值的。

对第二方面的材料,笔者根据江苏古籍出版社 1984 年影印版《广雅疏证》,对《广雅》各篇作了一次粗略的统计,此将有关数据列成下表:

篇名	条数	所释词数 总数	其中双音词数	其中三音词数	解释中用双音词数	解释中用三音词数
释诂	504	4793	0	0	0	0
释言	670	798	0	0	0	0
释训	137	477	477	0	66	0
释亲	73	140	9	0	7	0

---

[5] 王念孙《广雅疏证》,1 页。
[6] 《汉书》,1721 页,中华书局,1962 年。

(续表)

释宫	58	330	0	0	15	0
释器	358	1177	77	0	52	0
释乐	18	57	28	0	4	0
释天	64	212	101	11	69	0
释地	14	118	5	0	1	0
释丘	13	46	3	0	0	0
释山	15	17	10	1	12	0
释水	16	108	9	1	3	0
释草	194	305	175	4	114	1
释木	40	57	21	0	9	1
释虫	47	92	66	0	26	0
释鱼	30	52	18	0	5	0
释鸟	36	91	79	0	16	0
释兽	44	78	32	0	2	0
释畜	38	49	36	0	0	0
合计	2369	8997	1146	17	401	2

从上面的表中可以看出,《广雅》释词共近 9000 个,与经班固修订后的《训纂篇》所收的 6120 个常用字相比,就可以大体上知道《广雅》收词与汉末魏初典籍中常用词语间的数量关系了。

我们可以从历史发展的角度把《广雅》和《尔雅》做个简单的比较。据前人统计,《尔雅》全书 13113 字,2091 条,收词 4300 有余,其中通用词 2000 多,余为专用词,通用词约占总词数的一半。[7]

而《广雅》共 18150 字,2369 条,收词近 9000 个,是《尔雅》所收词数的两倍还多,而且,这些词还是《尔雅》所不载的,也就是说,是在《尔雅》收词的基础上新增的。

《广雅》所释的通用词(指《释诂》、《释言》、《释训》三篇中所收的词)共 6068 个,占该书释词总数的 67.44%,这个数字比《尔雅》也有明显提高。

此外,据笔者的粗略统计,《尔雅》所释的双音词约 465 个,三音词 20 个,加起来约 485 个多音词,大约占该书释词总数的 11.28%。而《广雅》所释的词中有 1146 个双音词和 17 个三音词,加起来共有 1163 个,占《广雅》释词总数的近 13%。

以上分析说明,《广雅》并不惟古是视,它在很大程度上反映了汉语的发展变化,对汉末魏初的词汇情况有着不可忽视的概括作用。

---

[7] 详见殷孟伦《子云乡人类稿》,62 页。

二

《广雅》之所以能成为研究汉语词汇史和语义发展的不可或缺的典籍,在很大程度上是因为有了王氏父子的疏证。

注《广雅》的著作,在清以前只有隋曹宪的《博雅音》(避炀帝讳改"广"为"博")。清代注《广雅》者除王氏外,主要还有两家,一是谢启昆《小学考》著录卢文弨有《广雅注》三卷,但未见传本。二是钱大昭有《广雅疏义》,桂馥曾为作序并加推重,惜未刊行,后有抄本流入日本,于1941年影印出版,国内见者很少。钱氏《疏义》与王氏《疏证》几乎同时问世,而钱氏之书却至今在国内未见刊行,恐怕与钱氏的学术功力略逊王氏一筹不无关系。

《广雅疏证》的署名作者是王念孙。他不仅是训诂学史上的泰斗,而且在汉语词汇的研究方面做出了巨大贡献,对《广雅》所做的工作使他成了该书的大功臣。他作《广雅疏证》历时八年,完成了一至九卷,第十卷用的是其子王引之的稿子,因此,也可以说,该书是王氏父子的共同成果,但其绝大部分工作是王念孙做的。在此之前,《广雅》历经散佚、误抄、臆改,积误已久。据王氏自序,他做疏证时,曾校正讹字580个,补脱文490个,删衍文39个,改正前后错乱的字123个,校订正文误入曹宪音内者19个,曹宪音文字误入正文者57个。[8]如果没有这样的整理工作,我们今天要看到一个相对准确的《广雅》的本子恐怕也是很困难的。

《广雅》收集了丰富的训诂资料,保存了大量当时及前代的词语、词义,为正确理解古籍、研究汉语词汇时提供了可靠的证据。但该书的解释仍很简略,且缺乏书证。王念孙不仅为《广雅》补充了书证,而且由于他对古籍的熟悉程度十分惊人,所以,选取例证十分充分恰切,涉及的面又很宽,给后代词义研究和文献解读都留下了十分丰富而且珍贵的资料。

我们以《释诂》的"婴、笙……眇、藐、鄙,小也"[9]条为例,考察一下《广雅疏证》引用典籍的情况。此条共释词27个,王念孙在疏证中所引的工具书就有《方言》(12次,郭注4次)、《说文》(17次)、《广韵》(6次)、《集韵》(4次)、《类篇》(1次)、《玉篇》(5次)、《尔雅》(5次,郭注4次)、《群经音义》(2次)、《释名》(1次),共计9种61次。此外,还引用了以下古籍中的例句:《尚书》(《顾命》及郑注、《君奭》及郑注、正义等)、《诗经》(《召

---

[8] 见《广雅疏证》,1页。
[9] 同上,53页。

南·甘棠》及传、《郑风·遵大路》及正义)、《魏风·屦》及传、《豳风·七月》及传、《小雅·小宛》、《小雅·緜蛮》及传、《大雅·緜》及笺、《大雅·召旻》及传、笺、正义等)、《周礼》(《天官·内饔》及注等)、《仪礼》(《乡饮酒礼》及注)、《礼记》(《三年问》、《学记》及注等)、《左传》(桓公二年、昭公十六年及注等)、《论语》(《宪问》等)、《孟子》(《告子》及注、孙奭音义等)、《尚书大传》(及郑注)、《史记》(《太史公自序》及徐广注等)、《汉书》(《艺文志》及如淳注、《律历志》、《食货志》、《刑法志》、《贾谊传》及晋灼注、《叙传》及刘德注等)、《战国策》(《齐策》)、《国语》(《周语》及注)、《逸周书》(《和寤解》、《祭公解》及孔晁注等)、《庄子》(《秋水》、《列御寇》及郭象注等)、《荀子》(《劝学》及注)、《列子》(《汤问》及张湛注)、《吕氏春秋》(《求人》及注、《尊师》及注等)、《淮南子》(《主术训》及注)、《尉缭子》(《守权》)、《鹖冠子》(《道端》)、《盐铁论》(《国疾》)、《法言》(《学行》)、《潜夫论》(《救边》)、《楚辞》(《离骚》及王逸注、《九章》等)、《古诗十九首》("迢迢牵牛星")、《文选》(司马相如《上林赋》及张揖注、扬雄《甘泉赋》及李善注、左思《吴都赋》、《魏都赋》及张载注)等,共27种,而且所引文献的注、疏等未计算在内。在《广雅疏证》中,这种举例丰富论述详密的词条举不胜举。据粗略统计,该书引用典籍近300种。

因为《广雅疏证》所引的材料十分丰富,所以,该书的篇幅就比《广雅》增加了20多倍。但这绝不是有意求繁,实际上王氏对有些条目的注解很简略,甚至没有加注。这主要有两种情况,一是词义浅显易懂的,二是王氏自己不了解的。第一种情况如《释言》中的:"恭,肃也";"泄,漏也;固,陋也";"齐,整也";"条,枝也";"殃,祸也;数,术也;劣,鄙也;钞,掠也"[10]等条目。第二种情况如《释言》中的"伪、言,端也"疏证云:"皆未祥。"[11]《释言》"科、伪,条也"疏证云:"伪义未详。"[12]

王念孙对《广雅》例证的补充,并不像后世的辞书那样机械地罗列,而是把例证与词义的解释、分析、考证结合起来,而且分析辩证很有说服力,屡见精彩之笔。与丰富的古代文献资料结合起来,以参考互证,比类旁通。

以典籍词义证《广雅》的例子如《释诂》"侦,问也"疏证:

> 侦,读为贞。《说文》:"贞,卜问也。"《周官·天府》"陈玉以贞来岁之恶","大卜,凡国大贞",郑众注并云:"贞,问也。"《吴语》云:"请贞于阳卜",《缁衣》引《易》"恒其德侦",郑注云:"侦,问也。"今《易》作"贞",是"侦"与"贞"同。曹宪读为"侦伺"之"侦",失之。[13]

---

[10]《广雅疏证》,162页。

[11] 同上,142页。

[12] 同上,143页。

[13] 同上,43页。

以《广雅》证典籍词义的例子如《释诂》"时,善也"疏证：

时者,《小雅·頍弁篇》"尔肴既时"毛传云："时,善也。""尔肴既时"犹言"尔肴既佳"也。"维其时矣"犹言"维其佳矣"也,"威仪孔时"犹言"饮酒孔佳,维其令仪"也。他若"孔惠孔时"、"以奏尔时"、"胡臭亶时"及《士冠礼》之"佳荐亶时",皆谓善也。《既济象传》"东邻杀牛,不如西邻之时也",言不如西邻之善也。《杂卦传》"大畜,时也,无妄,灾也","时"与"灾"相对,亦谓善也。《内则》云："母某敢用时日",谓善日也。春秋曹公子欣时,字子臧,是其义也。解者多失之。[14]

更多的时候是典籍词义与《广雅》互证。例如《释言》"曼、莫,无也"疏证：

《小尔雅》："曼,无也。"《法言·寡见篇》云："曼是为也。"《五百篇》云："行有之也,病曼之也。"皆谓无为曼。《文选·四子讲德论》："空柯无刃,公输不能以斫；但悬曼矰,蒲且不能以射。"曼亦无也。李善注训为长,失之。曼、莫、无一声之转,犹覆谓之幔,亦谓之幕,亦谓之幠也。《汉书·西域传·罽宾国》："以金银为钱,文为骑马,幕为人面。"张晏曰："钱文面作骑马形,漫面作人面目也。"如淳曰："幕,音漫。"师古曰："幕即漫耳,无劳借音。今所呼幕皮者,亦谓其平而无文也。"案："幕"字如淳音"漫",师古音"莫",而同训为"无文",犹"曼"与"莫"之同训为"无"也。任氏幼植释"缦"云：《说文》："缦,缯无文也。"《管子·霸形篇》："君何不发虎豹之皮、文锦以使诸侯,令诸侯以缦帛、鹿皮报？"《左氏成五年传》"乘缦"注："车无文。"是凡物之无文者谓之"缦",义与"曼"同也。[15]

这种典籍词义与《广雅》的互证,对今人更好地理解、利用《广雅》,对古代典籍的正确解读,对古代汉语的词义研究都具有十分重要的意义和价值。

《广雅疏证》还注意用当时的语言解释前代的词语,力求明了,不避俚俗。例如《释宫》对"椴"字的疏证："椴之言段也,今人言木一段两段是也"[16]；《释器》"瓴……,缶也"疏证："然则缶是瓦器,可以节乐,有可以盛水盛酒,即今之瓦盆也"[17]；"鏊,釜也"疏证："一曰鏊,小釜类,即今所谓锅也"[18]；"皁,枥也"疏证："皁,食牛马器……今人言马槽是也"[19]；《释草》"王延,薯预也"疏证："今之山药也"[20]；等等。

此外,《广雅》因循《尔雅》"一训兼为两义"的条例,有时将具有不同含义的两组词列

---

[14]《广雅疏证》,8页。
[15] 同上,135页。
[16] 同上,213页。
[17] 同上,217页。
[18] 同上,218页。
[19] 同上,243页。
[20] 同上,327页。

入一条中,再用一个兼有两项意义的多义词加以训释,即所谓"二义不嫌同条"。这实际上对精确地区别词义和阅读理解都不利。每逢这种情况,王氏总是加以明确地区别说明,有时还指出两个意义之间的联系。例如:

《释诂》:"朋、党、琵、右、频,比也。"疏证:"朋、党、右、频,为亲比之比,琵为比密之比。"[21]

《释诂》:"兑、奕、裕、心、形,容也。"疏证:"兑、奕、形为容兑之容,裕为宽容之容。"[22]

《释诂》:"驳、劲、坚、刚……悻、快,强也。"疏证:"此条强字有二义:一为刚强之强,《说文》作彊,云'弓有力也';一为勉强之强,《说文》作勥,云'迫也'。……强、勥、彊古多通用。《尔雅》:'竞、逐,强也。'郭璞注云:'皆为勉彊。'是勉强之强与刚强之强,义本相通也。"[23]

《释诂》:"诙、啁、谑、话、诚、谖、谟、周,调也。"疏证:"诙、啁、诚为调戏之调,谑、话、谖为调欺之调,周为调和之调。"[24]

最后一例的一组词包含了三项意义。而且,从例中可以看出,王氏区别同条中不同词义的方法主要是用双音词语来解释单音词。这些解释词义的做法,无疑比前代人要进步得多。

三

《广雅疏证》的一条最突出的特点,也是该书最精彩的地方,是从文字、声音、训诂三者的古今关系相互推求,以声音为突破口,打破文字形体的局限,探索词义以及词与词之间的音义关系。这一点,前人已经有不少总结。这不仅是王氏父子治学的特色,也集中体现了乾嘉朴学训诂学所达到的水平。

汉字的表意特点决定了它本身不能很好地反映词与词之间在语音和语义上的联系。而且汉字从产生时在先民的心目中应当是一种极为神圣的东西。关于汉字起源的流传最广的传说大概要算《淮南子·本经训》中所记载的"昔者仓颉作书而天雨粟,鬼夜哭"[25]了。对此,今天的人当然不会轻易相信,但是如果认为这只是个无中生有的传说

---

[21]《广雅疏证》,104页。
[22] 同上,127页。
[23] 同上,28页。
[24] 同上,109页。
[25]《淮南子》,《诸子集成》第七册,116页,中华书局,1954年。

而不予理睬,那也过于简单化了。这个说法的产生本身就是一种值得注意的文化现象,它至少说明汉字的产生在古人心目中是一件惊天地泣鬼神的大事。汉代及以后,经学的兴起,书面文言与口语的脱节,只有少数人熟悉和掌握文字,这些都会使人产生这样的误解:文字或由文字记载的书面语才是语言的正宗,而口语,特别是与文言不同的白话是俚俗的,登不得大雅之堂的。

从理论上认识口语才是语言的真正代表,文字只是记录语言的符号,而不是语言的本身,进而把这种认识贯彻到语言研究的实践中,这应当看作是汉语研究史上的一场革命。而王氏父子"就古音以求古义,引仲触类,不限形体"的做法,正是这场革命的产物。

古代学者对书面词语音形义关系的认识经历了一个漫长的过程。汉代扬雄首先大规模地调查研究方言词汇,使他更容易对同一词语在不同方言中的不同读音有比较集中的认识,《方言》一书中首次采用了"转语"一词,以说明词语读音的转变。古人传注中已有一些声训资料,至汉末刘熙所作的《释名》,就企图根据当时的语音用声训的方法探讨事物名称的来源。尽管该书的很多说法不尽可信,但它为汉语语源研究积累了很多资料,提供了不少线索,也为后人加深对词汇及语音转变的认识起了重要的作用。晋人郭璞注《尔雅》《方言》,也能不为文字所拘束,注意从语音上考察某些词语的关系,用"语之转"、"声之转"等述语说明音近义异的同源词。唐初颜师古作《匡谬正俗》,从历史流变中运用转语理论研究方言俗语,进行语词寻源。孔颖达作《五经正义》,也懂得"义存于声"的道理,指出了不少音近义通的同源词。宋人王子韶、王观国的"右文说"从形声字的声符推求字义来源,也对后来的因声求义研究有很大的启发作用。明末清初方以智作《通雅》,多次声称"此类借声,不必论字",因声求义,解决了一些训诂、考据上的问题,特别是对双声叠韵的联绵词的训释取得了很大的成就。

王念孙继承了前人的成果,又精通古音,熟悉典籍,并能广泛而又客观审慎地运用音近义通的理论,在《广雅疏证》中表现出的训诂方法是空前完整、精密和系统的。该书在这方面的成就在联绵词的训释中表现得尤为突出。类似的做法和成果,在王氏父子的《读书杂志》、《经传释词》、《经义述闻》中也有许多。这些成果通过语音线索,再结合词义分析,探索其间的联系和规律,透过文字形体的现象看到某些词之间的联系,并把它们放到一起考察。由于王氏父子的工作,使典籍中不少悬而未决的问题得到了解决,也纠正了一些穿凿附会的说法,对后代汉语词义及音义关系的研究的贡献是巨大的。

四

总结《广雅疏证》对汉语词义、词汇研究的贡献,我们可以得到一些有益的启迪。

首先,关注语言的发展,兼顾古今。从《广雅疏证》中反映出的情况看,作者并不厚古薄今。这主要表现在两个方面:一是《广雅》收了如此之多的汉代新词并加以解释,王念孙为之做疏证,这本身就说明张揖、王念孙都注意语言的发展,眼光并不只盯着上古文献。而且,如前所述,在疏证文字中还经常以作者当时的口语词说明前代文献的词义。二是作者征引前人的研究成果时,不仅采用《尔雅》、《方言》、《说文》、《释名》等书的说法,也采用后来人的可取的成果,比作者稍早或与作者同时的如顾炎武、惠栋、戴震、邵晋涵、段玉裁、钱大昕、程瑶田、阮元等人的成果都被引用过。

其次,对词义研究、解释的目的并不完全为了解经。如果说《尔雅》编纂的目的还主要是为了解经的话,那么,到《广雅》所解释的词则已大大超出了经书的范围,王氏的疏证则更是从语言学角度对词义进行了深入细致的探讨。如果只是为解经服务,王氏就没有必要广征博引求证词义(《广雅疏证》征引典籍近300种,经书只占其中很小部分),也没有必要对汉代以后产生的许多新词新义、对词的音义关系与同源关系等问题作如此深入的考察和探求。正因为《广雅》及其疏证对词义的解释和研究不完全是为解经服务的,所以,《广雅疏证》并不只注意对冷僻词的含义的求证,而是涉及大量的常用词以及不少口语词甚至俚俗词语。

再次,十分注意词义与语音、文字、语法等其他部门的联系,而是孤立地研究词义或词汇。语言是一个符号系统,现代语言学为分析研究的方便,把语言分成语音、词汇、语法等部门,分别加以考察,这当然不无道理,但如果割裂各部门之间的联系,孤立地看待某一方面,则势必阻碍某些语言规律的发现。段玉裁在《广雅疏证序》中说:"小学有形,有音,有义,三者互相求,举一可得其二;有古形,有今形,有古音,有今音,有古义,有今义,六者互相求,举一可得其五。"[26]说的就是这个道理。王念孙如果不了解古音,不采用三者互求、六者互求的方法,不把词语的古今音、义以及对前代有关音义关系的认识结合起来考虑,就不可能总结出"训诂之旨本于声音"的理论,并在《广雅疏证》大量阐发这种理论,发现诸多音近义通的同源词之间的联系,在训诂和词汇研究上取得如此高的成就。

(唐子恒:山东大学文学院,250100,山东济南)

---

[26]《广雅疏证》,2页。

从孙诒让的训诂看词汇
与训诂研究的异同

方 向 东

提要： 词汇研究和训诂研究在古代密不可分，今天已发展成两大独立的研究领域，由于这两大领域存在相互渗透和交叉，把两者结合起来探讨其特点和区别，是学术上非常有意义的事，有助于这两方面研究的进一步深入。本文以孙诒让的训诂实例为基点，在文献考证的基础上，从文本、方法、分界等方面揭示出词汇研究与训诂研究的异同，在前人阐述的基础上提出了更为系统和深入的观点。

关键词： 词汇 训诂 方法 分界

到目前为止，词汇研究和训诂研究两大领域都成为独立的学科，取得了令人瞩目的成果。无论是对单个的汉语语词，还是对专书，乃至从研究史和系统理论的研究方面，都呈现出广博专精的态势。由于这两大领域存在相互渗透和交叉，把两者结合起来进行探讨，是学术上非常有意义的事。今拟从孙诒让的训诂实例谈谈词汇研究与训诂研究的异同。

一 文本的问题

词汇研究和训诂研究都必须以文本为对象，以文本为研究基础，离开了以文本为对象的研究，得出的结论只能是推想和猜测；由于古代文本材料的缺失，对汉语字词的探源或语源学的研究显得捉襟见肘，只能以现有的文本材料作依据，只能是"说有易"，而"说无难"。因此，对文本材料的收集和整理，用描写的方法进行统计归纳总结，仍然是非常必要的。今取孙诒让的《札迻》中一例，予以说明：

《说苑·反质》："其有之者，是谓伐其根素，流于华叶。"

孙云："根素"义不可通，"素"疑当为"荄"，形近而误。[1]

---

[1] 孙诒让《札迻》，261页，中华书局，1989年1月。

向东案:《广雅·释诂》三:"树、茎、干、素,本也。"王念孙《疏证》云:"树茎干诸字为根本之本。"[2]可知"根素"同义连文,非"荄"之形误。

孙氏博览群书,因未见有"根素"连用者,所以只能怀疑是某字之误,结论并不可靠。笔者的看法也未能使人完全信服。通过对《四库全书》的正文和注文的检索,"根素"一词共19见,《佩文韵府》引例共8见,时代皆晚于《说苑》。在缺失的前期古籍文本材料中,是否有"根素"连用的例子,或者仅此一例,无法断定。

虽然词汇研究和训诂研究(指非理论系统的个案研究)都以文本为对象,但各自研究的目的和解决的问题是不同的。词汇研究是把文本作为论证的材料,目的是用来研究词的词项、义项和义素、词的词族系统以及词的词义和用法演变等问题。训诂研究中的个案虽然也把文本材料作为论证材料,但目的是解决某个语词在某个文本中意义的定位,即这个语词在这本书的具体文句中究竟应该解释为什么意义的问题。也就是说,在词汇研究中,文本是研究的工具和手段;在训诂研究中,众多的文本作为研究的工具和手段来为某个文本服务的。李建国先生说,孙诒让"应用乾嘉学派研究《说文》、《尔雅》的方法和成果疏证《周礼》,把专书训诂和经传训诂结合起来,词义的蓄存状态和使用状态互为印证,引经证字,以字证经,左右采获,贯穿证发",[3]不仅是对孙氏的训诂理论和方法的总结,也可以用来说明训诂和词汇研究目的的不同。

二 方法的问题

在收集文本材料方面,词汇研究和训诂研究所用的方法基本相同,数量都是多多益善,原始文献和字典辞书,都是两方面研究必不可少的基本材料。在研究时,词汇研究通常采用历时和共时的比较和描写,对词的产生、演变作出客观的反映;训诂研究也采用历时和共时的比较和描写的方法,去寻找某个语词在文本中的定位解释,但在历时的比较中,训诂不能用后代文本出现的语词现象去解释前代的文本问题,而更多地是采用共时印证的方法,用前代文本出现的词义和用法去证明后代文本中的问题,即通常所说的"于古有征"。例如:

《文子·九守·守弱》:"其生贪叨多欲之人,莫宜乎势利,诱慕乎名位。"《缵义》

---

[2] 王念孙《广雅疏证》,96页,江苏古籍出版社,1984年4月。
[3] 李建国《汉语训诂学史》(修订版),273页,上海辞书出版社,2002年8月。

本"莫宜"作"颠冥"。〔4〕(《札迻》130页)

孙云:"生"疑当为"在","莫宜"当作"真冥",皆形之误。杜本人"颠冥",声义同。《淮南子·原道训》云:"贪饕多欲之人,漠睧于势利,诱慕于名位。"此文本于彼。《庄子·则阳篇》云:"颠冥乎富贵之地。"《释文》引司马彪云:"颠冥,犹迷惑也。言其交结人主,情驰富贵。"此本与《庄子》字正同。今本《淮南书》"颠冥"作"漠睧",王念孙谓当为"滇眠"之讹是也。(《淮南子杂志》)"真"、"滇"、"颠"声类并同,"冥"、"眠"一声之转。此连语形容,本无正字,故诸文驳异。景宋本"莫"字虽与今本《淮南书》"漠"字适合,然实讹文也。

向东案:"生"即"性"的古字。《孟子·告子》:"生之谓性。"《论语》"夫子之言性与天道",皇疏:"性,生也。"《礼记·乐记》"则性命不同矣",郑注:"性之言生也。""宜"为"冥"之形误,"莫"非"真"之形误。《淮南子》之文本于《文子》,"漠"为"莫"非"真"之形误。《淮南子》之文本于《文也》,"漠"为"莫"的后起字。《诗·小雅·巧言》:"圣人莫之。"《释文》:"莫又作漠"。非孙氏所言讹文。王利器云"莫宜"当为"漠冥"之误,可谓半是半非。"莫"释为慕。《论语·里仁》:"无适也,无莫也。"《正义》云:"莫,郑音慕,无所贪慕也。""睧"从民得声,与"冥"义通,如《书·禹刑》"苗民",郑注:"民者,冥也。"与从"冥"得声之字亦相通,如《春秋繁露》:"民者,瞑也。"《庄子》作"颠冥",实由"颠"从真得声而来。真与民义通。《书·君陈》疏:"民者,真也。"宋版"真"作"冥"。(《十三经注疏》本242页)《庄子·马蹄》:"故至德之世,其行填填,其视颠颠。"崔譔云:"颠颠,专一也。"是。成玄英疏云:"颠颠,高直之貌。"非。《淮南子·览冥训》作"其视瞑瞑"。《荀子·劝学》:"无冥冥之志者,无昭昭之明。"杨注:"冥冥,专默精诚之谓也。"可知颠与冥义通。由《文子》的"莫冥",到《淮南子》的"漠睧",因"莫"与"真"隶书形相似,"莫"讹作"真",于是转为《庄子》的"颠冥",变化之迹了然。

孙氏用前代文献印证后代文献的方法无疑是正确的,之所以还有讨论的余地,是因为在孙氏时代,还没有出土的《文子》竹简,一直认为《文子》是从《淮南子》摘抄而来,现在证明《文子》早于《淮南子》,即使方法正确,文献的时代次序颠倒,得出的结论就未必可靠。

由于古籍文本存在着大量的通假字和异文的障碍,训诂中通常不得不更多地采用的因形索义、因声求义的方法去探求本字,以取得准确的解释,然后用比较互证的方法加以证明;词汇研究中也采用因形索义,因而词汇研究可以暂时避开通假字和异文的问题去进行词的贮存义和使用义的归纳,但真正全面无遗地描述汉语词汇的面貌,这又是

---

〔4〕《札迻》,130页。

一个无法回避的区域。从这一点上说,词汇研究的宏观方面必须与训诂研究的微观方面相互打通。词的贮存义研究,相对于词的使用义研究来说显得容易一些,因为古代的字书从《说文》开始保存得比较完整,而词的使用义不像词的贮存义那样具有概括性和具体性,而是与时代、习惯以及作者的写作风格有关,呈现出灵活性和不定性;训诂所要解决的问题,通常不是词的贮存义的问题,假如翻翻字书就能解决的问题,前人也就早已解决了,就用不着后人再去费力气了;即使属于贮存义、也是隐性的、使用面窄的、前人没有发现的。训诂研究着力探讨的更多的是词的使用义的问题,训诂就是解释,它要解决的是在确定的文本文句中为什么只能这样解释而不能作其他解释,几家之说并存的情况从理论上说只能有一家是对的,作者用这个词究竟要表达什么是确指的,因此,训诂要撇开后代对文本进行的阐释所带来的干扰。黄侃所归纳的"本有之训诂"和"后起之训诂"、"独立之训诂"和"隶属之训诂"、"说文之训诂"和"解文之训诂"中,"隶属之训诂"和"解文之训诂"属于词的使用义的问题,其余的属于词的贮存义的问题。如果二者界限不清,得出的结论就不可靠。举例加以说明:

《管子·宙合篇》:"夫绳扶拨以为正。"又云:"千里之路,不可扶以绳。"[5]

孙云:《淮南子·本经训》亦云:"扶拨以为正。"高注云:"扶,治也。""扶"之训"治",古书未见。以声类校之,疑当与"辅"通。《大戴礼记·四代篇》云:"巧匠辅绳以断[斫]。"古从甫声、夫声字多通用。

向东案:孙说未是。扶从夫得声,夫有治义。《礼记·王制》"夫圭田无征",郑注云:"夫犹治也。"《周礼·天官·序官》"宰夫",疏云:"夫者,治也。"《风俗通》:"夫,扶也。"《大戴礼记·本命》:"夫之言扶。"夫、扶二字通。扶当从附释义。《释名·释言语》:"扶,附也。"《大戴礼记》"辅绳以断[斫]"即附绳以断[斫]。扶拨,即附而拨之。

高诱注的是词的使用义,属于黄侃所说的"解文之训诂",不能用词的贮存义来解释。孙氏认为古书未见,疑为通假字,虽然说得通,算不上确诂。

三 分界的问题

古汉语词汇研究与训诂研究在时间的分界上是一致的,都是以 1919 年"五四"运动为界限;在专书研究上,二者的范围也是确定的。从大的方面看,词汇研究有通雅之分、方俗之别、古今之异,或者有通行词和专业用语之分,或者从内部构成分出形、音、义;而

---

[5]《札迻》,107 页。

训诂研究没有这种明确的分界,而是各种语义、语用的综合运用,黄侃的分类依据的是训诂的作用和性质,并不是一种分界。

从上述三个方面可以看出,词汇研究与训诂研究都有各自的对象和范围。赵振铎先生说:"训诂学与词汇学不同。词汇学以语言的词汇为研究对象,它要分析词的语义关系,描写词汇的构成,说明词汇的发展变化;而训诂学研究的范围是整个文献语言,它的任务主要在于解释而不在于描写。当然两者之间有联系,但是并不能够画等号,更不能设想训诂学的发展会与词汇学合流。"(《训诂学史略》)但是,可以补充说,训诂学与词汇学可以相互影响、相互促进而共同发展。

参考文献

符淮青(1996)《汉语词汇学史》,安徽教育出版社。
郭在贻(1985)《训诂丛稿》,上海古籍出版社。
———(1986)《训诂学》,湖南人民出版社。
何九盈、蒋绍愚(1980)《古汉语词汇讲话》,北京出版社。
何　宁(1998)《淮南子集释》,中华书局。
洪　诚(1984)《训诂学》,江苏古籍出版社。
胡朴安(1984)《中国训诂学史》,上海书店。
李建国(2002)《汉语训诂学史》(修订版),上海辞书出版社。
陆宗达、王　宁(1983)《训诂方法论》,中国社会科学出版社。
———(1994)《训诂与训诂学》,山西教育出版社。
陆宗达(1980)《训诂简论》,北京出版社。
罗正坚(1996)《汉语词义引申导论》,南京大学出版社。
马宗霍(1984)《淮南旧注参正》,齐鲁书社。
齐佩瑢(1984)《训诂学概论》,中华书局。
宋永培(2000)《古汉语词义系统研究》,内蒙古教育出版社。
宋子然(2000)《古汉语词义丛考》,巴蜀书社。
孙希峰(1999)《汉语词族丛考》,巴蜀书社。
———(2000)《汉语词族续考》,巴蜀书社。
孙诒让(1989)《札迻》,中华书局。
孙雍长(1997)《训诂原理》,语文出版社。
王利器(2000)《文子疏义》,中华书局。
王　宁(1996)《训诂学原理》,中国国际广播出版社。
王聘珍(1983)《大戴礼记解诂》,中华书局。
吴孟复(1983)《训诂通论》,安徽教育出版社。
向宗鲁(1987)《说苑校证》,中华书局。
颜昌峣(1996)《管子校释》,岳麓书社。
杨端志(1985)《训诂学》,山东文艺出版社。
张联荣(2000)《古汉语词义论》,北京大学出版社。

张永言(1982)《词汇学简论》,华中工学院出版社。
———(1985)《训诂学简论》,华中工学院出版社。
赵振铎(1988)《训诂学史略》,中州古籍出版社。
周大璞(1984)《训诂学要略》,湖北人民出版社。
朱　星(1981)《汉语词义简析》,湖北人民出版社。

(方向东:南京师范大学文学院,210097,江苏南京)

汉语释词中的直接定义法
——兼论汉语义训法体系

冯浩菲

提要: 以往学界对汉语释词法的研究,侧重于声训法、形训法和考辨法,关于义训法的考论,甚为粗疏,有必要加强。直接定义法是指通过一定的训式,直接确定被训词义项的释词方法,是汉语义训法体系的重要组成部分。常见的直接定义法有22类,有些容易理解,或前人已有介绍;有些却不容易理解,前人很少谈到。

关键词: 汉语 释词法 义训法 直接定义法

中国历代群籍训释中所出现的释词法多种多样、千差万别,可以概括为义训法、声训法、形训法、考辨法4类。以往学界对后3类释词法的研究比较深入、系统,分析细密,举证详明。但对义训法的研究甚为粗疏,各种论著凡谈到义训法时,大都只能列出很少的一些条条,而且各家前后所论雷同现象严重,创发不多。存在这种现象的主要原因,大概在于一般学者对于义训法的难度和重要性认识不足,往往认为这种释词法比较简易,故不去下功夫探索研究。实际上,这类看法欠妥当。中国历代群籍训释状况表明,从总体上来看,义训法体系庞大,种类繁多,情况最复杂,使用率最高,在释义方面所起作用最大。因此,有必要对历代群籍训释中所体现出来的义训法进行深入系统的研究。

义训法是直接从词义角度出发确定被训词含义的释词方法,可以分为专门训法与通用训法两大类。所谓专门训法,是指专门用于有关词类的训释方法。所谓通用训法,是指原则上可以通用于各类词的训解的训释方法。通用训法可分为一般性通用训法和通释性通用训法两大类。所谓一般性通用训法,是指在一次训释中只训解一个被训词的一个特定义项的通用训诂方法。所谓通释性通用训法,是指在一次训释中或训释两个以上的被训词,或扩充义项,或通释有关词义的通用训诂方法。一般性通用训法包括定义法和疏证法两类。所谓定义法,是指对被训词能产生确定义项的释词方法。所谓疏证法,是指疏通证明旧注训义的方法,对原有的被训词一般不产生新的训义。定义法可分为直接定义法和间接定义法两类。所谓直接定义法,是指通过一定的训式,直接确定被训词义项的释词方法。过去有人称为"义界"。所谓间接定义法,是指通过一定的训式,间接确定被训词义项的释词方法。

根据以上概括性介绍,汉语义训法体系的大框架可以表解如下:

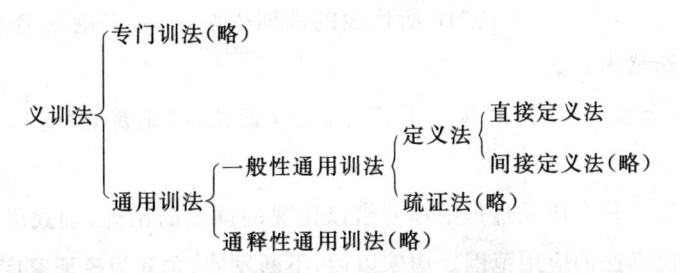

```
         ┌─ 专门训法(略)
义训法 ┤                              ┌─ 直接定义法
         │              ┌─ 一般性通用训法 ┬─ 定义法 ┤
         └─ 通用训法 ┤                              └─ 间接定义法(略)
                        │                    └─ 疏证法(略)
                        └─ 通释性通用训法(略)
```

限于篇幅,本文只讨论直接定义法。中国历代群籍训诂著作中所常见的直接定义法有 22 类[1],其中,有些训法容易理解,或者前人已有介绍,此处可以略而不论。有些训法却不容易理解,而且前人很少谈到,以下逐一加以举证。

一 确释具体义项法

词有多义,容易混淆,故加以解释,指明具体义项。此法主要用于随文注释体训诂著作。如:

《左传·隐公五年》:"九月,考仲子之宫,将万焉。"杜预《集解》:"万,舞也。"非千万之万,故有此训。下同:

《汉书·文翁传》:"又修起学官于成都市中。"颜师古注:"学官,学之官舍也。"谓非官职之学官。《雅》体著作的同义词条统训若干个被训词,其训语表示大义项。疏解者在确定各个被训词的小义项时,也频繁地使用这种训法,训式多为"A 者,B 之 C 也"。如:

《尔雅·释诂》:"祖,始也。"宋代邢昺疏:"祖者,宗庙之始也。"

二 比况训法

可别为两类:

1. 以"A,犹 B 也"式比况

---

[1] 冯浩菲《中国训诂学》下册,260—298 页,山东大学出版社,1995 年。

此类训法从先秦一直沿用到现在。又可别为3类：

(1) 直接比况词义

《孟子·离娄上》："《诗》曰：'天之方蹶，无然泄泄。'泄泄，犹沓沓也。"

《列子·天瑞》："万物无全用。"晋代张湛注："全，犹备也。"

南北朝以后，这种训式中的"B"所代表的训词少则一字，多则两字。到了唐代，扩展式的应用逐渐增多。如：

《诗·大雅·公刘》："笃公刘。"孔颖达《正义》："此篇言'笃'，犹《生民》之言'诞'。"

这种扩展式的特点是在比况过程中标明借以比况的词语的出处，训式增长，训义加确，也就扩大了比况训法的应用范围。唐宋以后，不断发展，尤其为疏证家广为使用。

(2) 揭明修辞意义

《诗·小雅·黄鸟》："言旋言归，复我诸父。"《毛传》："诸父，犹诸兄也。"

因前章有"复我诸兄"之文，故相比况，意谓本章用"诸父"，如同前章用"诸兄"一样，是修辞上的需要，异章变文而已，并非训"诸父"为"诸兄"。再如：

《周礼·秋官·士师职》："以五戒先后刑罚，毋使罪丽于民。"郑玄注："先后，犹左右也。"

因上文云"掌国之五禁之法，以左右刑罚"，故此注用以比况，非训"先后"为"左右"。

(3) 表明词序相倒

《文选·(司马子长)报任少卿书》："谁为为之，孰令听之。"李善注："谁为，犹为谁也。"

《庄子·人间世》："凤兮凤兮，何如德之衰也。"清王先谦《集解》："成云：'何如，犹如何。'"

2. 以"A，犹言B也"式比况

此为前式的变式，变"犹"为"犹言"，词气舒缓，训义密接。如：

《礼记·檀弓上》："曾子指子游而示人曰：'夫夫也，为习于礼者，如之何其裼裘而吊也？'"郑玄注："夫夫，犹言此丈夫也。"

《孟子·离娄下》："君子之泽五世而斩。"朱熹《集注》："泽，犹言流风余韵也。"

三 特殊的点明词义法

主要有两类：

1. 训释性点明法

是指不用"言"、"谓"之类引头字,而用以"也"字煞句的一般词义训释方式点明词义的释词方法。可别为5类:

(1) 点明特殊含义

《周礼·夏官·训方氏》:"掌道四方之政事与其上下之志。"郑玄注:"四方,诸侯也。上下,君臣也。"

"四方"在别处不指诸侯,但这里文连"政事",意义特别,实指诸侯,故点明指"诸侯"。同样,"上下"在别处也不一定指君臣,但这里与指诸侯的"四方"及"志"等共相为文,含义特殊,借指君臣,故有是训。下同:

《孟子·滕文公下》:"居天下之广居,立天下之正位,行天下之大道。"朱熹《集注》:"广居,仁也。正位,礼也。大道,义也。"

(2) 点明隐义

《逸周书·皇门》:"下邑小国,克有耇老。"孔晁注:"耇老,贤人也。"

"耇老"一般指年事高迈的人,见于文献中,又多指贤人,文意有不确定性,故加以点明。下同:

《汉书·武帝纪》:"《易》曰:'先甲三日,后甲三日。'"颜师古注:"应劭曰:'先甲三日,辛也。后甲三日,丁也。'"

(3) 点明修辞意义

《尚书·皋陶谟》:"元首明哉!股肱良哉!"〔2〕汉初伏胜《大传》:"元首,君也。股肱,臣也。"

"元首"、"股肱"都用比喻义,故加以点明。下同:

《诗·小雅·大东》:"周道如砥,其直如矢。"《毛传》:"如砥,贡赋平均也。如矢,赏罚不偏也。"

(4) 点明行事用意

《礼仪·少牢馈食礼》:"佐食,上利升牢,心舌载于肵俎。心皆安下切上,午割,勿没。"郑玄注:"勿没,为其分散也。"

原文谓佐食的人把羊和猪的心与舌升放到肵俎上,心的炮制,都是下面切平,上面纵横切,但不完全切断,让连着一些肉丝,以防散乱,不见其形。郑注不训何谓"勿没",只点明此处"勿没"二字的用意,即为了防止猪心羊心的分散。下同:

《仪礼·乡射礼》:"主人西南面,三拜众宾。众宾皆答,壹拜。"郑玄注:"三拜,

---

〔2〕 唐人《尚书正义》此二句引文在《益稷》篇,今文经《益稷》合于《皋陶谟》中,故伏氏《大传》解在《皋陶谟》篇。

示遍也。壹拜,不备礼也。"

(5) 的指有关词义

古书中所反映的许多人物事件,随着时移地变,后人越来越不得其解。训诂家依据典训师说,一一给予的指确解。主要包括以下3类:

①的指人物

《诗·郑风·山有扶苏》:"不见子充,乃见狡童。"《毛传》:"狡童,昭公也。"

《文选·(司马长卿)长门赋》:"言我朝往而暮来兮,饮食乐而忘人。"李善注:"我,武帝也。人,后自谓也。"

②的指人称身份

《诗·陈风·株林》:"驾我乘马,说于株野。"郑玄《笺》:"我,国人我君也。"

意谓国人假托国君,用第一人称"我"的口气作诗。因此这里的"我"托称他们的国君陈灵公。

③的指地域

《诗·小雅·车攻》:"四牡庞庞,驾言往东。"《毛传》:"东,洛邑也。"

2. 直接点明法

这类训法既不用"言"、"谓"之类引头字,也不用以"也"字煞句的一般释词方法,直接以训语点明被训词的有关含义。如:

《孟子·告子上》:"孟子曰:'从其大体为大人,从其小体为小人。'"赵岐《章句》:"大体,心思礼义。小体,纵恣情欲。"

即点明特殊含义。再如:

《诗·小雅·十月之交》:"彼月而微,此日而微。"《毛传》:"月,臣道。日,君道。"

即点明修辞上的比喻意义,非训月为臣道,日为君道。

四　字义与文义区别训法

作为一个词的汉字大都具有许多义项,但当它用在具体语境中时,却只能表示一个特定的义项。这个特定义项与上下文的意思有机地联系在一起,故称作文义。其他义项均与上下文之意无关,故称作字义。可分为5类:

1. 解字义即是解文义

当所解义项既是该字的常用义又与上下文之意相符合时,这样的训法便是解字义即是解文义。如:

　　　　《周易·系辞下》:"几者,动之微,吉之先见者也。"晋代韩康伯注:"几者,去无入有,理而无形,不可以名寻,不可以形睹者也。"

"几"字的本义和常用义就是"微"的意思,《系辞》中所用即是这个意思。韩氏的解释虽然带有玄学的气味,但大旨也是阐发"微"的意思。训诂中这类用例比比皆是,不烦多举。

2. 解文义而非解字义

当所解义项与上下文之意符合但却不是该字的常用义时,这样的训法便是解文义而非解字义。如:

　　　　《春秋·隐公元年》:"三月,公及邾仪父盟于眛。"《穀梁传》:"及者何?内为志焉尔。"

《传》谓《春秋》此处言"及",表明鲁邾结盟出于鲁隐公的想法,故曰"内为志焉尔"。很明显,这个训释所表明的仅是"及"字在这里的行文之意,即文义,而不是"及"字的常用义。"及"字的常用义是"与",《公羊传》正解为"与也"。因此这个用例属于解文义而非解字义。下同:

　　　　《周礼·秋官·司仪》:"王燕,则诸侯毛。"清代方苞《周官集注》:"毛,谓不问爵之尊卑,以年齿相先后也。朝事尊尊,尚爵;燕则亲亲,尚齿。"

3. 解字义而非解文义

当所解义项是该字的一义而与上下文意不符合时,这样的训法便是解字义而非解文义。如:

　　　　《仪礼·士昏礼》:"今吾子辱,请吾子之就官,某将走见。"郑玄注:"以白造缁曰辱。"

"今吾子辱",意为今屈辱您光临寒舍。由于文义易明,郑氏欲让学者了解屈辱之义的来源及引申,便舍其文义而解其字义。下同:

　　　　《论语·学而》:"子曰:'学而时习之,不亦说乎?'"清刘宝楠《正义》:"曰者,皇《疏》引《说文》云:'开口吐舌谓之为曰。'"

4. 先解字义,再解文义

　　　　《论语·学而》:"学而时习之。"朱熹《集注》:"习,鸟数飞也。学之不已,如鸟之数飞也。"

5. 先解文义,再解字义

　　　　《汉书·高帝纪》:"吾非敢自爱,恐能薄。"颜师古注:"能,谓材也。能,本兽名,形似熊,足似鹿,为物坚中而强力,故人之有贤材者,皆谓之能。"

"能,谓材也",是解文义。以下解字义。"故人"以下又回应文义。

五 举要训法

举要训法是体现汉代毛、郑训诂简约风格的重要训法之一,后世也有改造继承,可分为仅举被训词的要义为训与连文两字释其一两类:

1. 仅举被训词的要义为训

即不求被训词与训语在意义上的严整相训,仅释其要义而已。如:

《诗·豳风·七月》:"取彼斧斨,以伐远扬。"《毛传》:"斨,方銎也。"

陆氏《释文》引《说文》:"銎,斧空也。"空,即孔也。《豳风·破斧·传》:"隋銎曰斧。"与此《传》为互文。知"斨"字之训本当为"方銎斧也",《说文》"斨"字正训为"方銎斧也"。方銎斧,即方孔斧。《毛传》省去"斧"字,只云"方銎也",是仅释其要义,明其特征,非训斨为方銎。唐人《正义》不明此法,谓"斨,方銎也",相传为然,无正文,是误以"方銎"为"斨"之足训。再如:

《周礼·天官·小宰职》:"徇以木铎。"郑玄注:"木铎,木舌也。"

铎是古代的一种铃,有金铎、木铎之分。金铎以金属为舌,木铎以木头为舌。此《注》意谓木铎是以木头为舌的铎,举要其义,仅释以"木舌也",非谓木铎即是木舌。故元代毛应龙《周官集传》注释道:"木铎,金口木舌,国有文事,则振之以警众也。"

2. 连文两字释其一

(1) 连文两字全举而仅释其一

《诗·秦风·小戎》:"文茵畅毂。"《毛传》:"文茵,虎皮也。"

被训词"文茵"连文,但却仅以训语"虎皮也"释"文"字,而不释"茵"字。非谓"文茵"为"虎皮也"。按照现代的训法,两字全举全释,当为:"文茵,虎皮垫褥。"下同:

《淮南子·诠言》:"临货分财,必探筹而定分。"高诱注:"探筹,捉筹也。"

(2) 连文两字仅举释其一

《礼记·曲礼下》:"天子以牺牛,诸侯以肥牛,大夫以索牛。"郑玄注:"牺,纯毛也。肥,养于涤也。索,求得而用之。"

《记》文"牺牛"、"肥牛"、"索牛"皆两字连文成词,由于"牛"字义明,故仅举释"牺"、"肥"、"索"三字。下同:

《尚书·禹贡》:"五百里绥服。"宋代蔡沈《集传》:"绥,安也。谓之绥者,渐远王畿而取抚安之义。"

(3) 连文两字先举释其一,再合释

《汉书·张良传》:"此所谓金城千里,天府之国。"颜师古注:"财物所聚谓之府。

言关中之地物产饶多,可备赡给,故称天府也。"

"天府"连文,先举释"府"字,再合释。

(4) 连文两字先合解,再举释其一

《左·襄·二十九年》:"晋国不恤周宗之阙而夏肄是屏。"杜预《集解》:"夏肄,杞也。肄,馀也。"

先合解"夏肄"为"杞也"。"杞也",即指杞国。又觉得"肄"字义隐,故又加以举释。

六 省略训法

这也是体现汉代毛、郑训诂简约风格的重要训法之一,后世也有改造承用。可分为一般省略训法和特殊省略训法两类:

1. 一般省略训法

即为了注文简约,或省举被训词,或省简训语,或省举训义。故又可别为3类:

(1) 省举被训词为释

古代训诂著作中直接加注于原文之下的训释,大都属于此类。如:

《周礼·春官·世妇》:"相内外宗之礼事。"郑玄注:"同姓异姓之女有爵佐后者。"

《春官》序官云:"内宗,凡内女之有爵者。"又云:"外宗,凡外女之有爵者。"此注据序官之文并释"内宗"与"外宗",但省其文而不举,径为训释。同姓,指内女,异姓,指外女。此官所述外内宗并有佐助王后的事情,故另加"佐后"二字。又如:

《管子·内业》:"乃能戴大圆。"唐代房玄龄注:"天也。"又"而履大方"。注:"地也。"又"鉴于大清"。注:"道也。"又"视于大明"。注:"日月也。"

被训词分别为"大圆"、"大方"、"大清"、"大明",均省而不举,直注其下。

(2) 省略训语为释

《周礼·天官·大宰职》:"二曰四郊之赋,三曰邦甸之赋,四曰家削之赋,五曰邦县之赋,六曰邦都之赋。"郑玄注:"四郊,去国百里。邦甸,二百里。家削,三百里。邦县,四百里。邦都,五百里。"

"去国",指离开国都的距离。"四郊,去国百里",即四郊离开国都一百里远。"邦甸,二百里",训语中承前省略"去国"二字,也是说邦甸离开国都二百里远,非谓其广袤二百里。以下三训同此,均承前省略"去国"二字。再如:

《左传·昭公七年》:"日月之会是谓辰,故以配日。"杜预《集解》:"谓以子丑配甲乙。"

"子丑"、"甲乙"都是省文,谓十二支和十干。

(3) 偏举训义为释

> 《周礼·春官·大司乐》:"以乐语教国子,兴、道、讽、诵、言、语。"郑玄注:"兴者,以善物喻善事。"

起兴之法,随物喻事,物种本繁,事亦多类,绝不限于以善物喻善事一个方面。故贾公彦疏云:"亦以恶物喻恶事,不言者,郑举一边可知。"也属于省略训法之一类。今人林尹《周礼今注今译》云:"兴,谓以物譬事。"则义括善恶。

2. 特殊省略训法

可别为两类:

(1) 间隔训法

是指在一个训式中,有时本该连训,却无前训训语和其他连接成分,造成训式间隔而仍然成训。如:

> 《诗·小雅·采菽》:"采菽采菽"。《毛传》:"菽,所以芼大牢而待君子也。羊则苦,豕则薇。"

古人把放菜入肉汁煮为羹这件事称作"芼"。据《仪礼·公食大夫礼》载,芼牛羊豕三牲所用的菜不同,牛用藿,羊用苦,豕用薇。藿即菽叶,菽即豆。故知此《传》本当云"菽,牛藿,所以芼大牢而待君子也。……。略去前训"牛藿",仅有后训,形成训式间隔,仍然成训。言"大牢",总三牲,故前边以"菽"见牛,后边补出"羊苦"与"豕薇"。再如:

> 《仪礼·特牲馈食礼》:"祭铏,尝之,告旨。"郑玄注:"铏,肉味之有菜和者。"

铏是一种盛羹的器具,照理本不该直接训以"肉味之有菜和者",当训为"铏,铏羹,肉味之有菜和者",训义才通顺。古注简约,没有前边的训语"铏羹"造成训式间隔,非谓铏即是"肉味之有菜和者"。原文"祭铏",乃是"祭铏羹"之省。菜和,即《公食大夫礼》所称牛藿、羊苦、豕薇之类。

(2) 空缺训法

是指本当递训而只出后训,空缺前训,造成训式空缺而仍然成训。如:

> 《诗·鄘风·君子偕老》:"其之翟兮。"《毛传》:"揄翟、阙翟,羽饰衣也。"

翟,即野鸡,诗中指揄翟、阙翟而言。故《传》文前部当有"翟,揄翟、阙翟"一训,但略而不具,空阙前训,只具后训以成释。揄翟、阙翟,是王后及侯伯夫人的礼服。下同:

> 《礼记·典礼上》:"御食于君,君赐余,器之溉者不写,其余皆写。"郑玄注:"溉,谓陶梓之器。"

《记》文言劝助君上进食,君上食毕,以所剩食物赏赐劝助者。盛于能洗涤的器具中的食物,不必转盛于别的食器中,可就原器食用。其余盛在不能洗涤的器具中的食物,都该转盛到别的食器中食用,以免染污君上的食器。器之溉者,指陶器和漆器。不溉者,指竹器和萑苇之器。可知此《注》本该曰:"溉,涤也。涤者,谓陶梓之器。"郑氏简约为文,故不出前训训语"涤也"及后训被训语"涤者",造成训式空缺,但仍然成训。非谓训溉为"谓陶梓之器"。

七 推训词义法

这是根据语境推求、训释所解词的含义的训法。当所解词既无成训,又欠他证时,训诂家便采用此法确定训义。主要包括两类:

1. 句内为义法

即根据本句之内有关词语推定被训词含义。如:

> 《诗·小雅·伐木》:"伐木丁丁,鸟鸣嘤嘤。"《毛传》:"丁丁,伐木声也。嘤嘤,惊惧也。"

"丁丁"承"伐木"之下,故知是"伐木声也"。由于伐木之声叮叮响,使鸟儿惊惧,故训"嘤嘤"为"惊惧也"。再如:

> 《楚辞·离骚》:"路曼曼其脩远矣,吾将上下而求索。"洪兴祖《补注》:"五臣云:'漫漫,远貌。'"

五臣本"曼"作"漫",义同。"漫漫"前有"路",后有"脩远",故训为"远貌"。

2. 探下为义法

即参照下文有关语句,推训所解词的含义。如:

> 《诗·周南·葛覃》首章:"葛之覃兮。"《毛传》:"葛,所以为绪绤,女功之事烦辱者。"

本诗第二章有"是刈是濩,为绪为绤,服之无斁"三句,故首章释"葛",下探此三句为义。再如:

> 《仪礼·士冠礼》:"宾右手执项,左手执前,进容,乃祝,坐如初。乃冠,兴,复位。赞者卒。"郑玄注:"卒,谓设缺项,结缨也。"

《礼》文大意是说请来加冠的礼宾按照程序给受冠者加了缁布冠,回到原位。协助加冠的人(即"赞者")完成了剩下的工作(即"卒")。郑玄训"卒"为"谓设缺项,结缨也",即谓"赞者"完成的工作是"设缺项,结缨"。"缺项"是用来固定头发的饰物。"结缨"就是系住丝带。此处《礼》文只说"赞者卒",没有说"卒"何事。下节《礼》文说"赞者卒纮",故郑氏探下节"卒纮"之文,知此节所谓"卒",即是"设缺项,结缨"。

八　辨义为释法

倘所解词有歧义，训诂家便往往采用辨别义项的方法进行训释。如：

《史记·陈涉世家》："陈涉太息曰：'嗟乎，燕雀安知鸿鹄之志哉！'"司马贞《索隐》："鸿鹄是一鸟，若凤皇然，非谓鸿雁与黄鹄也。"

嫌有人将"鸿鹄"理解为两种鸟的合称，故有此训。再如：

《汉书·司马相如传》："少时好读书，学击剑。"颜师古注："击剑者，以剑遥击而中之，非斩刺也。"

嫌训"击剑"为斩刺，故有此训。遥击而中，即飞剑击之，有似于投飞镖。

九　反言为解法

是指以相反语气解释词义的方法，主要有3类：

1. 揭明语气的反言为解

这是指对古书中带"不"、"无"两字的否定语，以反言为解，即以肯定语气相释，基本训式为"不A，A也"，仅仅表明原文应当读为反诘语气而已，不是从词意上训"不A"为"A也"。《毛传》中这类用例很多，如：

《诗·小雅·车攻》："徒御不惊？大庖不盈？"《毛传》："不惊，惊也。不盈，盈也。"

《传》意谓此诗当读为反诘语气，"不惊"，实际上是说惊。"不盈"，实际上是说盈。而不是从词汇意义上训"不惊"为"惊"，"不盈"为"盈"。故郑玄《笺》申述道："不惊，惊也；不盈，盈也。反其言美之也。"所谓"反其言美之也"，就是说用反诘语气赞美。再如：

《诗·大雅·文王》："有周不显？帝命不时？"《毛传》："不显，显也。显，光也。不时，时也。时，是也。"

《传》文也以反诘语气作解。《笺》申述道："周之德不光明乎？光明矣。天命之不是乎？又是矣。"谨按：以上这种"不"字，晚近人多谓通作"丕"字。但《诗》中这种"不"字，恐不一定通作"丕"。一则按旧注的解释，诗意可通，不烦改字。二则即使有些地方勉强可用通假字为说，但有些地方却说不通。比如，此处所举《文王》诗的"不显"，许多人认为应该读为"丕显"。但《大雅·抑》"无曰不显，莫予云觏"中的"不显"，却绝对不能通作"丕显"，只能按旧注解作否定语气。两诗都作"不显"，若谓一为通假，一为正字，不免舛驳，自乱其例。因此，我们认为，《诗》中这类"不"字，还是承用毛、郑旧说为宜。还有人认为这类"不"字为语气词,无义,恐亦未妥。

2. 揭明行文之意的反言为解

有些古书,特别像《春秋》,言简意赅,寓有褒贬,往往正面行文,反面取义。训诂家们便采用此法,给予解释。《公羊传》、《穀梁传》中这类用例很多。如:

《春秋·庄公二十四年》:"戊寅,大夫宗妇觌,用币。"《公羊传》:"宗妇者何?大夫之妻也。觌者何?见也。用者何?用者,不宜用也。"

《春秋》记载鲁庄公夫人姜氏新嫁到鲁国,大夫的妻子们带着缯帛(即"币")作为礼物去拜见她。这是不合礼制的。《春秋》便用"用币"二字记载此事,表示讥刺。因此,《公羊传》揭示此处的行文之意,解释说:"用者,不宜用也。"意谓《春秋》书"用币",表示"不宜用币"的意思,而不是从词汇意义上训释"用"字为"不宜用也"。再如:

《春秋·成公九年》:"夏,季孙行父如宋致女。"《穀梁传》:"致者,不致者也。"

致,送意。按照当时的礼制,女儿既已出嫁,父亲不能送女儿去她的婆家。否则就是失礼。季孙行父不顾礼制,这样做了,《春秋》便书以"致女",表示讥刺。《穀梁传》揭明行文之意,故解释说:"致者,不致者也。""不致者也",也就是不应该送的意思。后世偶尔也用此类训法。如:

《文选·(陆士衡)叹逝赋》:"嗟人生之短期,孰长年之能执?"李善注:"能执,言不能执持得长年也。"

3. 否定反义为解

这是从词义上释词的一种反言为解的训法。当有些被训词一时不便于正面定义时,训诂家们便往往采用这种训法为解。《说文》中这类训例颇多。如云:"少,不多也。""粹,不杂也。""假,非真也。"之类。再如:

《汉书·成帝纪》:"二月,诏三辅内郡举贤良方正各一人。"颜师古注:"内郡,谓非边郡。"

十　先举训语为释法

一般释词方法都是先举被训词,再举训语为释。此类训法相反,先举训语,再举被训词。可分为3类:

1. 相对为释法

即用"A 曰 B"、"A 为 B"、"A 谓之 B"之类训式的两叠或多叠形式为释,形成比较对照,用以揭示事物的区别性特征。在此类训式中,"A"都代表训语,先举;"B"都代表被训词,后举。"A"、"B"所代,往往不止一个字。这是中国古代释词法中产生最早、应用

最广的释词法之一。主要包括3类:

(1) 以"A 曰 B"式为释

《诗·召南·采蘋》:"于以盛之?维筐及筥。"《毛传》:"方曰筐,圆曰筥。"

"方"与"圆"为训词,与"曰"字相连,组成训语,先举;"筐"、"筥"为被训词,后举。同时训释两个词,揭明它们的特征在于一方一圆。下同:

《左传·襄公十四年》:"工商皂隶牧圉皆有亲暱。"明代王道焜《左传杜林合注》:"林:执技艺曰工,通货贿曰商,造成事曰皂,属于吏曰隶,养牛曰牧,养马曰圉。"

即用六叠式对释了六个被训词。

(2) 以"A 为 B"式为释

《中庸》:"忠恕违道不远,施诸己而不愿,亦勿施于人。"朱熹《章句》:"尽己之心为忠,推己及人为恕。"

此为同解两叠式。再如:

《淮南子·原道》:"逍遥于广泽之中,而仿洋于山峡之旁。"高诱注:"两山之间为峡。"

此为单解单用式。

(3) 以"A 谓之 B"式为解

此式中的"之"字不能缺,如果去掉"之"字,就成"A,谓 B"式,那是点明训法,"A"代表被训词,不代表训词。有了"之"字,才成相对为释法。其他情况与前两式相同。如:

《尔雅·释宫》:"一达谓之道路,二达谓之歧旁,三达谓之剧旁,四达谓之衢,五达谓之康,六达谓之庄,七达谓之剧骖,八达谓之崇期,九达谓之逵。"

此为同解九叠式训法,同时训释了有关道路的九个被训词。下同:

《后汉书·周举传》:"朕以不德,仰承三统。"李贤等注:"天统、地统、人统谓之三统。"

《尔雅》中这类训式往往有省略形式,即省去"曰"、"为"等字,不说"A 曰 B"、"A 为 B",只说"AB",句读时容易将相对为释法的训式误读为相连的词语。如《释山》云:

峦山堕重甗隒

当读为:

峦山,堕;重甗,隒。

实际上等于:

峦山曰堕,重甗曰隒。

省去了"曰"字。再如：

    山夹水涧陵夹水澞。

当读为：

    山夹水，涧；陵夹水，澞。

实际上等于：

    山夹水为涧；陵夹水为澞。

省掉了"为"字。倘不明此法，读为"山夹水涧，陵夹水澞"，那就错了。

2. 推导为训法

此法先明事理，作为训语；再出"故云"、"故曰"、"故谓之"等词语表示推导之义；最后举出被训词。大致当被训词含义较多，需要详解时，往往用此法为释。如：

  《史记·刺客列传》："政乃市井之人。"张守节《正义》："古者相聚汲水，有物便卖，因成市，故云市井。"

"市井"一语含义较多，故先说明情况，作为训语，再以"故云"连接推导，最后举出被训词"市井"。下同：

  《黄帝内经·素问·风论》："饮酒中风，则为漏风。"唐代王冰注："热郁腠疏，中风汗出，多如液漏，故曰漏风。"

3. 复举为释法

训语长，先出，又以"此"、"是"等字加以复举，再用"之谓"、"为"等连接，后出被训词。如：

  《尚书·康诰》："惟乃丕显考文王，克明德，慎罚。"伏胜《大传》："子夏曰：'昔者，三王愨然欲错刑遂罚，平心而应之，和，然后行之。然且曰：吾意者以不平虑之乎？吾意者以不和平之乎？如此者三，然后行之。'此之谓慎罚。"

先举子夏的一段话，作为慎罚的例子，相当于训语，再以"此"字复举，后出被训语"慎罚"。下同：

  《黄帝内经·素问·生气通天论》："故风者，百病之始也。清静则肉腠闭拒，虽有大风苛毒，弗之能害。"王冰注："大嗜欲不能劳其目，淫邪不能惑其心，不妄作劳，是为清静。"

以上所举证的 10 类释词法表明，汉语释词中的直接定义法种类繁多、情况复杂，许多训法区别细微，似同实异。如果不了解各类训法的特色和区别，就不可能真正读懂旧注，从而也就不可能真正读懂所解原文。其实，不独直接定义法如此，间接定义法亦如此。不独定义法如此，疏证法亦如此。不独一般通用训法如此，通释性通用训法亦如此。不独通用训法如此，专门训法亦如此。也就是说，整个义训法体系中所包括的各类各级训释方法都是相当重要而又相当复杂的,需要一代又一代的训诂学家、语义学家、文献学家们去发掘、研究、揭示,以促进各门相关学科的不断发展。

(冯浩菲:山东大学文史哲研究院,250100,山东济南)

词汇词义研究的差异与互补

——训诂学与现代词汇学的关系

杨端志

提要： 汉语的词汇词义研究，在汉语言学史上大致是由两个非常接近而又不同的学术部门——训诂学和词汇学承担的。训诂学是我国古代学者从认知方面研究汉语语义的传统学科，词汇学是近百年来在西方语言学影响下形成的新学科。它们代表了汉语词汇词义研究的两大传统。这两个学科产生的条件不同，哲学基础不同，研究范围和汉语的历史阶段也不同。因此，对词汇词义的认识无论在理论体系上还是在研究方法上，都有很大差别。但是，由于研究的都是词汇词义，它们又有一定的内同性。差别和内同反映了这两个学科的互补性，而互补性当中就包含了汉语词汇词义研究的原创性。其重点在于汉语语言单位，汉字的性质，词汇的单位、结构和理据，以及词汇系统等问题。

关键词： 词汇词义研究　差异　互补　训诂学　词汇学

汉语的词汇、词义研究，在汉语言学史上大致是由两个非常接近而又不同的学术部门承担的。一个是古代传下来的训诂学，一个是"五四"以来以至当代形成的词汇学。这两个学术部门都做出了很好的成果。尤其是20世纪80年代以来，成果更为突出。

但是，毋庸讳言，这两个学术部门各自都还有一些理论问题和实践问题没能得到很好的解决。

训诂学方面，最突出的问题就是训诂学的理论和理论系统问题。对此，许多学者都曾经指出过。早在1982年，殷孟伦先生就曾指出，训诂学的发展，第一个重要任务就是"在批判继承传统训诂学遗产的基础上，对训诂学的理论与方法必须进行深入的研究，通过这种研究，带动对我国传统的文字、音韵理论的研究，并且吸收外国语言学的先进理论和科学方法，使训诂学更为科学化、系统化，在普通语言学中发挥它应有的作用。"[1] 王宁先生指出："训诂学必须进行理论建设"，必须"梳理两千年来训诂学发展

---

[1] 殷孟伦《训诂学的回顾与前瞻》，载《子云乡人类稿》，41—42页，齐鲁书社，1985年。

的脉络,以便找到旧训诂学在理论上和在实践上的终点,由此起步来进行新的批判继承"。王先生还要求,"用今天的人易懂的语言,把一应训诂现象描述出来,再用科学的原理陈述出这些现象的实质。""揭示了本质,分类便能合乎科学、合乎逻辑。"[2] 近二十余年来,很多学者进行了训诂理论建设的努力,提出了一批"揭示本质","合乎科学",具有理论意义的新见解,使得训诂学理论建设大为改观。但是,我们还不能说找到了"旧训诂学在理论上和在实践上的终点",与"科学化,系统化"还有一定的距离。

词汇学方面,在不断引进西方应用语言学、语用学、社会语言学、心理语言学、文化语言学、神经语言学、认知语言学等的带动下,理论观念比较活跃,涌现了一大批非常优秀的成果。但还是常听到人们说,"在汉语语音、词汇、语法三大块中,词汇的研究是最薄弱的。""在汉语语音、词汇、语法中,词汇是最难研究的,因为词汇不像语音、语法那样有严整的规律性。"在专家的论著或有关评论中,也常看到类似的说法。对于历史词汇学、历史语义学的研究,蒋绍愚先生说:"词汇系统又比语音、语法的系统复杂得多,直到现在,人们也感到对词汇的系统难以把握,所以,在词汇研究方面,显得系统性不够。在词汇研究方面,做的大量的工作是对词语的诠释,而对词汇系统、词汇发展规律等方面的研究比较缺乏。"[3] 蒋先生这些话虽然是针对近代汉语研究说的,恐怕也适合整个汉语历史词汇学。张联荣先生认为,与汉语语法史、汉语语音史的研究相比,"汉语历史词汇学的研究就更显得薄弱","汉语历史词汇学的研究还处于初始阶段"。[4] 现代汉语词汇学的研究成果比较突出,但是,邢福义先生在总结"八五期间的现代汉语研究"时,认为现代汉语词汇研究"对词汇系统本身的研究不够全面和深入。大多数研究还没有摆脱传统原子主义的老路,注重个别现象的分析,缺乏宏观理论的思考。关于汉语词汇系统内部的组织结构,没能建立起严密的体系"。[5] 这些见解,恐怕都是符合当前研究现状的。

要解决这些问题,一般说来有两条途径,一是古今结合,向相近的汉语研究部门去寻找,向汉语言研究的实践中去寻找;一是向国外语言学尤其是向欧美语言学借鉴理论和方法。比较而言,前者更为重要,因为它们最具内同性、互补性和理论的原创性。我们认为,近百年来,尤其是近二三十年来,训诂学、词汇学向国外语言学借鉴理论、方法,做了不少工作,而在某种程度上忽视了立足本体,古今结合,向二千余年的汉语研究历

---

[2] 王 宁《训诂学原理》,12页,中国国际广播出版社,1996年。
[3] 蒋绍愚《近代汉语研究概况》,251页,北京大学出版社,1994年。
[4] 张联荣《古汉语词义论》前言,北京大学出版社,2000年。
[5] 邢福义等《"八五"期间的现代汉语研究》,载许嘉璐等《中国语言学现状与展望》,120页,外语教学与研究出版社,1986年。

史中去总结理论、总结方法的工作。就词汇、词义研究来说,训诂学与现代词汇学,就最具内同性,最有互补性,有进行比较研究的必要。

大家知道,训诂学是一个发轫于春秋战国,成熟于两汉,直到现在还在发展的,以古代书面语言为研究对象的土生土长的传统学科,词汇学是一个近百年来,在西方语言学理论影响下产生的现代语言学意义上的新学科。这两个学科也有很大的差异。王力先生认为:"中国在'五四'以前所作的语言研究,大致是属于语文学范围的。"[6]从性质上说,训诂学属语文学,词汇学属语言学。大家知道,"语言学只研究语言本身,不涉及在一定历史条件下语言的运用。而语文学则在研究古代文献时,把与语言功能以及说这些语言的人民的历史生活有关的一切问题也包括在内。"[7]换句话说,训诂学与词汇学研究的范围不同,对象也不完全一样。训诂学要研究语言问题,要研究语言的功能问题,还要研究到与语言功能相关的一切人类生活的文化语义问题(也正因为如此,直到如今,训诂学中的词汇语义的解释,对于文艺学、历史学、哲学、心理学、解释学、认知科学等,都还有着重要的价值,大家还都在引用)。词汇学则主要研究语言中的词汇词义本身的问题。还有一点,训诂学已经有二千余年的历史积累,而词汇学在中国才只有不到一百年的历史。训诂学的认识,基本上是人们对汉语规律认知的结果,而词汇学的认识则多是借鉴了印欧语研究的概念和理论框架。所以,"从语言理论方面看,中国古代也有很多可资借鉴的东西。在封建主义上升时期,也像资本主义上升时期一样,学术上有不少美丽的花朵。"[8]而现代词汇学,则"展现出研究的新方法、新内容、新角度、新路子"。[9]因此,这两个学科虽然研究的是同一个问题,认识却很不相同,对同一种语言现象,各自的理论也不一定一样。不一样、差异性往往就是互补的基础。训诂学与词汇学的不一样、差异性,一般说来,就是两个学科互补的基础或方面。

一 关于语言单位的认识问题

"语言的单位",语言指自然语言,单位指功能、语义相对独立的成分。中国古人认识语言单位很早,认识的角度也不相同,从不同的角度分出了不同的单位。一是从阅读方面来认识,分出的语言单位有"句"和"读"。唐代天台沙门湛然说:"凡经文语绝处谓

---

[6] 王力《中国语言学史》前言,山西人民出版社,1981年。
[7] (苏)HA康德拉绍夫著,杨余森译,《语言学说史》,73页,武汉大学出版社,1985年。
[8] 同[6]。
[9] 刘叔新为《汉语词汇研究史纲》(周荐)写的序言,语文出版社,1995年。

之句,语未绝而点之以便诵咏谓之读。"[10] 元代陈端礼说:"句读二字,倒点为句,中点为读。凡人名、地物名、并长句内小句,并从中点。"[11] "句"是语义完整的单位,大致相当于今天的单句或复句,"读"是语义未完的单位,大致相当于今天的词组或子句。这种以一定的标记划分语言单位的办法用得很早,公元前9世纪周共王时期的铜器《永盂》上的铭文就已出现,此后,春秋战国秦汉出土的铜器简帛文字上,都有使用。

二是从句子组织来认识,分出的语言单位有"字"、"句"、"章"、"篇"。汉代王充说:"文字有意以立句,句有数以连章,章有体以成篇。"[12] 南北朝时期的刘勰,对语言单位认识得更加清楚。他认为,"设情有宅,置言有位"。"位"应当是中国人自己的最早的语法概念。"言位"等于"语法"。并具体解释说,"因字而生句,积句而成章,积章而成篇"。[13] 分出的语言单位也是"字"、"句"、"章"、"篇",那就是"字位"、"句位"、"章位"、"篇位"。"字位"、"句位"、"章位"、"篇位"就是中国古代的"言位"。"字位"、"句位"、"章位"、"篇位"连起来就是汉语的结构,从小到大是由"字位"到"篇位",从大到小是由"篇位"到"字位"。古人的汉语研究是以"字"为最小的单位,以"篇"为最大的单位,包括了后来的"句法"和"章法",相比今天的语法来讲,可称之为"大语法"。古人的汉语研究对于"字位"、"句位"、"章位"、"篇位"内部的结构关系,对于"字位"、"句位"、"章位"、"篇位"之间的结构关系,也是以语义为中心的,所谓结构关系,主要是语义结构关系。可惜的是,刘勰对"字位"、"句位"、"章位"、"篇位"没有作出进一步的阐述。对"字位"、"句位"、"章位"、"篇位"进一步的研究是由随文释义的训诂来承担的(关于"字位"、"句位"、"章位"、"篇位"的内部语义结构和它们之间的语义结构,将另文全面论述,下面只是简要提及)。

三是从随文释义的训诂来认识。古人为古书作注,下注的地方或注释的对象往往就是古人所认为的语言单位。从语言学的观点看,这有字、词、词组、单句(古人称"小句")、复句(古人称"长句")、章、篇。

古人分出的语言单位共有字、词、词组、单句、复句、章、篇七级。句下的单位有字、词、词组;复句下的单位有单句;章下的单位有单句、复句;篇下的单位有章。其中,"字"是最小的单位。

这里,我们要注意的是,古人是把"字"作为语言单位的。古人作为语言单位的"字",相当于现代英语中的"word"。"字"在汉语中作为语言单位,是在漫长的汉语认

---

[10] (唐)湛然《法华文句记》卷一。
[11] 陈端礼《程氏家塾读书分年日程》卷二,20页。
[12] 王充《论衡·正说》,中华书局,1979年。
[13] 刘勰《文心雕龙·章句》,人民文学出版社,1981年。

识史上形成的。最早把"字"作为语言单位始于秦代,《史记·吕不韦列传》说,《吕氏春秋》写好后,吕不韦把它"布咸阳市门,悬千金其上,延诸侯游士宾客,有能增损一字者予千金"。这个"字"就是指语言中的最小单位。南北朝以后,文章家、诗话、词话讲"炼字","求一字之稳",以及"四字句"、"五字句"、"六字句"、"七字句",等等,其中的"字",都指语言的单位。

训诂学对语义的研究,是以"字"为最小单位的,也是以"字"为核心的。现代语言学把语言单位定为:词、词组,单句、复句,语段、篇章六级。词汇学研究的对象是"词"。"词"则有单纯词、合成词之别,"词"则有单位、结构、层次。"词"的内容显然要比"字"细致得多、丰富得多。到了功能语言学、认知语言学对词汇的研究阶段,又转向以语义为中心,两大传统对词汇词义的研究又走向了统一。

古今语言学家们对汉语语言单位认识的区别,主要在于最小的语言单位是"字"还是"词"上,这就引起了一系列的知识的、理论的、框架的差异。差异中其实就有很多的互补性。这一点,我们下面还要谈到。

二 关于对"字"的性质的认识问题

古人认为,汉语中的"字",主要意义有两个:一是表示汉语的语言单位,已如上述;二是表示文字,即记录语言的符号的文字。

这里讨论的"字"的性质,字是指后者,即记录语言符号的文字的"字"。

现代语言学认为,"文字是记录语言的书写符号的系统","汉字是记录汉语的书写符号的系统,它包括汉字所有的形体(声符、意符等)、所有字和标点符号"。[14] 这样,所说的"书写符号的系统"就是指字形符号系统。所以,一部分具有现代观念的学者,即便是研究古代汉语甚至研究古文字的学者也采取了这种认识。古汉语研究的著名学者洪成玉先生在讨论字义与词义时说:"汉字本身没有意义"。"假借字和本字都是文字现象,不直接涉及词义问题"。[15] 古文字学大家唐兰先生在阐述古文字研究对象的时候说:"我的文字学研究的对象,只限于形体,我不但不想把音韵学找回来,还得把训诂学送出去。"[16] 唐兰先生眼中"字",既不包括字义,也不包括字音。这种学说,甚至成为了具有现代意义文字学的基础,成为了中国古文字学开始走向科学道路的标志。我们认为,

---

[14] 高名凯、石安石《语言学概论》,185 页,中华书局,1963 年。
[15] 洪成玉《训诂学与语义学》,《古汉语研究》1997 年第 2 期。
[16] 唐 兰《中国文字学》,5 页,上海古籍出版社,1979 年。

这有一定的道理,把"字"与"词"的界限划清了,澄清了几千年来把"字"直接当作"词"的糊涂认识,为汉语、汉字研究做出了巨大的贡献。但是,还有另一个方面,这就是:

我国古人认为,古汉字是在语义所指客观事物原型基础上创造的,也就是说,在造字的时候就已把语言中的音义投射到文字上,即所谓"近取诸身,远取诸物","依类象形,故谓之文"[17]。一旦成为"字",它就具有了形、音、义。这是许慎《说文解字》以来的基本观念。《说文解字》就是兼释形、音、义的。从此,汉字成为历史语义、历史语音的载体。同时,也形成了汉字的研究传统。古汉字的研究,涉及形体的演变,涉及历史语义学,涉及历史语音学。同时,也形成了研究方法的传统,即文字形体、文字语音、文字语义三者互相求,古今六者互相求的方法论系统。这就是段玉裁所说的:"圣人之制字,有义而后有音,有音而后有形。学者之考字,因形以得其音,因音以得其义"。"小学有形,有音,有义,三者互相求,举一可得其二。有古形,有今形,有古音,有今音,有古义,有今义,六者互相求,举一可得其五。"[18]于上古音研究,还得出了石破天惊的著名结论:"谐声者必同部"——"许叔重作《说文解字》时未有反语,但云某声某声,即以为韵书可也"。[19]

对于汉字性质的认识,古今观点看似针锋相对,迥然两路。若以今,则要否定语言音、义在汉字形体上的投射,也就否定了"因形求义"、"因声求义"等形、音、义三者互相求,六者互相求的研究方法,否定了古汉字形体所代表的汉语的最早的本义系统,也否定了上古音研究的"同声必同部"研究方法和"同声必同部"的语音系统。若以古,今天所谓汉字的性质,便成为皮相之谈,抛开了其语音、语义之骨肉,只剩下其形之皮肤,只看到文字符号性的一面,没有看到汉字符号代表物即语言的音义的另一面。

这种汉字既与语义无关系,也与读音无关系的认识,占据了文字认识的正确理论的地位。

其实,索绪尔并没有这么说。索绪尔反倒认为,世界上的文字有两种不同的体系,一为表音体系,一为表意体系。表意体系的文字,"这个符号和整个词发生关系,因此也就间接地和它所表达的观念发生关系。这种体系的典范例子就是汉字。""这个符号和整个词发生关系",文字符号"也就间接地和它所表达的观念发生关系",就是语言的音、义投射到了符号上,符号具有了音、义。所以,索绪尔又进一步阐述说:"对汉人来说,表意字和口说的词都是观念的符号;在他们看来,文字就是第二语言。在谈话中,如果有

---

[17] 许 慎《说文解字·序》,中华书局,1963年。
[18] 段玉裁为《广雅疏证》写的序,江苏古籍出版社,1984年。
[19] 段玉裁《古十七部谐声表》,见《说文解字注》,818页,上海古籍出版社,1981年。

两个口说的词发音相同,他们有时候就求助于书写的词来说明他们的思想。但是这种代替因为可能是绝对的,所以不致像在我们的文字里那样引起令人烦恼的后果。汉语各种方言表示同一观念的词都可以用相同的书写符号。"[20]他并没有批评汉人的这种认识不对。这应当就是我们所说的汉字符号与汉语音义的正确关系。我们体会,书写符号与语言的关系有两层:第一层,一切的文字都是记录语言的符号系统。在这一层上,汉字与拼音文字并没有什么不同;第二层,表意体系的文字也是记录语言的符号,但这种符号是接收了语言音、义投射的符号,是能"间接地和它所表达的观念发生关系"的符号。所以,在第一个层次上,把汉字与拼音文字并列,看成同类的符号,并不是汉字的本质。而在第二个层次上,把汉字看作投射了语言音、义的符号,才是汉字的真正的本质。对于汉字的真正的本质的认识,中国几百年前的段玉裁,甚至近二千年前的许慎,不逊色于索绪尔。也正因为汉字符号是接收了语言音、义投射的符号,所以它具有了语言中的音、义,它是形、音、义三结合的符号,这就与汉语的语言符号取得了一致性。所以,它就可以充当汉语的语言单位。

我们认为,许慎、段玉裁、索绪尔的认识是正确的。现代学者吕叔湘先生在《语文常谈》中专设"三位一体的'字'"一节,认为"写在纸上的字,有形、音、义三个方面"。[21]王宁先生指出:"字指文字每个体,它记录了词,承受了在词中已经结合了的音与义,同时又以形体为自己的独有形式。"[22]吕叔湘、王宁先生的论述无疑是合理的。

三 词汇的单位、结构和理据问题

大家知道,在现代词汇学理论中,对于汉语来说,尽管什么叫做"词",如何切分"词"与"词组",词汇有没有一个系统等问题,还在讨论中,但是同时,大家都在按照公认的理解或个人的理解在研究着、探索着。因此,现代词汇学无论在现代汉语词汇研究方面,还是在汉语词汇史研究方面,都取得了很好的成绩,现代意义上的词汇学已经形成。在词汇的单位方面,如分为词、词素两级,词素又可分为单纯词素、合成词素,合成词素中,还可再分等;在词汇的结构方面,如首先分为单纯词、合成词,而合成词再分为主谓式、动宾式、偏正式、述补式、并列式等,都已经形成科学的理论性体系。近些年来,又进行

---

[20] (瑞士)费尔迪南·德·索绪尔著,高名凯译,《普通语言学教程》,51页,商务印书馆,1999年。
[21] 吕叔湘《语文常谈》,生活·读书·新知 三联书店,40页,1980年。
[22] 王 宁《训诂学原理》,中国国际广播出版社,35页,1996年。

了词的理据的探索，尤其是合成词的理据的探索，出现了合成词造词法的研究[23]。在词汇的单位、词汇的结构和词汇的理据研究上取得了丰硕成果。

我们再来看传统训诂学关于词汇单位、词汇结构和词汇理据的研究。

训诂学对词汇单位、词汇结构和词汇理据的研究，也有相当的成果。但是，这些研究也是以"字"为单位，以"字"为起点的。

词汇的单位、词汇的结构、词汇的理据，这里是针对合成词来说的。汉语早在甲骨文中，就出现了合成词，郭锡良先生说："周代复音化的现象十分明显，复音化的构词方式有两大类：一是多种形式的双音节的音变构词，二是多种形式的结构构词。复音化的各种构词法萌芽于西周早期，完备于春秋战国。"[24] 马真先生统计了先秦代表性的典籍后认为，如果把先秦单音词估计为一万个，那么复音词将占它的20%以上。[25] 自然语言中合成词的大量涌现，已经引起了当时哲学家的高度注意，并对合成词给予了高度的肯定。荀子在他的著名文章《正名》篇中说："单足以喻则单，单不足以喻则兼；单与兼无所相避，则共；虽共，不为害矣。"杨倞注释说："谓单名、复名有不可相避者，则虽共同其名，——谓若单名谓之'马'，虽万马同名；复名谓之'白马'，亦然。——虽共，不害于分别也。"那就是"马"与"白马"虽共同有"马"，并不影响"马"与"白马"的区别。这里，荀子提出了汉语的"名"有"单"、"兼"两级。"单"，相当于现在所说的单音的单纯词；"兼"，相当于现在所说的合成词包括词组。并且分析了"单"、"兼"也就是单音词与合成词包括词组之间的语义关系，分析了"单"在"兼"中的语义地位。荀子为中国语言词汇理论开的这个头，是非常了不起、非常英明的！遗憾的是，自此以后，再也没有见到关于词的单位、结构和理据的理论阐述。

不过，自汉至清，在古人随文释义的实践中，大量地解释到合成词的构形结构和造词理据，给我们留下来了另一个方面丰富的遗产。如：

[强御] 毛亨《传》：强梁御善也。陈奂《诗毛氏传疏》：御善即强梁，强与御犹掊与克，虽分释而义实同。（诗·大雅·荡）

[寝庙] 孔颖达《正义》：寝庙者，《周礼》注云，前曰庙，后曰寝。则寝、庙一物，先寝后庙，便文耳。（诗·小雅·巧言）

[群黎] 郑玄《笺》：黎，众也。王引之《经义述闻》卷七：既言群，又言众者，古人语不避复。（诗·小雅·天保）

---

[23] 葛本仪《现代汉语词汇学》，山东人民出版社，72页，2001年。

[24] 郭锡良《先秦汉语构词法的发展》，见郭锡良《汉语史论集》，151页，商务印书馆，1997年。

[25] 马 真《先秦复音词初探》，北京大学学报1980年第5期；《先秦复音词初探（续完）》，《北京大学学报》1981年第1期。

[三五] 朱熹《诗集传》：三五，言其稀，盖初昏或将旦时也。王引之《经义述闻》卷五：汉以前相传昴宿五星，故有降精为五老之说。其参之三星，则《唐风·绸缪》传、《史记·天官书》已明著之矣。盖参之为言，犹三也。……三五，举其数也；参昴，著其名也。其实一而已。（诗·召南·小星）

[泣血] 毛亨《传》：无声曰泣血。马瑞辰《毛诗传笺通释》：《说苑·权谋篇》曰：'蔡成公闭门而哭，三日三夜，泣尽而继以血'，是泣而泪尽，真有流血者，因通言泣而甚者为泣血。（诗·小雅·雨无正）

——以上并列式

[启明] 毛亨《传》：日旦出，谓明星为启明。日既入，谓明星为长庚。朱熹《诗集传》：启明、长庚皆金星也。以其先日而出，故谓之启明；以其后日而入，故谓之长庚。（诗·小雅·大东）

[启行] 朱熹《诗集传》：启，开。行，道也。犹言发程也。陈奂《诗毛氏传疏》：启行，开道路也。（诗·小雅·六月）

[忍心] 郑玄《笺》：忍为恶之心。（诗·大雅·桑柔）

——以上动宾式

[平林] 毛亨《传》：林木之在平地者也。（诗·小雅·车舝）

[心曲] 朱熹《诗集传》：心中委曲之处也。（诗·秦风·小戎）

[屋漏] 毛亨《传》：西北隅谓之漏。郑玄《笺》：屋，小帐也。漏，隐也。孔颖达《正义》：屋漏者，室内处所之名。可以施小帐而陷漏之处，正谓西北隅也。（诗·大雅·抑）

——以上偏正式

唐代颜师古注《汉书》，更是对《汉书》中的合成词进行了全面的构形结构和造词理据的分析。[26]

这里，我们的举例虽然都是合成词，其实，古人对文献语言研究的实践，一直是符合荀子的"单"、"兼"理论的，也就是在文献注释中，从西汉初年毛亨起，注释的语言现象大量的是合成词和词组。这就是说，汉代以来的古人看到了，也意识到了语言的单位有单音词，也有合成词和词组。但是，一直没有给出"单音词"、"合成词"和"词组"一类的名称来。这大约与早在商代就有了成体系的文字，直到春秋才给出"文"，战国才给出"名"，秦代才给出"字"、"文字"一样，名称常常是晚于现实的。与词汇有关的，荀子称为

---

[26] 参见孙良明《中国古代语法学探究》，248—252页，商务印书馆，2002年。张金霞博士论文《颜师古语言学研究》66—71页（未发表）。

"单"、"兼",唐代杨倞注把"兼"解释为"复名",包括了合成词和词组。汉人把叠音词称为"重言"。宋朝,人们在笔记中把联绵词称为"联绵字"。明清人们又把叠音词称为"叠字"、"复语",把并列式合成词称为"连言"、"连文",也称为"复语",把联绵词又称为"连语"。从名称看,古人对特殊结构的词语给了一定的注意,也显示了这些词语结构的一体性和语义的理据性。

这里,现代词汇学的单位、结构、理据等框架,跟训诂学对合成词语的分析,显然具有巨大的互补性,如果两者结合,一定会推动汉语词汇的单位、结构、理据等的研究。

我们上面的论述中,屡屡提到古人"以字为单位","以字为基础","以字为出发点"等,这就不能不谈一下目前大家比较关注的"字本位"提法问题。就训诂学对语义研究的实际情况说,理论研究方面,荀子提出"名"的单位有"单"、"兼",显然荀子认为"单"是最小的语言单位。"单"就是单音词,也就是"字"。王充、刘勰从语言组织角度,提出"文字有意以立句","因字而生句",也是把"字"看作语言的最小单位。魏晋以后文章家、诗词评论家讲究"炼字","求一字之稳",也是把"字"作为最小的语用单位。古文字研究专家如许慎、段玉裁等,也是把"字"作为最小的语言单位。古文献的训诂注释,所解到的内容有字、词、词组、句子,显然也是把"字"视为最小的语言单位。这都说明,古人的确是把"字"看作最基本的语言单位的。至于说古代也有联绵词,也有词头、词尾,也有外来的音译词等,这些都是二音节甚至三音节词,其中的"字"都不是最小的语言单位,这些古代训诂学家们也是明白的。但都没有影响他们把"字"当作最小的语言单位。至于说古代也有复合词,荀子明白,荀子以后的训诂家明白,文献注释家更明白,也没有影响他们把"字"当作语言的最小单位。我们认为,古人把"字"当作最小的语言单位的原因有三个,一是因为汉字是表意体系的文字,每个单个的字都有形、音、义。放到句子中以后,不管在句子中的具体意义是什么,原来都是曾经具有形、音、义的。二是训诂学产生的时期,汉语所使用的汉字还处在古文字阶段或离古文字历史不远的阶段,"字"在训诂学体系和研究传统上已成为自然。三是当时还没有现代意义的系统的语法体系,也就没有语法体系对语言成分制约性的要求,换句话说,"字"不是由语法体系提出来的语言单位,没有制约性的条件,没有什么不可以以"字"为基本单位的。那么,以"字"为基本单位来研究现代汉语行不行呢?如果仍用训诂学来研究现代汉语的话,把"字"作为基本单位,就没有什么不可以的。如果用现行现代语言学的理论框架和语法体系来研究现代汉语,"字"本位就会遇到很多困难。就是用现行现代语言学的理论框架和语法体系来研究古代汉语的话,"字"本位也会遇到很多困难,"字"本位基础上的语法体系是什么呢,如何建立呢?因为"字本位"与现行现代语言学理论框架和语法体系,本来不是一套马车上的东西。

四　词汇系统问题

　　20世纪60年代以来,就有不少学者探索现代汉语词汇的系统问题。近十多年来,学者们也开始了古代汉语词汇系统的探讨,做了不少有益的工作。目前,这个工作仍在进行中。晁继周先生在总结了上个世纪的研究情况以后,认为现代汉语词汇体系的研究,仍然是新世纪的重要课题,并阐述了具体研究方式:"首先建立现代汉语常用词的词汇体系,全面考察其内部的组织结构,建立起基本体系框架,然后再逐步扩展和完善。"〔27〕蒋绍愚先生说:"怎样认识一种语言的词汇系统?一种语言的词汇系统和另一种语言的词汇系统有什么不同,表现在什么地方?同一种语言的词汇系统的历史发展表现在什么地方?这是研究词汇和词汇史必须要解决的一个大问题。"〔28〕

　　我们认为,训诂学中词汇词义的研究,对汉语词汇系统的建立,具有重要价值。

　　词汇的产生是人们对客观世界认知的结果,词汇的发展是人们在已有词汇的基础上对客观世界认知的结果。人们认知世界的表征是词汇,认知世界的实质是意义。因此,词汇的系统,实质上是词义的系统,是词义的"内部组织结构"。客观世界事物与事物之间有联系,新认识的事物与已认识的事物之间有联系,反映到词义上,词义与词义之间就发生了联系,新词义与原有词义之间就发生了联系。这应当就是词义的系统的基础。人们在认知客观世界的时候,总是根据事物的原型,一类一类地认识的。一般说来,总是由认识基本的类开始的。然后,根据事物的原型和家族相似性,再由基本的类延伸认识,纵横发展。譬如"马、牛、羊、豕",就是人们根据事物的原型最先认识的基本的类,也是语言中最早出现的词。后来,人们根据事物的原型认识到它们是分牝、牡的,于是创造出从"从马,从匕"、"从马,从土";"从牛,从匕"(即牝)、"从牛,从土"(即牡);"从羊,从匕"、"从羊,从土";"从豕,从匕"、"从豕,从土"的词来(以上皆见于甲骨文),于是从性别产生了"马、牛、羊、豕"的下位词。"马、牛、羊、豕"原是野生的,"马、牛、羊"善跑,不易得,为了备用,后来人们把它们圈养起来,人们根据事物的相似性认识到圈养起来的"马、牛、羊",——圈养起来都是放在"牢"(冂)里的,——于是称圈养起来的"马、牛、羊"为"驾、牢、宰",于是从圈养的角度产生了"马、牛、羊"的下位词。"马"最早是用来拉车的(甲骨文中反映的如此)。人们根据语音相似性原则,把马的脊背称"背",把鞍

---

〔27〕　晁继周《二十世纪的现代汉语词汇学》,见刘坚主编《二十世纪的中国语言学》,446页,北京大学出版社,1998年。

〔28〕　蒋绍愚《两次分类——再谈词汇系统用其变化》,参见蒋绍愚《汉语词汇语法史论文集》,143页,商务印书馆,2000年。

子架在马背上称"輔",把轭架在马背上称"服",车辕下的两匹马也称"服"。服马两侧的马,以服马为中心,左右数之都是三。根据数量认知原则,于是把服马两侧的马称为"骖"。于是由拉车位置不同产生了下位词"服"、"骖"。在商代,马、牛、羊、豕都用作祭品,于是又根据功能相似性把它们归为一类,统称为"牲"。马、牛、羊、豕都是为备用圈养起来的,于是统称之为"畜"(皆见于甲骨文)。于是,产生了马、牛、羊、豕的上位词"牲"、"畜"。后来,人们又把它们合为"牲畜",指称家养的动物。词汇基本上是根据原型原则和相似性原则,一类一类地创造的。

人们对词汇的研究,其实是对过去人们认知客观世界结果的再认识,既要再认识词的音义,也要再认识词义反映的过去的人们认识过的客观事物,并从而对词义做出合理的解释。这种合理的解释,既包括一个一个的词义,也包括词义与词义之间的关系,即把词义与词义联系起来,一类一类地解释。相比较而言,后者更为重要。因为后者往往能反映词汇的系统性。我国古代的训诂家们也正是这样做的。中国传统训诂学解词释义的最大特点就是"类"观念。如上例"马、牛、羊、豕",《尔雅》都归为"畜",又归为"六畜"。"牝、牡",许慎《说文解字》说"牡,畜父也","牝,畜母也"。"牲、畜",郑玄《周礼·庖人》注说"始养之曰畜,将用之曰牲"等。

一般说来,语言学的理论都离不开认知,离不开哲学思维,都要以认知、以哲学思维为基础。中国古人认为,"类"来源于"象","象"是认识事物的基础。从象出发,可以"察类"、"辨类"、"比类"、"推类",这就进入了语言意义系统的研究。到了许慎,讲"以类象形",讲"比类合谊",这不仅仅是研究中国文字的原则,也是研究中国语言的原则,研究中国语言意义系统的原则。这些原则,都体现了认知语言学的精神。这些研究成果都体现在训诂学的内容上。那么,训诂学的哪些内容体现了语汇系统的研究呢?

训诂学对于词汇系统的观察是多角度的。从古人训诂联系到的词汇系统看,汉语的词汇系统应当是多元的网络系统。

首先,本义、引申义系统。"本义"、"引申义"的说法,是站在以"字"为语言单位的立场提出的,都是训诂学术语。本义指造字的时候字体所反映的词的意义。由于认为"字"是语言单位,造字时候的意义就是最早的意义,所以称为本义。本义又称本训。本义一般都有原型性。引申义是根据事物的家族相似性,由本义通过隐喻、转喻引申出来的意义。本义研究是从许慎开始的。不过,许慎并没有给出"本义"的概念,他只借《尚书》的话说"予欲观古人之象,言必遵修旧文"。那就是根据古文字字形来解说文字的意义。南唐徐锴比较注重引申义的研究。他在《说文解字系传·说文解字疑义》中说:"中古之后,师有愚智,学有工拙。智者据义而借,令、长之类是也。浅者远而借之,若《山海经》以'俊'为'舜'、《列子》以'进'为'尽'也。"令、长是怎么回事?他又说:"出令(去声)

所以使令(平),或长(平)于德,或长(上声)于年,皆可为长。故因而假之。"原来,他是把"令"由命令义引申为县令义,"长"由长短的长(音 cháng)引申为年长的长(音 zhǎng)称为假借。徐锴的假借有两种,一为"据义而借",一为"远而借之"。"据义而借"就是引申,又称为假借引申,段玉裁常说的假借引申就来源于此。"远而借之"就是据音假借,也就是人们通常所说的假借。"据义而借"的引申,《说文系传》中的例子如,"权",许慎说本义是树的权枝。徐锴说"可以撑船",那就是引申为船权;"可以刺鱼",那就是引申为鱼权。"枚",许慎说本义指树干。徐锴说"今人言一枚二枚",引申为量词;引《左传》"以枚数阖",枚指马鞭子,是又一个引申义。"材",许慎说本义指木棍,徐锴说是"木之劲直堪入于用者⋯⋯人之有材,义出于此",引申为人才。"极",许慎说本义为栋梁。徐锴说"今人谓高及甚为极,义出于此",引申为高、甚。本义、引申义的概念出于清人。江沅在段玉裁《说文解字注》写的《后序》中说:"许书之要,在明文字本义而已。⋯⋯本义明而余义明,引申之义亦明。"阮元为《经籍纂诂》手定的体例"以本义前列,引申之义、辗转相训者次之"。朱骏声《说文通训定声》以本义、引申义排列字义,形成完整的本义、引申义的序列。本义、引申义系统至此完成。本义、引申义系统是汉语语义之源,是汉语语系统的基础,是汉语语义发展的出发点。

　　本义、引申义系统的研究,在于弄清每一个词的意义,为其他意义系统的研究打下基础,开辟道路。

　　其次,有义类系统。刘熙在《释名序》中说:"名之于实,各有义类。"语言义类系统的研究,理论上源于先秦哲学的"推类",根据是客观事物或语言声音的家族相似性,实践上开始于先秦正文训诂,后来成为训诂的大宗。这方面已有学者作了很好的研究。有同义词、近义词系统。同义词、近义词系统的研究也始于先秦正文训诂。此后,同训、互训、递训、浑言、析言等,都属这个系统的研究。有同源词系统。研究实践始于先秦,理论成熟于清代。王引之在为《经籍纂诂》写的序言中说:"夫训诂之旨本于声音,揆厥所由,实同条贯。"理论根据也是客观事物和声音的相似性。同源词系统的研究也是始于先秦,盛行于汉代,成熟于清朝。是汉语词汇系统中最具理论性、特色性的系统。有渗透系统。这是成组的语音、语义家族相似性的转变系统。如王念孙《广雅·释诂》"乾也"疏证:"晞(音 xī),亦暵(音 hàn)也,语之转耳。暵与罕同声,晞与希同声。晞之转为暵,犹希之转为罕矣。"《尔雅·释诂》:"希,罕也。"在上古,希属晓母、微部、平声,罕属晓母、元部、上声,双声,韵部旁对转。"希、罕"都是鲜少义,同多相对。用转语的观念看,希是罕的转语。暵与罕同音,晞与希同音。既然希可转为罕,则暵亦可转为晞。暵与晞是干旱义,同湿相对。它们的意义并不相同。有上下位义系统,这是发生学上的语义结构层次性的表现,其中基本范畴是语义发展的出发点。有通用系统,这往往是少数字由于语音相同或相近,造成语义的混用。如"修"与"脩"本义本不相同,就是因为语音相同,它们的意义才相互串通使用了。

上面的几类系统都属聚合系统。训诂解到的词汇系统也还有组合系统。古代没有现代意义上的语法体系,因此,词汇的组合系统只能据古人特有的句式谈组合的系统,这就是"对文"、"互文";"浑言"、"析言";"类比"形成的"互文见义"的词汇系统。如《汉书·王莽传》:"永以命德茂功享历代之祀焉。"王先谦补注说:"命、名字通,命德犹名德,与茂功对文。""对文"就是说"名德"与"茂功"处于相同的语法地位,因此,"名德"与"茂功"语义相近,能构成近义词关系。

古代训诂中的反映的这些词汇系统,远比现代语义场内容丰富,而且实际,而现代语义场的分析方法要远比古代先进周密,有了语义区别特征的分析,它们具有明显的互补性。

五　现代汉语与古代汉语研究结合问题

上面谈的是训诂学与词汇学在学科理论、学科方法上的互补性。现在再来谈谈现代汉语与古代汉语研究结合的问题。

我们从现代语言学角度研究汉语词汇学、语义学时候,还经常遇到一些困难,如:词与字纠缠,繁简字、古今字、异体字、假借字都与词有关,都有一些不容易解决的问题。特别是繁简字之间,记录同一个词的繁简字还好办。有的一个简体字记录的本来是两个或两个以上的不同的词,由不同的单音词还构成了一批不同的多音节词,这多音词的处理就不容易。词与字还有一些其他的关系,意见也不一致。词与语音的关系,现代的轻音、儿化,古代的破读、转语,到底是同一个词,还是两个不同的词,词典处理得也不一致。词与语法也有关系,尤其是双音节词、多音节词,有些词的结构认识就很不一致,不放到语法大框架中去就说不清楚。还有,单音词与复音词在语义分析上有没有区别,复音词与词组的标准问题等。还有,词汇、词义史研究应以口语为资料,但是,有没有一把衡量口语词的尺子? 就是所谓典范的"文言文"中也有不少口语成分。还有词汇系统、词汇系统的历史演变等问题。我们打开《现代汉语词典》,如果没有古代汉语、汉语词汇史、词义史知识的话,还会认为那些都是现代汉语的词、现代汉语的词义,于是认为用共时语言学的理论方法就可以认识它、解释它。其实,其中绝大部分词、词义是古代就有的,是历代传下来的,只是它们在现代还常用,不用历史比较语言学方法,不用功能语言学、认知语言学的理论就说不明白。那么,现代汉语词汇、词义与古代汉语词汇、词义的界限又到底该怎么看,怎么划。反过来看,研究古代汉语词汇词义,如果不了解它在中古、近代、现代的发展变化,不了解后来的语用情况,言必称古曰某某,那也无法发现、描写、解释词汇词义的规律。

于是,近些年来,我们就想到,词汇、词义研究一定要古今结合,或者由今溯古,或者由古追今,古今语料并重。在研究方法上,一定要训诂学方法、现代语言学方法并用,但最后的结果,都要归到现代语言学的新水平。

其实,王力先生早在《汉语史稿》中就指出:"以前往往不是抓住现代汉语的某一现象向古代一直追上去,也不是抓住古代汉语的某一现象一直追下来,而是满足于某一时代(特别是上古)某一语言现象的考证……如果再不知道注意汉语历史的发展,那就显示出我们不能用科学态度来看待问题了。"[29] 孙常叙先生在为武占坤、王勤先生《现代汉语词汇概要》写的《序言》中也说:"词汇中的许多问题,必须放在语史洪流里,才能从它的发生发展中观察得更客观、更仔细。许多规律性的东西也往往就生活在这里。"[30] 只顾两头,不进行联系都是不行的。我们如果按照古代汉语、现代汉语的划分,来研究词汇词义,是会遇到很多问题的,是会丢掉很多规律的。两位老前辈的话应当是我们的方向。

(杨端志:山东大学文学院,250100,山东济南)

---

[29] 王力《汉语史稿》上册,14页,中华书局,1980年。
[30] 见武占坤、王勤《现代汉语词汇概要》序言,内蒙古人民出版社,1983年。

古汉语词汇研究中有关
语义单位的几点思考

张联荣

提要： 对汉语词义单位的分析是认识古汉语词汇系统的前提，是一个十分复杂尚未解决的问题。文章第一部分举例说明了目前研究中存在的一些问题。第二部分就学术界对这一问题的一些重要看法进行了梳理。第三部分阐述作者的看法。文章认为：应当用不同的名称区分符号和对象，区分不同层级的语义单位；分化字同语素的对应关系应当首先在语言中考察；语素在古汉语词汇研究中有着十分重要的地位；提出应当多注意多义语素意义性质的区分。

关键词： 语义单位 对应关系 语素 词 义位 字

一

早在四十多年以前，吕叔湘先生就明确指出："近代语言学的更重要的收获是对于一条根本原则的认识，——语言的系统性。每个语言自成一个独立的体系，语音、语法、词汇都是如此。"他特别强调："语言的系统性以及每一种语言的特殊性，这是研究语言的人一时一刻也不能忘记的原则。"[1] 到了今天，把古汉语词汇看作一个系统，这已经成为学术界渐趋一致的认识。词汇系统是由不同层级的语义系统构成的，每一个小的语义系统又由若干语义单位构成。所以，"我们要研究系统，必须从结构单位开始，然后才能考察单位之间的关系。""语言基本结构单位就是驾驭语言系统的纲。"[2] 基于这样一种认识，对语义单位的分析就成了认识汉语词汇系统的前提，成了考察汉语词汇系统的先决条件，前辈学者在这个问题上多有论述，对这个问题的重要性和复杂性也都有

---

[1]《语言和语言学》，见《吕叔湘语文论集》，商务印书馆，1983年。
[2] 徐通锵：《基础语言学教程》，19、35页，北京大学出版社，2001年。

着充分的认识。[3]

就笔者了解的情况看,在古汉语词汇研究中如何分析语义单位还是一个远未解决的问题。如一篇学位论文有这样的说法:"颠、顶本义是头顶。而颠此外又产生了倒仆、坠落诸义。"这里把"倒仆"义和"头顶"义看作是同一个词的两个义位。另一篇学位论文在归纳语义场时认为"号"(痛声)和"號"(呼)可以不加区分。在归纳观看这一语义场时,该文认为"观"除了有观看义,还有观察、游玩两个义位。举出佛经中的例句如:

菩萨何以观察人物?(No.474,T12,p0053c)

尔时王子见诸大臣生嗔恚心故,乘白象出城游观,欲向一林。
(No.153,T03,p0058a)

再比如"看",有的学者在考察这个词的演变时列举有下面一些义项(例多不备举):观看;观赏,欣赏;观察,考察;窥伺;看望,探望;照看,看护,照料,守护;检查,诊断;阅读;表示提示。观看义场中的"览",《汉语大字典》设有下面两个义项:

1. 登高远眺。杜甫《望岳》:"会当临绝顶,一览众山小。"
2. 游历。元·王恽《灵岩寺》:"富览山无尽,寻幽力不堪。"

我们觉得,上面的义位都分得嫌多。观和看都是常用词,义位划分的不同直接影响到对语义场构成的分析。

有的学者认为,"受"在甲古文时期既表授予义,又表领受义,后来,这两个反向义位各自独立,分化出"受"和"授"两个词。所谓"各自独立"是一个怎样的过程就需要研究(从读音看,两个字的反切在《广韵》中有区别)。一个类似的例子是"借",对"借"的借入义和借出义如何归纳一直存有异议(与"受"不同的是,"借"用的一直是一个字形)。有的学者认为:"其实,'借'只有概括了借出和借入两者的单一的语义单位。英语中没有相应的概括,而用 lend 标示借出,用 borrow 标示借入。但不能用英语的情况来套汉语。"[4] 有的则认为:"一个词具有相反的两种意义,这在汉语中确实是存在的。最明显的是现代汉语中的'借'。""这一类词反向的两义,有时是有语音上的区别的……如果把声调考虑在内,就应该说这些是由同一语源分化而成的两个反向的词。"[5] 毫无疑问,这些不同的看法也会影响到对汉语语义系统的认识。

---

[3] 如赵元任在《汉语口语语法》中设专节讨论"词的同一性和语素的同一性"。吕叔湘就这个问题写有专文。他在《关于"语言单位的同一性"等等》一文中说:"语素的同一性本来是个很复杂的问题。""语素的同一性问题,由于语素的音和义两个方面可以有不同的情况,其复杂远过于音素。"(《吕叔湘文集》第二卷,商务印书馆,1990年)。

[4] 石安石《语义论》,46页,商务印书馆,1993年。

[5]《从反训看古汉语词汇的研究》,《蒋绍愚自选集》,30页,河南教育出版社,1994年。

总结传统训诂学的研究成果涉及的语义单位问题就更多,对此研究的人还不多。比如《广雅·释诂一》:"奄,大也。"王念孙《疏证》:

　　大则无所不覆,无所不有。故大谓之幠,亦谓之奄;覆谓之奄,亦谓之幠;有谓之幠,亦谓之抚,亦谓之奄;……义并相因也。[6]

这一段话可以做如下的整理:

词(语素)	义位	意义之间的联系
幠	1. 大(大谓之幠)	大则无所不覆
	2. 覆(亦谓之幠)	大则无所不有
	3. 有(有谓之幠)	
奄	1. 大(亦谓之奄)	
	2. 覆(覆谓之奄)	
	3. 有(亦谓之奄)	
抚	1. 有(亦谓之抚)	

类似的例子还可以举出不少,语义单位的分析是一个必须解决而解决起来又十分复杂的问题。

二

讨论古汉语词汇研究中的语义单位,牵涉到的对象有这样几个:短语、词、语素、义位、义素和字。本文拟对词、语素、义位和字这四个对象作一些探讨。如吕叔湘先生指出那样,词有两面,它既是语法结构的单位,又是组成语汇的单位。语素也有两面,是最小的语法单位,也是最小的语汇单位。本文要讨论的作为语汇单位的词和语素。

(一) 字

有学者提出,字是汉语语音、语义、语法、词汇的交汇点,一切的研究都应当以它为基础。在古汉语研究中,或认为可以把字看作基本的语言单位,认为"它既是汉语的符号,也是汉语的单位"。[7]对字的这一看法促使我们进一步深入思考汉语研究中的语义单位问题。关于字,有两个问题是需要考虑的:第一,汉字和 word 的对应关系,或者说在汉语中有没有与 word 相对应的语义单位;第二,汉字同语素在对应上的纠葛。

---

[6]《广雅疏证》,江苏古籍出版社,5页,1984年。
[7] 胡敕瑞《对汉字和汉语性质的一点认识》,《古汉语研究》1999年第1期。

对于第一个问题,赵元任先生的看法最具代表性。他认为:"未必每种语言都有一种单位它的作用大致(更不用说完全了)跟英语里的 word 相同。在汉语里我们将会遇到各种类似 word 的单位,都有资格叫做词,它的范围有交叉,但都跟 word 不完全一致。"〔8〕在《汉语词的概念及其结构和节奏》(以下简称《词的概念》)一文中,他对这个问题有更为集中的阐述。此文发表后影响很大,学者们时有称引,我们在下面讨论中也多有引述。他的看法是:"印欧语言中的 word(词)这一级单位就是这一类的概念,它在汉语里没有确切的对应物。在汉语的文言阶段,即古代经典和早期哲学家所用的语言里,单个音节恐怕在相当程度上类似西方概念中一个 word。"(233)〔9〕基于这种认识,他认为"字这个名称……将和 word 这个词在英语中的角色相当"(233)。另一方面,他也清楚地看到,作为书写单位的字同语言单位又存在着不相应的一面:"这样说绝不意味着字的结构特性和 word 相同,甚至于连近于相同也谈不上。"(233)"而以字形确定音节词同一性的理由恰恰就是同一个字形必定是同一个词,而同一个词也必定用同一个字形,然而,不论用什么标准来衡量是不是同一个,都会有大量的交叉。"(241)鉴于此,所以他又说:"我打算用它的汉语名称字;不方便的时候,就干脆把它叫做音节词(word-syllable)。"(235)他在该文"词的同一性"一节的一条注中还提出"用'言'来指口说的音节词。如短语'万言书'是'一万个音节词的讯息'之义"。(241)

对于汉字同语素在对应上的纠葛,汉字有为数不少的借用和混用造成了这种"大量的交叉",所以,不能简单地认为一个汉字对应的就是一个语素;而我们感到最为苦恼的是分化字(或者说一部分同源字)与语素在对应上的纠葛。

分化字同语素的对应关系到我们对分化字性质的认识。赵元任在《谈谈汉语这个符号系统》一文中曾提出汉字的归并:"如果从一个本义(没有音的变异)引申出来的几个意义各有不同的字表示,而且这些字的发音相同,那么就选择本字或者最常见的字代表全体。例如'志、誌、痣'都写成'志';'装、妆、粧'都可写成'装';……'元、原、源'都写成'元'……。"(100)〔10〕吕叔湘先生在分析语言单位的同一性时,也提到了同样的问题:"于是如何区别一字多义和两字同音就成为词汇学上的难题之一。……(汉字的)写法对我们的想法有很大的影响。比如棵和颗,枝和支,可不可以合并呢?我们不把它们合并,不仅是因为分布不同,也因为写成不同的汉字。可以跟'把'比较。一把刀的把和一把米的把的分布也不同,可是我们觉得好像可以不分。如果繐和穗写成一个字,獲和

---

〔8〕《汉语口语语法》,78页,商务印书馆,1979年。
〔9〕《中国现代语言学的开拓和发展》,清华大学出版社,1992年。文后括号中数字是该书的页码。下同。
〔10〕同上。

穄写成一个字,冠(衣冠)和冠(鸡冠)、镜(穿衣镜)和镜(眼镜)、信(信用)和信(书信)分别写成两个字,我们的感觉也会跟现在不同。嘈、唵、按(装)、绱(鞋)等俗字的产生不是没有原因的。"[11]

为了实践自己的认识,赵元任先生曾经编写了一部《通字方案》。[12] 这个《通字方案》用了 2085 个汉字,分别代表 2085 个音节,每个音节选一个代表字,叫作"通字"。他整理的"通字"也涉及一部分化字。比如(斜线前面的字是"通字"):

息//熄　　介//界　　赴//讣　　勾//钩

刘又辛也曾提出"当用汉字"的想法。[13] 如:咯嗒(面咯嗒、圪塔、疙瘩、纥缝)。

上面的例子都涉及分化字的处理问题(如"誌、痣、志"、"繐、穗"、"疙瘩、圪塔")。从吕先生的那段话还可以看出,分化字和语素的纠葛还有一个心理上的感受问题:看到字形上没有区别,就容易看成是同一个语义单位;如果写成不同的字形,就会想到表示的不是一个语义单位。

(二) 语素和词

关于语素和词,也有两个问题需要考虑:第一,语素和词在汉语语义系统中的地位;第二,语素的同一性问题。对于语素这一级单位,吕叔湘先生曾不止一次地指出它在汉语研究中的重要性。他在《语言和语言学》一文的两条注中说:"语言的两个最基本的单位是音素和语素。""事实上,语素是比词更加根本的东西。"[14] 在《汉语语法分析问题》(以下称《分析问题》)一书中,他再次强调了这一观点:"讲汉语的语法,由于历史的原因,语素和短语的重要性不亚于词,小句的重要性不亚于句子。"[15] 在考察古汉语词汇的时候,也必须充分认识语素在语义系统中的重要地位。考虑语素的地位,同时就必须考虑词的地位,这是一个问题的两个方面。

关于词的同一性问题,《词的概念》一文明确提出把词的问题分为两个方面,即单位的大小和同一性问题来讨论:"一是单位的大小问题,即多长的一段话语是一个词(或者说,在汉语里我们碰到的究竟是什么单位或者说什么类型的单位)？二是同一性的问题,即词在什么情况下是同一个词,在什么情况下是不同的词？"(233)文章特别提示说:"于是音节词似乎不仅仅是语素,而且差不多总是词根。如果我们弄清哪些是词根,就

---

[11] 《关于"语言单位的同一性"等等》,《吕叔湘文集》2 卷,商务印书馆,1990 年。
[12] 《通字方案》,商务印书馆,1983 年。
[13] 《汉语词族研究的沿革、方法和意义》,见《文字训诂论集》,中华书局,1993 年。
[14] 《吕叔湘语文论集》,55 页,商务印书馆,1983 年。
[15] 《汉语语法分析问题》,14 页,商务印书馆,1979 年。

可以弄清汉语中音节词同一与否的全部情况。"(242)在《分析问题》一书中,吕先生也提出语素的同一性有两个问题:一个是大小问题,一个是异同问题。异同又包括两个方面:一个是语素和词的对应问题,一个是语素本身的同一性问题。关于语素本身的异同问题,他认为,"一个语素可以有几个意思,只要这几个意思联的上,仍然是一个语素。例如工有工作、技术、技巧等意思,都连得上,只是一个语素。"

就古代汉语来说,如果着眼于单音节词占优势这一特点,语素的异同问题解决起来就更为困难,困难主要在于:(1)不同的意义用同一个字表示,意义连得上连不上有时不好断定(比如快意的"快"和锐利的"快");(2)不同的意义用分化字表示,分化字对应的可能是同一个语素,也可能是不同的语素。

(三) 义位

义位的问题主要是:古汉语中遇到的常常是多义语素,一个多义语素对应着若干个不同的意义,这几个不同的意义应当区分为几个义位?一个复杂的引申序列,意义之间的联系很不一样,要不要分出不同的层次?区分的标准是什么?

三

语义单位的分析是一件十分复杂困难的事情,下面谈几点粗浅的想法,进一步摆出一些问题来讨论。上面说到的词、语素、义位和字这四个讨论对象,归纳起来实际上是两个层面:(一)字与词、语素的关系;(二)语素、词和义位的关系。前一个是书写单位(这里把字看作书写单位)同语言单位的关系,后一个是语言单位之间的关系。

(一) 字与词、语素的关系

1. 要不要把字这个名称同语言单位的名称分开

这实际上牵涉到符号和对象的关系问题。表示符号和对象,是用同一个名称好,还是用不同的名称好,一方面涉及对汉字性质的认识,另一方面在很大程度上又是一个"字"这个名称如何使用的问题。赵元任说的字,自然不单是书写意义上的名称,如他所说:"我所说的社会学的词就是字。不光是写出来的字,是嘴里说的字,如'你敢说一个"不"字!词也就是语言学里的词,我管它叫句法词。"[16] 他在用字这个名称的时候又多次使用"音节词"这个名称,还说到用"言"。在《词的概念》一文又提到用"phonose-

---

[16] 《汉语口语语法》,78 页,商务印书馆,1979 年。

manteme(音义位)"(234)。在使用字这个名称的时候还在用别的名称,也是考虑到符号与对象的区分。

对于名称的使用,他的看法是:"如果我们碰到的东西跟我们熟悉的东西十分相似,最方便的方法是用自己语言中指称相应事物的名称来指称它。"(232)《分析问题》书后的一条注释曾引述赵先生《国语结构不同层次中形态上跟意义上的参差》一文中一段话:"然而与其说这是一个实质问题,毋宁说这是一个名称问题……这在一定程度上是一个怎么方便怎么办的问题。"[17] 吕先生对这段话的评价是"立论颇为通达"。"通达"的意思有两方面:一方面,在汉语中我们"实际上碰到了什么";另一方面,研究起来"怎么方便怎么办"。

那么,就古汉语研究来说,符号和对象是用一个名称好还是用不同的名称好,我们认为还是用不同的名称好。原因是:(1)"符号和对象之间的关系,最重要是看和对象的结构有没有关联。"如果符号与对象之间的关系是完全一致的,用一个名称自然简便得多,但"符号的关联问题,汉字严重得多。汉字作为言语的符号,和它的对象的关系是相当松散的"。[18] 由于二者并不是简单的一一对应的关系。(2)如果考虑"怎么方便怎么办"这个原则,那么,用字这个名称来表示语言单位就会遇到更多的不便,所以赵元任说"不方便的时候干脆先把它叫做音节词(word-syllable)",或者"用'言'来指口说的音节词"。这种不方便在古汉语词汇研究中尤为明显。在传统训诂学的研究中,由于没有词、语素、义位这些的概念,所以就只能用字,结果是掩盖了字与语言单位之间错综复杂的关系,造成了不少的混乱(比如"二义同条"和反训的滥用等)。这是研究古汉语词汇的学者都已经认识到了的。

当然,鉴于汉字的特点,我们也可以为字正名,在用到字这个名称的时候不仅让它作书写单位,还要让它作语言单位;不过,这样做又容易造成一种错觉,似乎形音义是一个层面上的。常识告诉我们,形和音义是两个层面,一个字的音和义是某一级语言单位转嫁给它的。人们常说的汉字形音义之间的复杂关系,说到底是汉字与语言单位之间的复杂的对应关系。如果还是让字这个名称一身二任,就不利于分清这两个层面,不利于对古汉语语义系统的认识。当然,我们也可以把字看作只是语言单位,在用到字这个术语的时候只讲音义不讲形,这也一来就需要分辨书写符号的字与只包含音义的字(或者说音节词的字),这就又多了一层不便。

---

[17] 此文已收入《赵元任学术论文集》(商务印书馆,2002年),题为《汉语结构各层次间形态与意义的脱节现象》,译文略有不同。

[18] 《谈谈汉字这个符号系统》,《中国现代语言学的开拓和发展》,97页。

用什么样的名称,不光关系到对语义单位异同的认识,有学者指出,"并列式是上古汉语强势造词法,同义关系又是并列式中的强势语义聚合,由此推知,同义连用是古汉语双音节组合中的强势组合。"[19] 在古代汉语中,这类介于复音词和短语之间的结构是大量的、普遍的。《马氏文通》曾指出古汉语中"名字骈列"的现象:"按古籍中往往取双字同义者(如"礼乐"),或两字对待者(如"出入"),较单辞只字,其辞气稍觉浑厚。"又说:"汉文最浑厚,其名字多用双字。"所举例子如《左传·成公十二年》中的"盟誓、婚姻、甲胄、山川、险阻、兄弟、同盟、国家、社稷、蟊贼、边疆";《汉书·高帝纪》中的"须眉、箕帚、珍宝、妇女、黎民、府库、丁壮、老弱、律令、章程、礼仪";《汉书·刑法志》中的"甲兵、斧钺、刀锯、钻凿、鞭扑"等[20]。我们可以认为"婚姻"是双音词,"盟誓"是不是？可以认为"妇女"是双音词,"老弱"是不是？可以认为"甲兵"是双音词,"斧钺"是不是？

从它们在句法结构中所处的地位看,这些双字骈列的结构可以看作是一个单位；从两个词根语素意义的结合看,其中一部分是双音词,另外一部分的结合则比较松弛,组合的自由度较强,看成双音词就勉强。这种情况表明,古代汉语中与句子对应的除了单音节词和复音词,还有不少类似"老弱、斧钺"这样的复音结构。对于这样一类结构,如果依照"实际上碰到了什么"的原则,我们就应当如实地与复音词加以区别。赵元任说:"更有成效的进一步研究应该是确定介乎音节词和句子之间的那些单位是什么类型的,至于把这些类型的单位叫做什么,应该是次要考虑的问题。"[21] 他在分析单位的结构层次时提出可以分别称之为(1)黏着语素,词,短语；(2)词、紧密短语、松散短语。对这些名称虽没有举例说明,但把词和短语区别开来,把紧密短语和松散短语区别开来,就说明应当使用不同的名称来区别不同的单位。《分析问题》也谈到汉语中有一类结构介乎短语和词之间,可以考虑称作"基本短语",或称作"短语词"。[22] 基本的精神也是认为应当如实区别不同的情况(所举例证的性质同我们上面所说的结构不同)。

如上所说,"音节词"、"言"、"字"和"音义位",指的对象是同一个,都是那个最小的音义结合体。既然把它叫做字有诸多的不便,就可以考虑还是叫做语素。有的学者认为,用语素这个名称并不合适,因为汉语中最小的音义结合体并不与英语中的 morpheme 相当。事实也确实如此。虽然在汉语研究中使用语素这个名称同印欧语中

---

[19] 刘又辛、张博《汉语同族复合词的构成规律及特点》,《语言研究》2002 年第 1 期。
[20] 《马氏文通读本》,77 页,上海教育出版社,1986 年。
[21] 《中国语文里节奏与结构的观念》,原载《台湾大学考古人类学刊》第三十七期、三十八期合刊,转引自《汉语语法分析问题》,98 页。
[22] 《汉语语法分析问题》,25 页。

morpheme 的概念会有所不同,但如果一个名称可以比较方便地用来分析汉语的语义结构单位的层次,即使含义有不同也不妨使用。事实上,赵元任也没有拒绝这个名称(参赵著《语言问题》第十讲对语言跟文字关系的分析)。

2. 分化字与语素的对应

这个问题从一方面说是如何看待分化字的性质,从另一方面说是如何看待汉语的滋生词。王力先生的《汉语词汇史》专辟有"滋生词"一章,记录滋生词的字相当一部分就是分化字。但这类字的情况颇为复杂,表示的是一些什么性质的语义单位,人们的看法常有分歧。比如《说文》:"嘆,吞嘆也。"又:"欺,吟也。"段玉裁说:"古欺与嘆有别。欺与喜乐为类,嘆与怒哀为类。"沈兼士则认为这是"执着偏旁,妄生区别"。[23] 现在有的学者也把这两个字看作是异体关系。

分化字是一个比较宽泛的概念,在讨论分化字同语素的对应时可以先剔除以下三类字:(1)王筠说的典型的累增字那一部分,因为累增字表示的是一个语素;(2)典型的异体字(异体字表示的是一个语素);(3)可以明确地认为表示的是另一个语素的分化字(如"益"的分化字"溢")。这样,剩下来的就是一些类似"痣、誌""圪塔、疙瘩"这样的字。对这类字的分析我们最感棘手,这里提出以下几点意见:

第一,两个符号系统要分开。汉字的孳乳与滋生词的生成有着密切的关系,汉字的分化(主要是形声字的生成)给我们提供了大量的滋生词生成的信息,是我们研究滋生词的主要信息来源,但二者毕竟不属于一个层面。耳治的语言同目治的文字有一致的一面,也有不一致的一面。这一点应当成为我们讨论问题的前提。

第二,要放在语言中去检验,这与上面一点是相关联的。一个典型的例子是"她"(可以把"她"看作"他"的分化字)。这个字是 20 世纪受西方语文的影响而产生的。据刘又辛先生说,《新青年》六卷登了安徒生《卖火柴的女孩》的译文,对文中"她"的写法各有不同意见,"刘半农造了个'她'字,大家采用了。"[24] 有人认为:"'他'在'五四'运动以前指男性,也指女姓,后来受西欧语言影响,指女姓时写作'她',写法的不同使'他'和'她'成了一对同音词。"[25] 我们可以这样提出问题:是不是汉语中原来没有{她}这个语素,从造出"她"字的那一天起,汉语中就多了一个语素?[26] 如果我们恢复"牠"字的

---

[23]《右文说在训诂学上之沿革及其推阐》,154 页,《沈兼士学术论文集》,中华书局,1986 年。

[24]《六十年来现代汉语文学语言的发展》,260 页,《文字训诂论集》,中华书局,1993 年。《了一小字典》(文集)19—89 页:"1917 年以前,阴阳中三性皆作他,吴'他''她''它'之别。"刘半农《她字问题》:"中国文字中,要不要有一个第三位阴性代词? 如其要的,我们能不能就用她字?"

[25] 北大中文编《现代汉语》,221 页,商务印书馆,1993 年。

[26] 裘锡圭《文字学概要》提出"用不同的字表示同一个词的不同用法的现象",也谈到"她"的问题。(244 页,商务印书馆,1988 年)

使用,与"它"相区别,专门用来表示动物,是不是汉语中就又多了一个语素?港台地区现在还在使用"妳"字,能不能说他们的汉语比我们的汉语多了一个第二人称代词呢?林语堂在《致沈兼士书》里说:"语根应以语言为主,非与文字(字形)切开不可,不可以变形为原则。"[27] 他的话可以说是一语中的。在确认语义单位的时候,字形自然可以作为参考,但字形并不绝对可靠,首先应当放到语言中去检验。

从字形看,有一类分化字看起来不像是典型的异体字。比如《说文》:"朿,木芒也。""茦,莿也。"段玉裁说:"木芒曰朿。草芒曰茦。"单看字形,好像应当看成两个词,是不是两个词需要放在语言中考察。《广雅·释诂二》:"茦、刺,箴也。"王念孙《疏证》认为,"刺、朿、茦"这三个字的关系是"并字异而义同"。他从语言的角度看问题,说得是很对的。虽然没有使用"分布"这个术语,但实际上是在依照分布的原则考虑问题。木芒还是草芒是一种所指,在现代汉语中,写成"刺"这样一个字,并不妨碍人们的交际。"gē da"的情况最为复杂,分成几个单位合适不易决定。[28] 从意义系统上考虑,"山 gē da"的 gē da 属于山丘类的,可以先分出去,余下的可以分作两类:身上长起的肿块和各种结成的块状物。举例如下:

意义 1:走上了山 gē da

意义 2:头上长了个 gē da;起了一身鸡皮 gē da

意义 3:土 gē da;冰 gē da;铁 gē da;面 gē da;线 gē da;树 gē da

从分布上看,三类意义有所不同。可以确定的是,意义 3 尽管有很多的组合,还是应当看作一个语义单位。这样,归纳的时候可以有两种办法:一是把意义 1 先分出去,余下的再分作两层;二是平列地分作三层。不论怎么划分,似乎都不宜看作一个语义单位。

第三,在考察分化字与语素的对应关系时还应当考虑到不同的时间层次。(1)在不同的时间层次中,一个语义单位用作词义和用作语素义在语义系统中的地位是不一样的。比如名词义的"冠",在古代汉语中是词义。现代汉语中的两个意思(鸡冠的"冠"和衣冠的"冠")都不单用,都是语素义。"信"的情况又有所不同。信用义和书信义都是从本义引申出来的,两个引申义一个在前,一个在后。在现代汉语中,信用义的信是语素义,书信义的信是词义。(2)区分不同的时间层次,还要考虑到语素的存亡。比如"穫"和"獲",在古代汉语中的意义和分布有明显的区别,是两个语素。[29] 现代汉语中表示

---

[27] 转引自《沈兼士学术论文集》,178 页,中华书局,1986 年。

[28] 裘锡圭《文字学概要》245 页也有讨论,文多不具引。认为一些 gē da 的不同写法"是不是应该看作一个词,也是个问题"。

[29] 在《诗经》那样的典籍中,这两个字的用法有明显的区分。像"彼有不穫稚,此有不敛穧"(《小雅·大田》)这样的句子,最足以显示"穫"的意义。

"刈谷"义的"穧"已经不用了,可以看作是旧语素的消亡。

第四,名称问题。使用名称的原则,是让语言单位决定名称,而不是叫名称决定语义单位的划分。假如认为两个"镜"的区别与"繐、穗""圪塔、疙瘩"的区别是一类,认为后者应当看成两个词的话,那么,"镜"该怎么处理呢?是不是可以看作是一个语素表示了两个词呢?恐怕很多人不会同意这么处理。也可以看作是一个词的两个义位,又好像同两个{suì}、三个{gē da}的处理距离太大,需要不需要另外用一个什么名称呢?这些都要进一步研究。

(二) 语素、词和义位的关系

这三个名称都是语言单位,所以放在一起讨论。这里讨论的两个问题是:第一,语素在古汉语词汇研究中的地位;第二,多义语素意义性质的区分。

关于语素在汉语语义系统中地位,吕叔湘等前辈学者已有明确的论述。赵元任说:"在汉语的文言阶段,即古代经典和早期哲学家所用的语言中,单个音节词恐怕在相当程度上类似西方观念中的一个 word。"(233)又说:"于是音节词似乎不仅仅是语素,而且还差不多总是词根。如果我们能弄清哪些是词根,就可以弄清汉语中音节词同一与否的全部情况"。(242)他们的论述从不同的角度强调了语素在汉语研究中极端重要性。对于古汉语词汇研究来说,语素的重要性就更加明显:(1)单音节词既然在古汉语词汇中占优势,从某种意义上讲,一个语素也就是一个词了(当然实际情况还要复杂)。(2)即使是古汉语中的复音词,也可以如赵元任所说:"关于汉语的多音节词,这个问题通常可以化为它的组成部分——音节词的同一性问题。"(241)他的这个说法尤其具有启发性。当考察古汉语中复音词的生成时,应当首先考虑每个词根语素的变化情况。

关于古汉语词汇复音化的研究,有两个问题应当注意:(1)如何认定两个语素的结合已经构成了一个复音词;(2)词汇的复音化与新词新义的研究。目前在界定复音词时所以言人人殊,一个重要的原因就是在判断一个复音结构的性质时,对语素这一级的变化考察得不够,也就是没有落实到"它的组成成分——音节词"这个层面上。[30] 关于新词新义的研究,从理论上说,如果把一个并列复合词看作是一个新词,可能有五种情况:(1)新语素+新语素。(2)新语素+旧语素。(3)新义位+新义位。(4)新义位+旧义位。(5)旧义位+旧义位。不论是哪一种组合,都同语素、语素义有关,都应当注重对

---

〔30〕 以《论语》《孟子》的复音词研究为例,马真的统计是:《论语》159,《孟子》286。(《先秦复音词初探》,《北京大学学报》,1981年第1期)蒋冀骋的统计是:《论语》378,《孟子》651。(《论近代汉语的上限》,《古汉语研究》,1991年第2期)

语素义的分析。需要注意的是,五种组合在汉语词汇复音化的进程中所处的地位并不是等同的:第(5)种组合中没有新的语义单位出现,而前面四种反映的是新语素和新义位的生成,所以尤其值得关注。有一些词,比方"怅恨(惆怅、遗憾)、陈说(解释、申诉)、奋手(拂袖而去)、攻治(医治、治疗)",有的学者认为是中古出现的新词。我们觉得,这些双音结构中既没有新的语素,也没有新的义位,即使把它们称作新词,也不能同那个时期出现的新的语素和新的义位的组合相提并论。在估价汉语复音化的进程时,有一点应当引起注意,即新的复音词的生成与新语素的生成并不是同步的,新语素的生成并不像我们想象得那么快。

关于多义语素意义性质的区分。从意义上看,复音词的意义往往是确定的,多义的常常是单音节的语素,这就造成了古汉语中一个语素与多个意义单位的对应。这样,在确认了语素的同一性之后,接下来要考虑的就是多义语素意义性质的区分。如果一个语素的意义有着复杂的引申序列,在处理这个问题时常常会面临困难的选择。[31]比如词义范围的变化,通常归纳为扩大、缩小、转移三种情况。从语义构成成分的变化看,这三种变化的性质并不一样。由于变化的性质不同,对语义系统产生的影响自然也就不一样。一个义位的指称义素如果发生变化,就要考虑新旧两个义位是不是处在不同的义场;如果指称义素没有变化,就要考虑前后两个义位还处在同一个义场之中。有的多义语素,几个意义的指称义素有的有变化,有的没有变化。比如"念",思念义、思考义、怜爱义的指称义素是一样的,诵读义的指称义素就不一样。比较简单的办法是把这几个意义都看作是一个语素的几个义位,但这样做又不完全符合语义变化的实际,特别是这样不加区别地对待会掩盖意义的不同变化对语义系统变化产生的不同影响。如果要将这两种情况(指称义素有变化和没有变化)区别开来,那么,就需要区分它们的性质。

即使是我们区分了这两种情况的性质,也有一个名称的问题。比如,我们可以把"念"的思念义、思考义、怜爱义看成是不同的义位,那么,诵读义应当叫做什么呢?是不是这个意思已经成了一个新的滋生词了呢?如果把诵读义看作一个新词的话,那就是说,这一个语素对应着两个词,其中的一个词有三个义位,另一个词有一个义位。字典中如果列有"唸"和"念"两个字头,我们感觉这就是两个词。如果只列一个字头,或者列出"念1、念2"两个字头,我们的感觉就是另一个样。不过,如果把词义的转移都简单地就看作是新词的滋生,也有问题不好处理。古汉语中有的词义是在不断地转移,处理起

---

[31] 赵元任《汉语口语语法》说:"'看'有好多意思,但不失为一个词。'苦味儿'的'苦'和'苦笑'的'苦'、'吃苦'的'苦'应当说是同一个'苦'。'结果子'的'果'和'结果'里的'果'是不是同一个'果'就不那么清楚了。"(93页)这段话也说明了选择的困难。

来不胜其繁。如果我们说一个语素构成了七八个或十几个词,人们大概不容易接受。比起扩大和缩小来,转移包含着更为复杂的情况,对其中各种情况的性质需要分别考察。

在考察转移的性质的时候,还必须注意义场的层级关系和距离远近。一个复杂的语义系统由不同层级的义场构成,转移后的新义位同旧义位比较,所属的两个义场有的相距比较近,转移的幅度就比较小;有的相距比较远,转移的幅度就比较大。比如,赵元任说的"志",表示名词意义标记本来写作"志",后表示与文字言语有关的标记就写作"誌",表示身上长的有标记作用的斑点又写作"痣"。从文字的标记到身上长的标记,如果看作转移的话,转移的幅度就比较小。"念"从思念义到念读义,转移的幅度比较大,所以,我们感到有明显的不同。

换一个角度从词义的引申看,一个复杂的引申序列,引申了又引申,有的意义还连着,有的中间断了线,从实际情况出发,应该把联系紧密的意思和某些断了线的意思区分开来,看作不同的义群,分作不同的层次。如果我们不管其间联系的紧密程度,一律看作一个词的不同义位,那既不符合语义变化的实际,也不利于对汉语语义系统的深入认识。不过,到底怎么切分,切分开来用什么名称合适,也都需要进一步考虑。

考察汉语词汇的发展,有三个方面促成了新语词的生成:新语素的生成、旧语素的演化和旧有语素的组合,以上我们讨论的是第二方面的问题。比较起来,最为复杂的是第二个方面,由以上的讨论可见其一斑。旧语素的演化造成了大量的滋生词的产生,是汉语词汇发展的一个重要方面。这方面的研究关系到我们对汉语词汇发展的总体看法,应该引起高度的重视。

(张联荣:北京大学中文系,100871,北京)

从基本范畴的角度看基本词汇问题

杨同用

提要： 基本范畴是易于被感知、被掌握的范畴等级，是人们认知的结果，基本范畴词汇不是人为地给词汇划定一个框框，而从词汇成员中硬性切分出来。它的几个特点是在实验的基础上总结出来而不是人为规定的。基本范畴是确定的，那么，基本范畴词也是明确的，而基本词汇尽管有三个特点，但由于人们的理解不同，对其类集成员的认识也就是不一致的，实际上，它的范围并不明确，对语言的研究与应用也没有什么推动作用。

关键词： 范畴 基本范畴 基本词汇 重要词汇

基本词汇是各种语言教科书和词汇学专著中一个重要的概念，是词汇学中的一个最基本的理论问题。它所具有的三个特点，即稳固性、能产性和全民常用性，凡是学过现代汉语或语言学概论的学生都已达到了耳熟能详的程度。然而，掌握的目的在于运用，或者在理论上推动语言学的研究，但这一概念的提出虽然已有50来年的历史，却看不出它在这方面的积极作用。周行曾经论证，基本词汇是一个内涵不清、外延不明，缺乏现实基础的概念。[1]我们同意这个观点。一个在内涵和外延上都不明确因而无法明确甚至大致明确这个类集的范围的概念，怎么能指望它能推动语言的研究和应用呢？

随着认知语言学的兴起，"范畴"和"基本范畴"（或叫"基本层次范畴"）逐渐被人们所了解，基本范畴词汇也引起了人们的注意。认知语言学认为，世界上的事物以其各种属性作用于人的大脑，人也就因此形成关于这个事物的概念，并对这个事物加以命名。然而，一件东西从不同的角度看又可以有不同的名称，比如"国光苹果"，也就是"苹果"，还可以称之为"水果"。这就是说，同样的东西，在不同的范畴等级上有不同的名称。从认知的角度看，易于被感知、被掌握的范畴等级就是基本范畴，那么，这上面三个词语中，"苹果"就是基本范畴词汇。

---

[1] 周行《关于"基本词汇"的再探讨》，《汉字文化》2002年第1期。

罗施(E. Rosch)在对不同年龄组的儿童进行认知实验的基础上,进一步总结了基本等级范畴的特点:(1)其成员具有明显的能被感知的特征;(2)单个成员的意象能反映整个范畴特征;(3)人们最容易识别;(4)儿童最早习得和掌握;(5)表示它们的词语最简洁;(6)是知识组织的基本层面。[2]比如"鱼"是基本范畴,就比它的下位范畴"鲤鱼"和上位范畴"动物"或"脊椎动物"简洁,易于被感知,其区别性特征也比其他范畴更明显。就"鱼"的内部来看,相似性也比"动物"或"脊椎动物"高,而且其内部相似性与对外的区别性特征达到理想的平衡。正因为如此,表示它们的词语也就最容易识别,儿童最早习得,因而也就成为最为常用的词汇成分,人类的大部分知识都是在基本层次上组织起来的。

基本范畴词汇在名词主要是表示具体事物的名词上表现最明显,像"苹果""梨""鱼""狗""花""火"等都是,其他表示动作、性质、状态、属性等现象的词语也存在基本范畴,比如"走""跑""爬""哭""笑""大""小""好""坏""高""矮"都具有基本范畴的特点,只是它们上位范畴的归纳和下位范畴的分析比起名词来稍微困难一些而已。

范畴是事物现象在认知中的归类,概念是在范畴基础上形成的意义内容,词语是概念的语言形式,所以,范畴的表现形式就是词语。虚词属于表达的层面,它表示的是词和词或句子和句子之间的关系,所以,一般认为它不表达概念,也不表示范畴,基本范畴词汇不包括连词、助词、语气词等虚词。

就基本范畴词汇的特点来看,似乎传统上说的基本词汇应当是适合的,从上面的具体词语来看,基本范畴词汇似乎也就是传统上所说的基本词汇,但实际上,它们却有很大的差别。

基本范畴是人们认知的结果,所以,基本范畴词汇就不是人为地给词汇划定一个框框,而从词汇成员中硬性切分出来的,然而我们根据罗施的总结又很容易推知基本范畴词汇的成员,而且,这种推断也不会引起什么争议。基本范畴词汇的成员具有明显的对外区别性特征,比如"鱼"和"狗""猫"的区别是明显的,而"鱼"范畴的内部又是高度统一的,尽管我们可以说"鲤鱼"的内部统一性更高,但它的对外区别性特征,也就是它和"鲫鱼""草鱼"等其他鱼类的区别却不如"鱼"和其他动物的区别更明显,所以,只能说,"鱼"的对外区别性特征与内部统一性达到了高度的统一,是基本范畴词汇。"鱼"的上位概念"动物"或"脊椎动物"没有单一的完形特征,"动物"或"脊椎动物"的特征就可以靠"鱼"或这个范畴内的其他基本范畴词汇来表现。基本范畴词汇也是儿童最容易习得和掌握的词汇,据李宇明对1岁以内儿童的个案研究,7—12个月的乳儿已能够理解200

---

[2] 转引自赵艳芳《认知语言学概论》,23、58页,上海外语教育出版社,2001年。

个以上的词语,其中主要是名词和动词,这些词语大都是乳儿常接触的人、事物和乳儿所能发出的动作、行为等,[3]李宇明根据辛安亭对1岁半幼儿名词习得情况以及他本人的研究成果,总结出儿童早期所获得的名词语都是意义具体的词语,这些词语所指的都是儿童生活中常见的人和事物,[4]是基本范畴,这些词语都是基本范畴词汇的成员。基本范畴词语也是人类最早认知的成果,所以,历史比较长,因而,相对于其他范畴的词语是简洁的,比如"鱼"就比"鲤鱼"和"动物"简洁。

由于人类具有同样的思维认知功能,所以,基本范畴在不同的民族和地区应当是相通的。基本范畴词汇是从认知的角度对词汇进行分析的结果,所以,不同语言都存在基本范畴词汇。从意义上来看,不同语言中的基本范畴词汇也应当是大体对应的。然而,思维毕竟不是语言,不同民族、不同地区文化传统也不一样,所以,不同语言中的基本范畴也不可能完全一致,基本范畴词汇也不是完全对应的。

现代汉语有它的基本范畴词汇,也就是表示那些对外区别性特征与内部统一性达到了高度统一的范畴的词汇,像"狗""火""嘴""吃""喝""走""大""小"等都应当属于基本范畴词汇。上述词语在传统词汇学中一般被称作"基本词汇"。所谓"基本词汇",一般认为是具有稳固性、能产性和全民常用性的词语的总汇,然而,这个概念的内涵和外延是模糊不清的。各种词汇学专著,各种现代汉语和语言学概论教材几乎都讲到基本词汇,但它们对基本词汇三个特点的解释都不能令人信服,举例子时也只能谨小慎微。我们曾对八种词汇学专著或大学现代汉语和语言学概论教材中所列举的基本词进行过全面统计,这些专著、教材所收的基本词汇成员,不重复计算共199个,其中绝大部分词不只出现在一部书中,然而即使是这199个词也不能说完全符合基本词汇的三个特点。[5]如果严格按照基本词汇的三个特点来划定基本词汇,基本词汇的范围实际上是很小的。不过,就这199个词来看,它们倒都可以看作基本范畴词汇。

那么基本范畴词汇是不是等同于基本词汇,或者说尽管它们是从不同的标准划分出来的,但范围是否是一致的?

基本范畴词汇不同于基本词汇,尽管其中有相当一部分词语可以算作基本词汇,比如,上列的"狗""火""嘴""吃""喝""走""大""小",但也有很多基本范畴词汇的成员并不具有基本词汇的三个特点或其中的某一两个特点。基本范畴词汇与基本词汇的确定标准是不同的。基本范畴词汇源于基本范畴,基本范畴又是人们认知的结果,所以,基本

---

[3] 李宇明《乳儿话语理解的个案研究》,《语法研究与语法应用》,214—217页,北京语言学院出版社,1994年。

[4] 李宇明《儿童语言的发展》,103—106页,华中师范大学出版社,1995年。

[5] 杨同用《基本词汇问题的重新思考》,《语文研究》2003年第3期。

范畴词汇不是人为划定的,它具有客观性。而基本词汇则是人为的,是由人首先制定一个严格的标准,然后从语言的词汇成员中划分出来的。然而,因为不同的人对基本词汇三个标准的理解不同,所以,所划定的基本词汇也肯定会有出入。比如,一个词存在多长时间算有稳固性,它作为构词词素能够构成多少个词算有能产性,在使用频率上达到什么程度算有全民常用性,不同的人肯定有不同的标准。基本范畴词汇客观性强,因而,同一文化传统的不同的人对它们的理解也是基本一致的。

基本范畴是易于被感知、被掌握的范畴等级,它的几个特点是在实验的基础上总结出来而不是人为规定的。表达基本范畴的词汇就是基本范畴词汇,"狗""火""嘴""吃""喝""走""大""小"是基本范畴词汇,"荔枝""芒果""龙眼""尴尬"等存在时间既不长,也不能作为构词词素构造新词,使用频率也不是太高,但也是基本范畴词汇。而就各种专著、教材所列举的基本词中的实词来看,它们都是基本范畴词汇。

从另一角度看,基本范畴是事物在认知中的归类,它本身并不是词语,然而,表达基本范畴的概念都是词语,由于概念与词语并非一一对应,所以,基本范畴与词语也不是一一对应的关系,也就是说,某一基本范畴有可能有两个或两个以上相对应的词语,那么,这两个或两个以上相对应的词语就都是基本范畴词汇,但因为存在时间的久暂,构词能力的强弱以及使用频率的高低不同,却未必都属于"基本词汇"的成员。比如"眼"和"眼睛"所指的是同一个基本范畴,但从基本词的三个特点来看,"眼"应当是基本词,"眼睛"存在时间较短,构词能力也差,则不属基本词汇范畴。

我们看到,并非所有的基本范畴词都属于基本词,但确实又有人们普遍认为的基本词是基本范畴词,那么,是基本范畴词多于基本词呢,还是基本范畴词与基本词有一个交叉呢?

进行这样的比较,首先得明确它们的范围。基本范畴是确定的,那么,基本范畴词也是明确的,而基本词汇尽管有三个特点,但由于人们的文化背景不同,对词语的理解不同,对其类集成员的认识也就是不一致的,实际上,它的范围并不明确。如果拿出一部分词来测试,即使对语言学专家来说,这些词到底是属于基本词汇,还是一般词汇,看法也未必一致。这样一来,对两种类集成员多寡的比较就无法进行了。不过,就我们所统计的各种专著、教材中的 199 个基本词来看,它们倒都属于基本范畴词语。

从上面我们的分析来看,基本范畴词汇具有很强的客观性,它是人们观察、分析的结果,而基本词汇却具有更强的主观性,它的三个特点是人为划定的。实际上,根据任意一个或几个标准都可以对词汇进行类上的划分,然而,这样的划分如果没有理论的意义或应用的价值,就都是没有必要的,而如果出于临时的需要对词汇进行分类,那也没有必要把这种分类的结果固定下来并作为词汇学中最重要的一个基本概念。应该说,稳固性、能产性和全民常用性都是识别一个词语重要与否的标志,但观察几十年的研究状况,我们却未见到使用具有稳固性、能产性和全民常用性这一意义上的"基本词汇"对语言的研究与应用有什么推动作用,反而让人感觉学者们为了阐述这个概念浪费了很多精力。至于给出几个词语,让学生划分出基本词汇和一般词汇,也只不过是考查学生对所谓基本词汇三个特点的记忆程度,这同样不能引导学生对词汇问题做进一步的学习、研究与思考。可以设想,我们可以根据任何一个或几个标准把词汇分为两个或几个不同的类集,同样也可以考查学生记忆这些标准的能力以及训练他们如何分类,只是这样做更没有意义。倒是基本范畴词汇与非基本范畴词汇更容易分辨,可操作性更强,在词汇习得与研究中具有更重要的作用。

赵艳芳根据罗施对基本等级范畴特征的总结,进一步研究并详细说明了基本范畴和基本范畴词语的明显特点,[6]这些特点一方面说明基本范畴词汇易于识别,另一方面也证实了它在词汇学习与研究中的重要作用,即基本范畴词语所代表的事物首先被认识、命名、掌握和记忆,儿童最早习得和理解,词形最简单,使用频率最高,是最易于作为定义其他词语的词汇,词典释义就是用基本范畴的词语来解释其他词语。张伯江就举出例子来说明属于基本范畴词语的动词"看""说""给""挖""杀"可以给非基本范畴词语"盯""瞄""谈""讲""奖""赏""赠""供""掘""宰"等来释义。张伯江研究了部分基本层次范畴的动词,其目的在于论证"低频自主动词往往凝聚了语用规定内容、高频自主动词少有语用规定内容"这一观点。[7]他在研究施事角色的语用属性时使用自主动词的基本层次范畴和它的上下义范畴说明基本范畴动词的上位词没有强制性的自主用法,基本范畴的下位词很少有非自主用法,而基本范畴词则显示出一定的灵活性。而用基本词汇的三个特点来分析以上动词,哪些词属于基本词,哪些词属于一般词,则不太容易识别,不同的人也许会有不同的看法,当然也就无法使用这一术语做更进一步的深入研究了。

我们认为,在语言学研究中可以使用基本词汇这个术语,但它所指的也只不过就是重要词汇,实际上使用"基本词汇"的多数论著,其所指也就是重要的词汇,我们发现使用这一术语进行语言研究的文章大多是把它作为一个常用词语而不是一个具有稳固性、能产性和全民常用性的专门术语来使用的,这些文章中的"基本词汇"指的就是比较

---

[6] 赵艳芳《认知语言学概论》,58 页。
[7] 张伯江《施事角色的语用属性》,《中国语文》2002 年第 6 期。

重要的词语。关于这一点,我们已在另外一篇文章中进行过统计分析。[8] 基本词汇的特点与范围讨论了几十年,却并没有推动词汇学的发展。没必要再为这个或许只在某个特定领域有一定价值的概念争论下去并让学生去死记硬背那些条条框框了。

(杨同用:河北师范大学文学院,050091,河北石家庄)

---

[8] 杨同用《基本词汇问题的重新思考》。

现代汉语原生词素集的形成及结构系统

孙银新

提要： 现代汉语的原生词素是客观存在的一级语言单位，是在汉语发展的各个历史阶段产生并传承下来，稳定地进入了现代汉语共时系统的构词材料。现代汉语里的全部原生词素形成的集合体就是原生词素集。原生词素集是一个相对稳定的开放的系统。在这个集合内部，不同的原生词素之间可以凭借其语音形式、语义内容、构词功能等语言要素形成各种各样的更小的集合体。因而，原生词素集的内部结构具有系统性和层级性。

关键词： 词素　原生词素集　系统性　层级性　现代汉语

○　引　言

0.1　本文所谈的原生词素，实际上就是现代汉语里构词造词的语言材料——词素，根据其历史来源，并依据其产生时依赖的语言基础划分出来的一种特定的类型。

0.2　在以下的讨论中，本文将用到两个概念：原生词素和原生词素集。如果是着眼于语言中一个个相对独立的、具体的构词造词材料或词的构造单位，我们就管它叫原生词素；而当我们意在强调由这种同类的词素通过聚合形成的一个特定群体单位时，就称之为原生词素集。

0.3　本文讨论的主要问题是现代汉语原生词素集的历史形成过程，以及在这种历史形成过程中，词素集内部成员共同的发展变化趋势，进而描写整个集合体的内部结构系统，以期揭示其中的特点和规律。为了便于集中讨论这一问题，个别原生词素在汉语历史发展进程中所表现出来的并不带有普遍性的特点，本文暂时将不作为讨论的重点。

0.4　由于现代汉语原生词素集隶属于汉语共时平面的范畴，相对而言，呈现出一种较为稳定的静态系统；而要考察其历史形成过程中的发展变化又离不开汉语的历时范畴，这又是一种较为活泼的动态系统。因此，本文的研究无疑将会采用共时与历时、静态与动态互相结合的多元方法同步进行。

一　从传统语文学上的"字"到现代语言学上的"词素"

1.1　汉语的构词成分,从传统语文学时期的"字",到现代语言学上的"词素",经历了一个漫长而复杂的历史演变过程。汉语研究史表明,在如何看待汉语词素在语言系统中的价值和地位这一问题上,学术界至今依然存在较大的分歧。在中国传统语文学时期,人们对于文字、音韵、训诂的研究,只有"字"的地位比较突出,历代文献典籍中所能见到的常用术语就是"字"。从许慎的《说文解字》,到晋代吕忱的《字林》,以至明代梅膺祚的《字汇》,清代张自烈的《正字通》,无不称"字"。不仅如此,"字"有时还既可以指文字,也可以指词,这种情况早在《说文解字》里就已经出现了。许慎把只起语法作用的单位叫做"词"、"辞"或"语",而把具有词汇意义的单位叫做"字"。例如:《白部》:"皆,俱词也。"《只部》:"只,语已词也。""字"的观念在汉语研究中延续了一段漫长的历史过程,其影响甚至在 20 世纪中期仍可以见到。普通所谓的"实字""虚字"也就是"实词""虚词",吕叔湘的《文言虚字》以及吕叔湘、朱德熙合著的《语法修辞讲话》就是这种情况的最好明证。这两本书里都谈到了"虚字"的问题。尤其是《语法修辞讲话》,不仅沿用了"虚字"这一名称,而且更进一步给出了"实字"和"虚字"的明确界说。该书第三讲专门讲"虚字",其中谈到,"我们这里所说的虚字指一般名词、一般动词、一般形容词以外的词;换句话说,包括副名词、副动词、数词、代词、副词、连接词、语气词,以及'们'、'了'、'着'这些词尾。"[1] 从中我们看到,传统语文学中这种关于"字"的研究中,根本就没有纯粹的"词素"可言。但这也并不意味着汉语在早先时期就没有构词材料存在。应该说,早期的汉语里,词素和词也同样是客观存在的,只是由于词素、词都与"字"在很大程度上表现出一致性,具有三位一体的特征,因此,当时的"字"实际上也包含了现代语言学意义上的"词素"这一级语言单位。当然,从现代语言学意义上看,如果仍然坚持以"字"为构成单位来分析词的结构,那显然就不合适了。毕竟"字"是记录语言的书写符号,不是语言的要素。词素和词都是语言的要素,也只有词素才是词的构造的基本单位。

1.2　汉语研究中称构词材料为"词素",这是受现代语言学直接影响的结果。20世纪,现代语言学意义上的"词素"由西方语言学里的 morpheme 引入汉语研究之后,情况发生了不同的变化。尽管 morpheme 先后出现过诸如"词素"、"语素"、"形态"等一些不同的译名,但是它们在指称词的内部构成成分的内涵方面却都是一致的。分歧在于,

---

[1]　吕叔湘、朱德熙《语法修辞讲话》,65 页,中国青年出版社,1979 年。

作为词的内部构成成分的词素,是否具有独立性?是否可以在语言系统中客观地、相对独立地作为一个系统而存在?是否可以普遍地存在于汉语的任何一个词内?对此,学者们意见不一,因人而异。而对这个问题的分析与讨论正是本文研究的一个出发点。

有一种颇具影响的意见认为,"词素"是从"词"分解出来的,没有"词"就谈不上"词的组成部分"。于是宁可抛开"词素",而代之以"语素"。[2] 甚至有的学者进一步认为,形成单纯词的语言单位本身不可能是词素,而只能是语素。[3]"很"、"谁"、"呸"、"坎坷"等"单纯词的意义仅仅是作为词义而存在",言下之意,其中并不含有词素意义。[4] 这些意见的倾向性都很明显,词是客观存在的。词素则不是客观地、普遍地存在的一种语言单位,而只是从词的内部,人为地对词进一步划分才具有的。并且,这些学者还特别强调,单纯词里也还是分解不出词素,只有合成词中才可以划分出词素。

1.3 上述情况表明,作为汉语词的构成成分,词素究竟是不是客观存在的,相对独立的一级语言单位?如果是,词素又是以一种怎样的状态存在于语言系统之中?这其中有无规律可循?如果有,我们能否运用相关的语言理论,从词素与词素的相互关系中揭示出现代汉语词素在共时平面上的一般规律?所有这些,从现代汉语词素研究的现状来看,都很值得继续思考和探究。从结构体和结构成分相互依赖并存的关系上看,这些问题完全可以结合语言学基本原理,从词素形成时与词的相互关系上得到解释。

1.4 语言是语音语义的结合体,是音义结合的符号系统。在这个符号系统中包含着一些大大小小的单位。其中,词素又是最小的符号。从词素、词、词组、句子这四级语法单位的层次关系来看,显然,词素是词的结构单位,词是由词素构成的。词素是词的下一级单位,词是词素的上一级单位。在语言系统中,词素和词之间的关系应该是既相互独立又相互联系的。从静态的角度看,只有当词素与词各自相互独立,肯定词素的存在不以词的存在为前提条件,才能够有四级语法单位的划分,才有可能谈得上语言构词和造词时有现成的备用材料。从动态的构词角度看,只有承认词素是语言的构词造词的备用材料,结合词素和词的这种相互联系,才有可能探讨构词法,进而谈到合成词,并由此揭示出语言中词素意义构造词义的规律和方法。这既是语言研究中的基本事实,也是语法研究的基本原则。

1.5 研究表明:任何一个事物都可以从不同的角度,用不同的方法作多元化的分析。从宏观的角度看,它是一个结构体;作为一个整体,它有着自己的特征和属性,并由

---

[2] 吕叔湘《汉语语法论文集》,554页,商务印书馆,1984年。
[3] 刘叔新《汉语描写词汇学》,64页,商务印书馆,1990年。
[4] 杨振兰《试论词义和语素义》,《汉语学习》1993年第6期。

此而独立存在。可是,如果从微观的角度看,任何一个事物又都不是一个简简单单的个体,其中必然包含了一些大大小小的构成成分。不同的事物内部,所包含的构成成分则可以有同有异,这就是相关的事物之间能够相互依赖、相互区别的内在因素。无论如何,从哲学上看,作为结构体的事物又总是与其构成成分相互依存、相互影响的,一方的发展变化必然影响到另一方。就语言中词素和词的关系而言,自然也不例外。语言反映人类社会这一客观现实,最突出地反映在词汇上,而词汇中的任何一个单个具体的词又都是用一定的语言材料构成的,这种语言材料便是我们所说的词素。一方面,作为结构体的词总是与作为构成成分的词素彼此共存于现代汉语系统之中;另一方面,社会的发展变化又总是通过语言的变化发展引起语言系统中词素和词的互动变化。基于上述认识,词素作为词的构造材料和结构单位,理应是语言系统中客观存在的、相对独立的语言成分,并且也同样应该有其产生、发展、消亡的历史过程。

二　现代汉语原生词素集的形成

2.1　现代汉语共时系统里的全部词素,并非都是在同一历史条件下,在同一地域、同一场合同时产生、同时出现的;而是经历了不同的时期,不同的发展阶段,不同的地域,不同的使用场合,在人们长期的使用中,经过语言社会的约定俗成,最终稳固地继承保留下来的。由此,这些被保留下来的全部词素都可以形成一个大的完整的聚合整体。如果借用数学上的"集合"概念来表示的话,就可以称之为现代汉语词素集。

2.1.1　任何一种语言,其词素的产生都必须依赖于一定的语言基础,植根于一定的语言社会,并且在产生以后不断完善其语言功能,以实现其在语言系统中的价值。只有这样,词素才能在语言的历史发展和演变中保持其延续性和一贯性,显示出经久不衰的生命力。当然,对于每一个具体的词素来说,各自产生时的过程和状况却可能又不完全一样,但其产生以后的功能与语言价值却是一致的。这种情况使我们有可能对现代汉语词素集的内部成员做进一步的具体研究和分析,并根据不同的标准区分出一些下位子集。所谓现代汉语原生词素集正是其中的一个基本类集。

由于现代汉语原生词素集也是一个聚合体,所以,要探讨现代汉语原生词素集的形成,也就必须从这个集合的内部"元素"——原生词素谈起。

2.1.2　结合汉语的历史发展过程来看,现代汉语共时系统中的词素,绝大部分都是在汉语发展的某一特定的历史阶段,依赖于汉语社会,在汉语系统内部自然产生出来;并且在随后的漫长历史发展中都一直延续,在汉语的构词造词中总是不断地反复出现,因而,最终继承并保留到共时平面的现代汉语中,进一步发挥其语言功能。由此便形成了我们所说的原生词素。

2.2 以上关于原生词素定义的表述,实际上也包含了原生词素在其历史形成过程中所表现出来的三个基本特点。从历时发展的角度也可以这么说,只有同时具备了这样三个基本特点的词素才是现代汉语的原生词素。

2.2.1 源自汉语,植根于汉语,产生于汉语系统内部。无论是在上古殷商时代的甲骨文中就已经出现的"卜"、"日"、"史"、"贝",还是汉魏六朝时期产生的"仿佛"、"婀娜"、"捋",或是宋代才有的"做",都是在汉语发展到一定阶段时,为了适应构词造词以满足汉语反映日新月异的社会生活需要才产生出来的。另外,一部分词素像"磅"、"啤"、"沙发"、"沙龙"、"蒙太奇"、"盖世太保"等则不同。虽然它们最初在汉语中出现也同样是适应汉语社会构词造词的某种特定需要,并且也已经成为共时平面的现代汉语系统中的词素,但其产生最终还是根源于英语的 pound、beer、sofa,法语的 salon、montage,德语的 Gestapo,并非源自汉语系统内部。两相比较,"卜"、"日"、"史"、"贝"、"仿佛"、"婀娜"、"捋"、"做"等就是现代汉语的原生词素,而"磅"、"啤"、"沙发"、"沙龙"、"蒙太奇"、"盖世太保"等则不是原生词素。

2.2.2 在汉语的历史发展中沿袭下来,反复使用,随着所构造的词不断延续。总的看来,在现代汉语系统中,每个词素的历史长短各别。但是,就原生词素来讲,它们都还有这样一个共同点:无论词素产生于汉语发展的哪一个阶段,哪一个历史时期,也不论其产生以来持续的历史有多长,当它们在汉语中产生出来之后,便一直延续不断地被用于汉语的构词和造词。上面举的"卜"、"日"、"史"、"贝"、"仿佛"、"婀娜"、"捋"、"做"等词素都是这样,在现代汉语中,至今仍可以构造很多复合词,如:"卜课"、"占卜"、"日光"、"日食"、"史料"、"史官"、"贝雕"、"贝壳"、"仿佛"、"婀娜"、"捋胡须"、"做东"、"做伴"、"做客",等等。正是由于它们不但能够不断地用于汉语的造词和构词,而且构造的词能在语言社会中经久不衰地反复使用和延续发展,原生词素才体现出它自身独有的构词造词的能力,并在这些词的长期存在和广泛运用中得以保留,最后进入现代汉语词素系统。可见,在汉语系统内部产生的词素还必须具备这一基本特点才能成为真正意义上的现代汉语的原生词素。

相反,如果某一词素在产生之后,在汉语社会中通行了一个时期,便不再被用于构词和造词;或者,原先由它构造的词已不再为汉语社会继承和使用,以至于在语言系统发展的某一历史阶段中消失殆尽,根本没能延续到现代汉语之中,那么,这个词素会因此而不具备在共时平面上继续存在的条件,也就失去了它得以存在于现代汉语这一共时平面的语言基础。此种情况下,词素的构词造词能力当然也就无从体现,这样的词素也就不能算是原生词素。

对赵诚先生编著的《甲骨文简明词典——卜辞分类读本》的调查统计结果可以说明这一点。该词典共收单音节词1587条。由于这些单音节词与其构成成分同形,所以,该词典实际上等于收了1587条词素。在这些词素中,能用为原生词素保留下来并进入到现代汉语中的仅有186条,约占11.7%;而其余88.3%的词素则由于使用的频率偏低,原先所构造的词在汉语的发展过程中也都逐渐消亡,所以,也就没法保存到现代汉语之中。可见,卜辞中能作为原生词素延续到现代汉语中的也仅仅占甲骨文时期全部词素的很少的一部分。

总而言之,任何一个词素,只有借助于它所构造的词的延续发展,并且始终作为词的构成成分,才能进入到现代汉语原生词素集。由此,它们之间形成了一种天然的稳定的联系:一方面,原生词素作为构词成分,充当了词的构造材料,其构词能力要借助于它构造的词的连续运用和不断发展才得以保留;另一方面,被保留下来的原生词素在一定的条件下又可以继续被用于构造新的汉语词。正是由于这种稳定的联系,原生词素才获得了经久不衰的生命力,始终与它所构造的汉语词共存于现代汉语系统之中。

2.2.3 始终与某一特定历史时期汉语的发展紧密相关。一个时代有一个时代的特色,语言的发展也不例外,词素的发展同样如此。任何一个原生词素的产生都是根源于某一特定时期语言的变化发展,是语言构词造词的实际需要所导致的必然结果。汉语的发展演变经历了几个重要的历史阶段,不同历史阶段的汉语,其发展状况总要表现出不同阶段的特色,显示出或多或少的时代差异。处在某一特定历史阶段的语言,总是要产生出一些能够体现本阶段语言特色而与其他时代有别的原生词素。这样的原生词素自然也就跟汉语的不同历史发展阶段形成了天然的联系。例如,在甲骨文时期的汉语里,就有了像"卜"、"人"、"贝"、"弓"、"鼎"、"祭"、"祀"、"戍"、"河"、"帝"这样的词素。而在《诗经》时代,则有了像"参差"、"辗转"、"逍遥"、"踟蹰"、"窈窕"、"蟋蟀"这样的双音节联绵词素。发展到魏晋时期,则又产生了一些诸如"冉冉"、"历历"、"迢迢"、"脉脉"、"翩翩"式的叠音词素。近代以来,又出现了诸如"煤"、"镁"、"冶"、"矾"、"钠"、"铝"、"钙"、"氢"、"氮"、"氩"、"硅"等词素。这些词素,分别产生于各个不同的历史时代,相应地,也就打上了不同时代的烙印,附带了各自所产生时代的特色内涵。纵向比较发现,汉语发展的每一个历史时期,都有数量不等的原生词素产生出来,并进入到现代汉语之中。现代汉语的全部原生词素就是汉语在各个历史时期形成的原生词素不断沉积的结果。这样,所保留的原生词素,尽管有的历史悠久,有的距今时间较短,但是,由于它们在刚刚产生时就在一定程度上适应了汉语发展的特定需要,因而,比较容易被人们接受并长期使用,在语言社会中约定俗成为构词造词的材料,最终都稳定地进入到现代汉语中。这些原生词素所以有如此强大的生命力,主要原因在于它们在产生时就被用于构造了一些与人们的日常生活关系极为密切的汉语词,凭借这些汉语词的沿袭使用和代代相传,用作构成成分的词素也随之得以延续保留至今,成为现代汉语的原生词素。

2.3 从汉语历史发展的角度看,词素的发展经历了一个漫长的发展过程。这其中的变化发展情况异常复杂,有的词素可以延续下来,进入现代汉语的共时系统;而有的词素却可能由于使用频率低,构词能力弱,最终从语言系统里消失。不同的词素在产生以后的历史进程中将会面临一个不同的发展变化趋势,这样能够成为现代汉语的共时系统的词素自然只有其中的一部分,甚至还是很少的一部分,由此表现出词素在历时动态变化中具有相当程度的数量上的不确定性。可是,如果我们换一个角度,用静态的方法观察汉语的某一时期的共时系统,情况就不同了。尽管现实社会的发展是日新月异的,但反映这种不断变化的现实生活的语言都能够在较大的程度上保持着自身的稳定性,尤其是作为构词造词材料的词素,只要在某一特定时期,已有的词素尚足以构造出语言社会交际所需要的一定数量的词,使人们的交际活动得以正常维持,那么,这一时期语言的词素就是自足的、稳定的,其数量就是确定的,因而,也就可以在汉语发展的一定历史阶段稳定地形成为一个体现本阶段汉语发展特色的聚合体,即原生词素集。

三 现代汉语原生词素集的结构系统

3.0 由上述这种认识,我们可以认定,现代汉语共时平面内,所保留下来的全部原生词素形成一个确定的相对稳定的聚合体,可以比较形象地称之为现代汉语原生词素集。

3.1 作为由一个个特点不完全相同的词素聚合而成的一个整体,现代汉语原生词素集的内部结构系统又是怎样的? 为了进一步认识了解这一聚合体,明确汉语词的构造材料在汉语中的存在规律,提出并探讨这一问题是非常有必要的。

现代汉语原生词素集内所包含的各个元素,都是语言的构词造词材料,都是语言的备用单位。在集合体内部,这些不同的构词造词单位并不是一盘散沙,彼此孤立,互不相干的。实际上,词素作为语言的单位,有语音形式和书写形式,有语义内容,有构词造词的功能。正是这些复杂的因素使不同的原生词素之间可以有各种各样的相互联系,凭借这些不同的联系方式,现代汉语的原生词素集内最终形成了一个多角度、多层级的复杂网络聚合。

3.1.1 从词素所具有的特定的语音形式——音节上看,根据一个词素含有的音节数量,可以形成单音原生词素集,如:由"一"、"吗"、"的"等形成的词素集;双音原生词素集,如:由"徘徊"、"仿佛"、"蝴蝶"等形成的词素集;多音词素集,如:由"哗啦啦"、"丁零当啷"、"叽哩呱啦"等形成的词素集;根据词素音节的异同又可以形成同音原生词素集,如:由"幅"、"扶"、"浮"形成的词素集;异音词素集,如:由"要"、"求"、"做"形成的词素集。从书写形式上看,原生词素又可以聚合为同形词素集,如:由"重"zhòng 和"重"chóng 形成的词素集;异形词素集,如:由"六"、"大"、"丈"等形成的词素集。

另外,如果再将语音形式和书写形式结合起来看,原生词素集中又可以分为同音同形原生词素集和同音异形原生词素集。例如:表示"植物"的"草"与表示"马虎"的"草"、表示"初稿"的"草",这三个"草"就是一个同音同形原生词素集;而"曾"和"层"、"梦"和"孟"这两组词素,它们就分别聚合为两个同音异形原生词素集。

比较而言,同音同形原生词素与同音异形原生词素集内部所包括的元素的数量会有所不同,一般而言,同音异形原生词素集中所包含的元素在数量上要占绝对优势。如音节形式为"fú"的同音异形原生词素就有"扶"、"浮"、"伏"、"服"、"福"、"拂"、"辐"等三十多个,而形式相同、意义不同的"服"("担任"、"从事"意义的"服"和"服装"的"服")作为一个同音同形原生词素集,内中所含有的原生词素仅两个。这表明,同音原生词素集内所包含的同音异形词素集和同音同形词素集在规模上有着显著的区别。

3.1.2 从词素的意义内容上看,由于原生词素的语义之间存在着相同、相近、相反、相对、相关等各种关系,据此,原生词素之间可以根据这种不同的语义联系,分别形成大大小小的不同的词素聚合群。具体来说,主要有以下几个类集。

1. 同义原生词素集:这类词素集内所包括的各个词素在语义内容上是完全一致的。如:同样都表示数字的"八"和"捌";表示"排除"和"放弃"意义的"屏"(bǐng)和"摒"(bìng),分别形成了两个同义词素集。

2. 近义原生词素集:这是原生词素集内最为常见的一类。这类词素集内所包含的各个词素在语义上,同多异少。如果再进行微观分析,就可以看出它们在语义特征上有着既相互联系又相互区别的特点。例如:

窥　[+眼睛 +从孔隙或隐蔽处 +偷偷地 +看]

盯　[+眼睛 +目光集中 +看]

瞪　[+眼睛 +睁大 +看]

瞥　[+眼睛 +短时间 +略略 +看]

瞄　[+眼睛 +有目标 +注视 +看]

瞟　[+眼睛 +斜着 +看]

从中可以看到,这几个词素都含有[+眼睛 +看]这两个共同的语义特征,这是它们的共同点;可是另一方面,这些词素在共同的语义特征之外都还不同程度地表现出"看"的方式、情态以及它们各自的使用范围场合等诸多特征,这些特点在每一个词素中的表现又不尽相同,各有侧重,因而就使得各个词素之间可以互相区别。比较而言,他们之间的特点仍然是同多异少,因而可以形成一个近义原生词素集。

3. 反义原生词素集。这类词素集内的每一对词素在语义内容上是完全相反的。所谓语义内容相反,确切地说,是指词素的词汇意义相反。因为,词素的语义内容包括了三个方面:词汇意义、语法意义、色彩意义。一般地说,词素的语法意义无所谓相反。色彩意义虽然有褒贬、爱恶、显隐、雅俗之别,在某种程度上也能够表现出相反的特点。但就目前的研究状况来看,人们仍然坚持把词汇意义看成是判定反义词素和反义词的唯一标准。究其根源还在于人们的观念。相当多的学者认为无论是词还是词素,其意义内容中只有词汇意义和色彩意义;比较而言,词汇意义是主要的,色彩意义又是次要的。

反义原生词素集还可以进一步分析为两个子集:绝对反义原生词素集和相对反义原生词素集。绝对反义原生词素集中的每一对词素所表示的概念反映的是同一意义范畴中的矛盾着的客观事物及其关系,是一种非此即彼的矛盾关系,例如:"生"和"死"。相对反义原生词素集中的每一对词素所表示的概念反映的是同一意义范畴中的相互对立着的客观事物及其某一方面的对立属性,是一种非此并非一定即彼的对立关系。例如:表示事物所处空间位置的"上"和"下",因为允许有第三种状态"中"存在,因而是相对反义原生词素集。

4. 上下位原生词素集。这类词素集中,上位词素和下位词素的语义所反映的概念之间存在着一种属和种的关系,这种概念上的"属"和"种"的关系事实上也就是哲学意义上的普遍性和特殊性、共性和个性、一般和个别的关系。例如:"树"是"木本植物的统称","杨"则是杨属植物的统称,"柳"是柳属植物的统称,"槐"是槐属植物的统称,"松"是松科植物的统称。尽管如此,与词素"树"相比,"杨"、"柳"、"槐"、"松"仍然都是"树"中的特殊类型,都是"树"中的具体的个别,因而它们都同属于上位词素"树"的下位词素。一句话,"树"和"杨"、"柳"、"槐"、"松"形成了一种上下位原生词素集。

5. 类属原生词素集。类属词素集中的每一个具体词素的语义所反映的概念一方面相互依存,各自独立,另一方面又可以经过抽象概括而同属于一个较大的语义范畴。例如:"车"和"船"都同属于交通工具范畴;"油"、"盐"、"酱"、"醋"均为调味品范畴,因而,可以分别形成两个类属原生词素集。

6. 关系原生词素集。这类词素集中的词素往往是两两配对、互相依赖、相辅相成的,二者共同存在于某种特定的关系之中,并形成一种相对稳定的联系。例如:"教"和"学"是通过教师"教"和学生"学"的双边活动,由于教育关系而形成的关系词素集。同样,"夫"和"妻"是建立在人类婚姻关系基础上的两种相互依赖的行为主体,因而,也形成了一个关系词素集。

7. 序列原生词素集。这类词素集中,词素的语义内容所反映的客观现实世界中的事物和现象彼此之间存在着一定的先后差别,因而,能够将这些词素依照某种固定的次序进行排列。这样形成的原生词素集叫序列原生词素集。例如:表示货币单位的"元"、"角"、"分";表示时间单位的"年"、"月"、"日"、"时"、"分"、"秒";表示四时季节更替的"春"、"夏"、"秋"、"冬"等都分别可以形成各自的序列原生词素集。

以上,我们探讨了现代汉语原生词素内部依据语义关系所形成的各种不同的聚合体。由此,可以比较清楚地看出,现代汉语原生词素集内部存在着不同的语义聚合群,因而表现出一定的系统性。另外,不同的原生词素所含的意义内容多少也不一样,由此可以形成一义词素集和多义词素集。在静态语言系统中只含有一种意义的词素,如:"盆"、"雌"、"肺"等,可以形成一义原生词素集;在静态语言系统中同时含有两种以上意义的词素,如:"捅"、"薄"、"膀"等,可以形成多义原生词素集。

3.1.3 从词素的构词功能上看,现代汉语的原生词素中有的只能构造语法上某一特定类别的词,而另外一些词素,则可以同时构造语法上的两类或两类以上的词。这说明,现代汉语的原生词素集中至少包含了这样两个聚合体:单类词素集和多类词素集。例如:"爸"、"坝"、"稻"、"龙",这些词素只能用于构造名词,或者说,在现代汉语里,由这些词素构造的单纯词和合成词都是名词,因而它们可以形成为单类原生词素集。而词素"居"既可以构造名词,也可以构造动词;"于"可以构造介词、连词和动词;"美"可以构造动词、名词和形容词。这类词素可以构造语法上不同功能的词,可以形成多类原生词素集。

如果再换一个角度,从原生词素所能构造的词的内部结构来看,有的只能构造单纯词,如:"很"、"又"、"参差"等;有的只能构造合成词,如:"卑"、"丐"、"袄";有的则既可以构造单纯词,也可以构造合成词,如:"山"、"傻"、"走"。这样,在原生词素内部,又可以分别形成单用原生词素集、非单用原生词素集、可单用也可不单用原生词素集。

此外,如果再考虑原生词素构词频率的高低,还可以发现原生词素又可以聚合为高频词素集,如:类似于"心"、"一"以及用作后缀的"子"等构词能力特别强的词素,可以聚合为高频原生词素集,而类似于"宾"、"忌"、"卸"等构词能力一般的词素可以聚合为中频原生词素集,至于像"鲢"、"泯"、"仞"等构词能力极弱的词素则可以聚合为低频原生词素集。

3.2 以上分析说明,现代汉语的原生词素可以依据各自的条件形成大大小小的集合。这样,每一个原生词素都可以被包含在特定的集合之中,并与其他原生词素形成稳定的联系。不仅如此,这些集合在语言系统层级装置中也都有其一定的位置,并表现出明显的层次性。

首先,如果我们把由现代汉语里的全部词素聚合而成的整体当作一个最大的集合,称之为现代汉语词素全集,那么,现代汉语原生词素集虽然是一个较大的集合,并且是现代汉语里最基本的词素集合,但它也只能是现代汉语词素全集内部所包含的一个"子集",因而,就具有了上下位关系。

其次,原生词素集内部还包括了一些大大小小的下位子集。因为原生词素集内部的元素仍然可以根据一定的关系形成各种不同的集合,这些下位集合可以认为就是原生词素集合的子集。比如,现代汉语里,"烂"和"滥"具有相同的语音形式,因而可以聚合为一个同音原生词素集。"三"和"叁"不仅语音形式相同,而且语义内容也相同,所以,也同样能够自相组合为一个同音同义原生词素集。如果我们把同音原生词素集看成原生词素集的子集,那么,同音同义原生词素集就是"子集"的"子集"。从现代汉语词素全集,到原生词素集,再到同音原生词素集,直至同音同义原生词素集,集合的范围越来越小,内部所包含的元素也越来越少,但随之而来的各个集合之间所形成的层级关系也越来越明显。

现代汉语的原生词素集内部结构的系统性就是在这样一个由多种关系形成的纵横交错的多层级的网络中充分显现出来的。

四 结 语

4.1 以上分析表明,现代汉语的词素主要是在汉语的内部,随着汉语在不同历史阶段的发展变化,经过长时期日积月累而继承下来的。每一个词素都在其构成的汉语词的不断延续使用中得到了相应的发展。这一演变现象有力地证明了现代汉语的原生词素与所构造的汉语词之间完全是一种相互依赖、长期共存的关系。也就是说,原生词素是一级独立的语言单位,客观存在于现代汉语的共时系统。

4.2 在共时平面上,由全部原生词素互相聚合而形成的群体,就是现代汉语原生词素集。处于共时平面的原生词素集,既是相对稳定的,又是开放的。这和语言稳固性的特点正好相适应。在这个集合内部,词素与词素之间又由于各种语言要素的影响和作用形成了各种关系网络,这既使词素集内词素的分布具有层级性、系统性的特点,也使得现代汉语的每一个原生词素在共时平面内都有了一个明确的、固定的坐标。

参考文献

北京语言学院语言教学研究所 (1986)《现代汉语频率词典》,北京语言学院出版社。

葛本仪(1997)《汉语词汇论》,山东大学出版社。
———(2001)《现代汉语词汇学》,山东人民出版社。
李行健(1998)《现代汉语规范字典》,语文出版社。
王　力(1993)《汉语词汇史》,商务印书馆。
许　慎(汉)《说文解字》,中华书局,1963年。
中国社会科学院语言研究所词典编辑室(1987)《倒序现代汉语词典》,商务印书馆。
周一农(1994)《汉语语法学史的语素学考察》,《语文研究》第3期。

(孙银新:北京师范大学文学院,100875,北京)

语义韵律和同义词辨析*

王泽鹏

提要: 同义词的判定依然争论不休,本文总结前人的观点,认为同义词的差异主要表现在词语的附加色彩和语用意义。为了科学地辨析同义词,文章以现代词汇语义学的语义韵律理论为指导,使用语料库方法,以部分同义词语为例考察了同义词的语义韵律情况,从而为同义词的辨析提供了一种可行的客观分析方法。

关键词: 语义 语义韵律 同义词

一 引 起

词汇学研究无法避开同义词问题。该问题不仅为词汇学、词典学所重视,成为词汇学、词典学著作必然涉及的一个内容,而且也是语言教学的一个亮点内容,是语言教材不可缺少的组成部分。不少的同义词词典也被编纂了出来,其中不乏佳作。

然而,同义词的判定问题至今依然争论不休。池昌海(1998,1999,2000)对同义词问题作了专题综述。他认为,汉语同义词研究存在的重要问题是:一是理论表述上的多元、摇摆;二是认定手段上的主观、随意;三是术语、概念上的游离、朦胧。[1]对同义词的产生、研究价值以及确定标准、方法,池文也提出了自己的看法。

池文就同义词的产生的客观基础与主观需求作出了推测。由于这些内容只是所谓的"可能基础",难以为共时的语言研究分析并加以科学描写,所以,本文对此不发表任何看法。关于什么是同义词,池文作出了如下界定:若干个词语间,若在同一意义层面上有 个相同、相近的义位内容(对于单义词来说也可理解为词义核心),则诸词语具有同义关系。池文所说的"意义",大概指词语的某一个理性意义。然而,何为理性意义池文未有提及。对同义词的上述界定犹然与前人"同义词指意义相同或相近的词语"的传统说法没有区别。同义词"义"的内容无法确定,同义词辨析也就无从谈起。从池文"同

---

* 本课题得到南开大学人事处提供的科研基金支持。

[1] 池昌海《对汉语同义词研究重要分歧的再认识》,《浙江大学学报》1999年2月,第29卷第1期。

义词差异的三维表现"上看来,辨析同义词需要从"三维表现"上入手。这三维表现是:词语指称对象本身的差异、语言符号意义的差异(包括程度、情感色彩、称述视角等词义特征以及语法能力等)、语用(修辞)能力的差异(包括词语的应用能力和修辞价值)。这三维表现既然是同义词的差异,那么,也自然就不是同义词的理性意义了。因为同义词的理性意义必须是相同的。

意义几乎是个让人谈虎色变的概念。理性意义的具体所指是什么,很难说清。仅就指称来说,就有多种观点,如有的认为指称就是意义,除此之外再没有别的意义;有的认为指称是意义,但意义不仅是指称,还有非指称的意义;第三种观点认为指称是指称,意义是意义。[2]

Н. И. 苏卡连柯认为,实词的词汇意义是范畴特征、表义特征和指物特征三者的统一。[3] 这种认识具有代表性,可以作为分析词语理性意义的参考。判定同义词意义的相同点也就是判定该词的范畴特征、表义特征和指物特征是否一致,同义词的差异主要在于词语的附加色彩和语用意义。一般而言,同义词是在范畴特征、表义特征和指物特征大体一致的情况下存在着附加色彩、语用意义等方面的不同。也就是由于词语在语言中均具有自己独特的位置、独特的意义,因此就有语言中不存在绝对同义词的说法。

这种认识与刘叔新先生对同义词的认识并无矛盾,而刘叔新先生对同义词的认识也谈不上有什么前后矛盾。刘叔新先生一直认为同义词指同一种(样)事物(对象)。"事物"、"对象"是概括性极强的概念,所谓"同样的行为"、"同一种对象"无非都是"事物"或"对象"。[4] 这谈不上是术语、概念上的游离、朦胧。

语言中词语之间都有一定的区别,每个词语都有它生存的意义,都有它独立于其他词语的特点。美国语言学家 Bolinger 就将"有一种意义就有一种形式"当作认识和研究语言词汇的原则,[5] 这就说明完全同义的词语是不存在的。奈达也认为,一种语言中没有语义完全一致的两个词汇单位,[6] 也就是说,没有绝对的同义词,所谓的同义词之间总是有一些区别。奈达将此作为词汇语义分析的一个原则。如果用这种认识来看待同义词问题,同义词的有关理论就都得重新审视,而传统所谓的同义词也需要加以重新辨析。

---

[2] 徐烈炯《语义学》,11 页,语文出版社,1995 年。
[3] 石肆任《词典学论文选译》,188 页,商务印书馆,1981 年。
[4] 刘叔新《汉语描写词汇学》,284 页,商务印书馆,1991 年。
[5] Bolinger, Dwight. *Meaning and form*. London and New York: Longman, 1977, p. 198.
[6] Eugene A. Nida, *Language, Culture, and Translating*. 上海外语教育出版社,1993 年 p. 52.

二 语义韵律的考察是辨析同义词的有效途径

语义韵律理论的提出为同义词的辨析提供了一种新的分析方法。

语义韵律理论可以说是弗斯语音韵律理论在语义学中的演绎。语义韵律也叫语义协调(semantic harmony)、语义渗透(感染)(contagion),指这样一种语义现象:经常共现的语言单位受邻近具有某种语义特征的语言单位的影响,从而产生与之相协调的语义特征。这种语义特征有些是褒义的或贬义的,大多数是中性的(以前对语义韵律的研究多为褒义或贬义两方面的语义特征)。语义韵律的观察依赖于两种语言单位。换言之,是两个语言单位在语言组合中的共现使得它们在语义方面产生协调关系/韵律关系。(参看 Louw,1993;Michael Stubbs,1996;Babala Lewandowska-tomaszczyk,1996;Alan Partington,1998)

Babala Lewandowska-tomaszczyk 用比喻的说法把处于核心位置的语言单位称作"扳机",把与核心单位相关联的语言单位称作"标靶"。[7] 这种解释非常形象地勾勒出产生语义韵律的两个单位间的关系。

汉语成语"近朱者赤,近墨者黑"也可以作为语义韵律形成的一个非常恰当的比喻。可以认为,如果"标靶"具有"朱"(积极的、令人高兴的、值得肯定的褒奖)的特点,那么处于"扳机"位置的相关核心词就会具有"朱"的语义韵律。反之,如果"标靶"具有"墨"的特点,那么相关核心词就会具有"黑"(消极的、令人不满的、让人否定厌恶的贬义)的语义韵律。从这种意义上讲,形成语义韵律的两个相邻近的语言单位几乎可以说是一种机械装置,一种语义的韵律结构。理解韵律结构的两个部分及其关系,对于把握语言结构的深层信息具有重要作用。

同义词语义韵律是否相同,可以作为同义词同异的意义成分。潘璠、冯跃进认为,利用语料库对一组同义词或短语进行差异性特征调查,能通过检索统计发现它们在词频分布上的差异,通过观察搭配关系揭示语义和义律差异性特征等,弥补了传统词语辨析在量性和客观性上的不足,拓宽了词语辨析的视野,其研究结果有助于加深对词语语义多方位的理解,从而更准确地把握词语的使用。[8] 潘、冯文中的义律即语义韵律。关于通过语义韵律来考察同义词,陶红印(2000,2001)提供了富有启发性的研究方法:

---

[7] Babara Lewandowska-tomaszczyk, 1996, *Cross-linguistic and Languge-specific Aspects of Semantic Prosody*, Language Sciences, Vol. 18.

[8] 潘璠、冯跃进《基于语料库的同义词差异性特征调查》,《山东外语教学》2000 年第 4 期。

那就是采用语料库语言学方法,在定量研究的基础上,进行定性研究。这样可以使得词语辨析摆脱传统的依照内省或者有限语料的直觉经验方法,走向基于语料库的统计途径。语料库可以方便地提供词语的频率和上下文小语境,从而为辨析词语的语义差异提供大量的语言事实。潘璠、冯跃进提出同义词之间除了有定性差异外,在使用频率以及不同语域词频分布上都有较明显的差异,这种差异也可成为判断的依据之一,而且更适合作判断的前提,判断应优先考虑使用哪个词。

下面,我们以"突然"、"忽然"和"搞"、"弄"为例来说明语义韵律在辨析同义词方面的作用。

在《现代汉语词典》中,"突然"注为:在短促的时间里发生,出乎意外。"忽然"注为:副词,表示来得迅速而又出乎意料;突然。

从上面的解释中可以看出,"突然"和"忽然"在作副词时可以互相解释,是同义词无疑。然而,二者具有一定的区别。

看其他某些辞书的解释。

吕叔湘将"忽然"与"忽"、"忽而"并列解释。"忽然",副词,表示情况发生得迅速而又出人意料。搭配模式有二:1.忽然+动/形;2.可用在主语前,后面可有停顿。

"突然"不同于"忽然","突然"除了可以作副词外,还可以作形容词(作形容词的情况这里从略)。"突然"作副词时,表示急促而且出人意料。所修饰的动词、形容词的前或后要有其他成分。有时后边可加"地"。"突然",用在主语前,后面常有停顿。"不+动"、"没有+名"之前可以用"突然","没有+动"前不能用。

吕叔湘(1980)对"突然"和"忽然"作了比较,认为,(1)"忽然"同副词"突然",一般可以换用,但"突然"比"忽然"更强调情况发生得迅速和出人意料;(2)"忽然"很少用在主语前。

在海南经天信息有限公司开发的《中国大法规数据库》中,"忽然"仅出现 4 次,"突然"出现 460 余次。二者之比悬殊明显。"突然"在法律文献这种具有事务文牍风格的语体资料中较"忽然"使用更为平常。用例中的"忽然",都可以改用"突然"。如:

在政府执行措施的相当时间之内,新买主马上就主张权利的,可依上开原则予以处理。如时间已久,新买主在行政措施执行后本无异议,后来又忽然/突然提出主张(即如由于今昔房价相差较巨,或由于其他原因意图取巧)则不应再予以处理。

当把梯子搬到有蜂窝的树上时,忽然/突然一团毒蜂就飞到杨运喜身上猛蜇。

你们走后,我和剩下的一位货主坐在驾驶室。忽然/突然来了一位哭哭啼啼的年轻人,他说丢了一个钱包,怀疑我将该钱包藏在汽车引擎盖内,要我打开盖给他看。

张将康、王二人安置在招待所,自己无奈在街头转悠。忽然/突然发现邮局后面有一单位:铁道部第一工程局电务工程处招待所。

"突然"在特定的语域如法律文献中常见的一些组合形式,"突然发生"、"突然发现"、"突然袭击"、"突然变化"、"突然出现"、"突然停车"、"突然转变"、"突然起火"、"突然发病"、"突然爆发"、"突然中断"、"突然发现"等,其中的"突然"也可以换成"忽然"。我们在语料库中搜索"忽然"的组合形式。"忽然发生"出现 15 次,"忽然发现"出现 332 次,"忽然袭击"出现 1 次,"忽然变化"出现 1 次,"忽然出现"出现 46 次,"忽然停车"出现 1 次,"忽然转变"出现 1 次,"忽然起火"出现 2 次,"忽然发病"出现 1 次,"忽然爆发"出现 6 次,"忽然中断"出现 4 次。

而"突然"的上述组合形式在非法律语体中的使用较"忽然"则更为平常。如"突然发生"出现 120 次,"突然发现"出现 614 次,"突然袭击"出现 609 次,"突然变化"出现 39 次,"突然出现"出现 656 次,"突然停车"出现 4 次,"突然转变"出现 22 次,"突然起火"出现 4 次,"突然发病"出现 16 次,"突然爆发"出现 92 次,"突然中断"出现 44 次。

下面,我们再看看"突然"和"忽然"在文学这种最接近口语的语体中的分布情况。"突然"出现 27643 次(包括作形容词的情况),"忽然"出现 13110 次。还是以与动词常见的直接搭配来考察二词的使用情况,列表如下:

共现词语	"突然~"出现次数	"忽然~"出现次数	比例
病	48	11	48:11
闯进	54	10	27:5
大叫	47	8	47:8
得到	27	30	9:10
发作	39	1	39:1
感到	363	200	363:200
感觉	70	28	35:14
记起	46	69	46:69
叫	83	34	83:34
接到	216	92	54:23
进来	17	3	17:3
觉得	467	382	467:382
看到	103	70	103:70
看见	134	185	134:185
哭	36	18	2:1
来	374	133	374:133
伸出	21	11	21:11
失踪	71	9	71:9

(续表)

说	313	169	313:169
死	86	11	86:11
跳出	16	5	16:5
跳出	16	5	16:5
听到	156	164	39:41
停止	79	18	79:18
问	341	185	341:185
想到	256	279	256:279
有	565	426	565:426
站	217	72	217:72
走	70	45	14:9

由上表可知，凡是用"突然"的上下文里，也可以用"忽然"，只是数量较少。但依然可以说，这就意味着"突然"和"忽然"的使用没有什么不同。运用的具体上下文相同，也就意味着两个词语的词义相一致。

综上所述，在用"突然"的上下文可以用"忽然"来替换，用"忽然"的上下文也可以用"突然"替换。这说明，"突然"和"忽然"的语义韵律大致是相同的，二者为同义词无疑。但是，"突然"使用的数量比"忽然"要多一些。在法律类等事务文牍风格的语体中，使用"突然"的频率更高。由此可知，至少在现代汉语平面上，副词"突然"和"忽然"的语义已经没有多少区别，只是"忽然"的使用不具有普遍性，即在某些事务文牍语体如法律类文书中使用较少。

同义词的语义韵律大都是不同的，如"搞"、"弄"。这两个词/词素，有的来自于方言，如"搞"来自四川方言。但是该词/词素早已经被普通话所吸收，在这种情况下再谈论它的方言色彩已无必要。这类同义词对于说汉语的中国人来说，也许并无难解之处，但是对于把汉语当作外语来学的学习者来说，分辨其意义和用法就非常令人头痛。其中原因就在于这两个词/词素有时候具有共同的搭配对象，即它们可以出现在共同的上下文小语境中，有时候却又要求不同的共现单位。

根据《现代汉语词典》，"搞"有 3 个义项：❶做；干；从事：～生产｜～工作｜～建设。❷设法获得；弄：～点儿水来｜～材料。❸整治人，使吃苦头：他们合起来～我。

"弄"有 4 个义项：❶手拿着、摆弄着或逗引着玩儿：他又～鸽子去了｜小孩儿爱～沙土。❷做；干；办；搞：～饭｜这活儿我做不好，请你帮我～～｜把书～坏了｜这件事总得～出个结果来才成。❸设法取得：～点水来。❹耍；玩弄：～手段｜舞文～墨。

从词义上来看，"搞"的义项❶❷和"弄"的义项❷❸相一致，"搞"的义项❸与"弄"的义项❹也有交叉的地方。本文只分析"搞"的义项❶和"弄"的义项❷的搭配情况，从其语义韵律的差异上来看二词的区别。

以"搞"的某些共现单位(名词性单位)为搜索词,看其与"弄"直接搭配情况的差异。下面列表显示出部分名词性语言单位与"搞"和"弄"共现的情况。

共现词语	搞~ 能否搭配	搞~ 出现次数	弄~ 能否搭配	弄~ 出现次数
霸权主义	+	11	−	
不正之风	+	8	−	
产品	+	2	−	
成功	+	8	−	
创收	+	4	−	
创作	+	7	−	
代理制	+	2	−	
单边主义	+	2	−	
调查	+	17	−	
调查研究	+	18	−	
调研	+	10	−	
独立	+	6	−	
短平快	+	4	−	
短期行为	+	8	−	
对抗	+	43	−	
多党制	+	1	−	
多种经营	+	20	−	
恶作剧	+	2	−	
发明	+	2	−	
反华提案	+	12	−	
房地产	+	5	−	
房改	+	2	−	
分裂	+	30	−	
扶贫	+	5	−	
服务	+	8	−	
改革	+	15	−	
革新	+	5	−	
工程	+	3	−	
工业	+	5	−	
股份制	+	15	−	
管理	+	5	−	
规划	+	3	−	
和平演变	+	2	−	
核算	+	2	−	

(续表)

活动	＋	4	－	
机械化	＋	2	－	
基建	＋	4	－	
计划经济	＋	5	－	
技改	＋	17	－	
技术	＋	27	－	
加工	＋	8	－	
假把戏	＋	2	－	
假破产	＋	3	－	
检查	＋	4	－	
建设	＋	43	－	
建筑	＋	10	－	
接待	＋	3	－	
经营	＋	13	－	
精神文明建设	＋	7	－	
竞赛	＋	2	－	
开发	＋	37	－	
开发区	＋	4	－	
科学研究	＋	3	－	
科研	＋	23	－	
拉郎配	＋	4	－	
劳务输出	＋	2	－	
联欢	＋	3	－	
联营	＋	6	－	
旅游	＋	5	－	
绿化	＋	10	－	
迷信	＋	5	－	
农业综合开发	＋	2	－	
平均主义	＋	4	－	
评比	＋	5	－	
企业	＋	7	－	
强权	＋	11	－	
庆典	＋	5	－	
权钱交易	＋	14	－	
群众运动	＋	3	－	
三产	＋	4	－	
色情服务	＋	2	－	
设计	＋	5	－	
社会调查	＋	3	－	

(续表)

社会主义	＋	30	－
生产	＋	14	－
市场经济	＋	30	－
试点	＋	5	－
双重标准	＋	2	－
私有化	＋	8	－
饲养	＋	4	－
台独	＋	36	－
摊派	＋	3	－
特例	＋	2	－
特殊	＋	14	－
特殊化	＋	12	－
统一	＋	2	－
突击	＋	5	－
突破	＋	6	－
晚会	＋	2	－
卫生	＋	7	－
文学	＋	3	－
现代戏	＋	2	－
项目	＋	4	－
小动作	＋	2	－
形式	＋	52	－
形式主义	＋	40	－
宣传	＋	9	－
养殖	＋	2	－
一刀切	＋	12	－
一言堂	＋	5	－
一阵风	＋	2	－
艺术	＋	9	－
迎来送往	＋	2	－
游说	＋	3	－
运动	＋	5	－
运输	＋	9	－
终身制	＋	3	－
种植	＋	5	－
自由化	＋	2	－

从表中可以看出,大量的名词性语言单位和"弄"不能搭配,而只是与"搞"共现。这与"搞"有"从事"的词义相关,且较"弄"郑重些。从上表也可以看出,许多指社会行为的词语都可以与"搞"共现。具有一定的目的性、功利性是社会行为的共同特点,表示这些

社会行为的词语之所以不能和"弄"共现,应该与"弄"的义项❹相关,"弄"往往和"愚弄、玩弄、戏弄"联系,表现出一种不认真、不负责或轻蔑的游戏态度。而人们所从事的工作、事业(无论正当的还是非正当的,如"建设"和"自由化"之类)等都不能以这种态度来对待。总之,"搞"要求共现的名词性单位带有较强的目的性、功利性语义特点,"弄"的这种要求相对来说就不十分明显,而且"弄"还具有消极的、有时令人厌恶、不愉快的语义韵律,在被动句中,施动者具有这种语义特点。如:

  风筝节一个引人入胜的节目是风筝大战。放飞者以用自己的风筝弄断对手的风筝线为主要目标,每成功一次就用手枪或步枪往空中放一枪。

  要解决择校收费问题,首先要弄清它产生的原因。(注:有贬损择校收费的倾向,故用"弄"比用"搞"好些)

  凡此种种,在身边时有发生,以至我们在日常生活中常会被这些磕磕碰碰弄得六神无主,影响到日常生活和工作。于是,人间真情在争吵谩骂、拳脚相加中不知不觉被"碰"得四分五裂。

  我才不信这个邪哩。这年头,假风突炽,假货已成一大社会公害,许多不法商贩机关算尽地在鞋上"弄假",什么磁疗鞋药疗鞋保健鞋,吹得天花乱坠。真有那么神么?!

在1996年《人民日报》和1998年1月份《人民日报》中搜索"搞"、"弄",发现"搞"出现5309次,"弄"出现802次。可以看出,"搞"比"弄"活跃得多。"弄"多用作构造词语的成分,主要有这样一些词/固定语:搔首弄姿、班门弄斧、摆弄是非、挤眉弄眼、装神弄鬼、求神弄鬼、弄巧成拙、舞文弄墨、舞枪弄炮、舞刀弄棍、耍刀弄枪、舞刀弄枪、含饴弄孙、吟风弄月、故弄玄虚、弄虚作假、弄潮儿、弄潮、弄不好、舞弄、糊弄、逗弄、耍弄、翻弄、调弄、莳弄、拂弄、拨弄、愚弄、嘲弄、伺弄、卖弄、侍弄、玩弄、抚弄、捉弄、戏弄、摆弄。其中"弄虚作假"使用多达161次。

此外,用"弄"单独作动词谓语的上下文中,"弄"都可以改做"搞",却不至于影响句子的意思。但是,用"搞"的上下文中大多无法换作"弄"。这是"搞"和"弄"的区别之一。

由"搞"和"弄"的小语境对比,可以得出这样的认识:考察同义词的意义和使用差别,完全可以在语感的基础上,通过语料库技术,揭示词语使用的面貌,从而认清同义词的语义和使用的不同。这种方法和刘叔新先生提出的以逻辑及加词形式为基础的同形结合法没有根本的不同,其主要区别就是:语料库技术可以得到大量的词语索引文献,而依据手工搜索的语料是非常有限的。此外,替换法对替换情况的考察主要依赖语感,而语料库语言学则是依赖大规模的语料库。这就意味着,确定能否替换,是根据语料的调查,不仅仅是个人的语感。

通过以上两组同义词的考察,我们可以认为,通过语料库技术,运用语义韵律理论来分析同义词是可行的有效途径,这有助于摆脱同义词辨析中存在着的主观依赖性。

参考文献

池昌海(1998)《五十年汉语同义词研究焦点概述》,《杭州大学学报》第2期。
————(1999)《对汉语同义词研究重要分歧的再认识》,《浙江大学学报》第1期。
————(2000)《古代汉语同义词研究的现状和存在的主要问题》,《杭州师范学院学报》第1期。
陶红印(2001)《"出现"类动词与动态语义学》,《现代中国语研究》第2期。
刘叔新(1991)《汉语描写词汇学》,商务印书馆。
吕叔湘(1980)《现代汉语八百词》,商务印书馆。
徐烈炯(1996)《汉语语义研究的空白地带》,《中国语文》第4期。
中国社会科学院语言研究所词典编辑室编(1996)《现代汉语词典》,商务印书馆。
Louw, B. (1993) Irony in the text or insincerity in the writer: the diagnostic potential of semantic prosodies. In M. Baker, G. Francis, & E. Tognini-Bonelli (Eds.), *Text and technology—In honor of John Sinclair*. Amsterdam/Atlanta, GA: John Benjamins.
STUBBS, M. (1996) *Text and Corpus Analysis*, Oxford and Cambridge Mass., Blackwell.
Hongyin, Tao(2000) Adverbs of Absolute Time and Assertiveness in Vernacular Chinese: A Corpus-Based Study. *Journal of the Chinese Language Teachers Association*, 3: pp. 53-73.
PARTINGTON, A. (1998) *Patterns and Meanings: using corpora for English language research and teaching*. Amsterdam & Philadelphia: John Benjamins Publishing Company.

(王泽鹏:南开大学汉语言文化学院,300071,天津)

汉语双音化语义研究二题

符 渝

提要： 从语义角度对汉语双音合成词进行研究有非常重要的意义。本文试图在前人研究的基础上，证明双音化形成的主要动因在于语义，同时，基于对语义在双音化形成和发展中有重要作用的认识，提出要关注在双音短语凝结成词的过程中，语素相互选择、结合所受的语义限制的研究。

关键词： 语义 双音化 双音合成词 词化

一

双音化是汉语词汇发展的重要趋势，这一点在学术界已经取得共识，但汉语双音化形成的动因是什么却一直众说纷纭，归结起来主要有"语音简化说"、"语义繁化说"、"审美观念说"三类观点：

(1)"语音简化说"认为双音化是汉语语音系统简化的结果。对这种观点又有两种角度的解释：

一种解释认为汉语语音系统简化导致了同音词增多，不利于交际，而双音词（复音词）的出现能够消除这种不平衡的情况。这种说法源于王力先生："汉语复音化有两个主要的因素：第一是语音的简化"，"单音词的情况如果不改变，同音词大量增加，势必大大妨碍语言作为交际工具的作用。汉语的词逐步复音化，成为语音简化的平衡锤。……汉语的词的复音化正是语音简化的逻辑结果。"[1] "双音词的发展是对语音简单化的一种平衡力量。由于汉语语音系统逐渐简单化，同音词逐渐增加，造成信息传达的障碍，双音词增加了，同音词就减少了，语音系统简单化造成的损失，在词汇发展中得到了补偿。"[2] 吕叔湘先生也曾认为："为什么现代汉语词汇有强烈的双音化的倾向？同音字多应该说是一个重要原因。由于语音的演变，很多古代不同音的字到现代都成为同音字了，双音化是一种补偿手段。北方话里同音字较多，双音化的倾向也较强。广

---

[1] 王力《汉语史稿》，《王力文集》第九卷，447、448页，山东教育出版社，1988年。
[2] 王力《汉语语法史》，《王力文集》第十一卷，2—3页，山东教育出版社，1988年。

东、福建等地的方言里同音字比较少些,双音化的倾向也就差些。"[3]

另一种解释是从韵律角度出发的,主要代表是冯胜利[4]。他认为"双音化"是"两个音节的单位化",本是语音问题,应该首先从语音上得到合理的说明,在此基础上,他阐释了语音系统简化对于汉语双音化的影响:周秦中期汉语的音节结构发生简化,使汉语音节成为单韵素音节,单韵素音节不能满足音步双分枝的要求,无法构成独立的音步,双音节音步因此应运而生。

(2)"语义繁化说"是指新事物、新概念的增多以及人们对世界认识的深入使新的语义大量产生,由于单音语言形式的局限,出现了过多的同音词和多义词,影响交流的正常进行,于是人们就改变了单音记录语义的方式,采用双音节的形式。持这种观点的学者一般认为从商周时期开始,单音节词形和日益丰富的词义的矛盾逐渐上升为汉语词汇系统内部的主要矛盾,"词的复音化正是解决当时需要大量增加新词这种社会要求和旧的词汇体系局限性的矛盾的唯一出路"。[5]

(3)"审美观念说"认为汉民族讲究对称、喜好对偶的审美心理反映到语言上,就是追求双音节形式。这种观点实际上是从文化心理方面解释双音节成为汉语词汇的主导形式的原因,而不是从语言自身探求双音化产生的动因。

以上三种主要观点中,"审美观念说"探求的其实是语言外部的动因,只有"语音简化说"和"语义繁化说"才是从语言内部对双音化动因进行探讨,所以,在此我们不对"审美观念说"进行评论。

"语音简化说"和"语义繁化说"这两种观点分别是以语言的两个基本要素——音和义为出发点寻求双音化产生的动因,它们都提到"交际"的问题:"汉语走上双音化道路的原因是什么? 总的来说是语言内部矛盾——交际任务同交际手段之间的矛盾推动的结果。"[6]"上古单音词的结构与语言的交际功能早就存在着矛盾。这个矛盾就是直接决定词汇向复音化发展的内因。"[7]语言是人类交际最重要的方式,交际是语言产生和存在的最根本动力。交际的基本矛盾在于形式和内容的矛盾,相应地,语言内部的基本矛盾就是语音形式和意义内容的矛盾,它是一切语言发展变化的总内因。从这个角度来说,"语音简化说"和"语义繁化说"的落脚点实际上是相同的,它们都将语言的形式和内容

---

[3] 吕叔湘《现代汉语单双音节问题初探》,《中国语文》1963年第1期。
[4] 冯胜利《汉语双音化的历史来源》,史有为主编《从语义信息到类型比较》,北京语言文化大学出版社,2001年。
[5] 马真《先秦复音词初探》,《北京大学学报》1981年第1期。
[6] 程湘清《先秦双音词研究》,《先秦汉语研究》,山东教育出版社,1992年。
[7] 潘允中《汉语词汇史概要》,39页,上海古籍出版社,1989年。

的矛盾作为双音化产生的前提,它们的区别只是对于激发语言形式和内容的矛盾的原因看法不同:前者认为是形式的简化引起内容的混淆,后者认为是内容的增加造成形式的不足。那么,在语音和语义两个因素中,到底哪一个才是真正挑起矛盾的"罪魁祸首"呢?

首先,从语言的功能上看,我们觉得语音简化促动了双音化的发生的说法缺少逻辑上的说服力。语言最重要的功能是交际,一般来说,语音的简化的目的应该是为了更好地交际,是以不妨碍正常交际为前提的。如果语音简化之后,反而造成同音词大量增加,从而使交际变得很困难,那么,人们为何还要让这种简化发生呢?这其中的原因实在令人费解。

其次,从形式和内容的关系上看,语音是词的形式,语义是词的内容,形式再重要,归根结底还是要由内容来决定的。如果语义内容一直没有超出语音形式所能负荷的范围,向语音形式提出新的要求,那么,语音形式即使再简化应该也不会引发形式和内容的矛盾,促使新形式产生。因此,语音形式的不足只可能是双音化出现的必要条件,而非动因。

再次,从汉语词汇双音化的发生时间上看,汉语的双音化始于商周,而语音简化则是中古的事情,双音化的出现要远远早于语音系统的简化,所以语音的简化不可能是双音化发生的动因,反而可能是双音化的出现为中古汉语语音系统简化提供了条件,因为双音节的长度能轻松地满足词义区别的需要,减轻单音节的负荷,这样一来,单音节就无须太复杂了,出于交际便利的考虑,人们于是逐渐简化汉语语音系统,使每一个音节变得更为简单。

最后,从双音词的造词方式上看,合成造词早于语音造词,在各种合成造词方式中,偏正式又是最早出现、最占优势的方式。在所有的双音结构中,偏正式最便于对事物进行修饰限定,能使意义的表达更加精确、细密,是最适合用来分化单音词词义,增加新词的。如果说汉语走向双音化仅仅是为了避免因语音简化而带来的同音词问题,那么语音造词应是最能直接解决问题的方式,而在合成造词的各种方式中,同义并列式是通过增加一个音节来区分同音词,相比偏正式,解决语音问题的目的也更明确,但这两种方式都没有成为最早出现、最占优势的造词方式,反而是追求语义精密化的偏正式拉开了汉语双音化的序幕,这就表明汉语双音化最初的动因应该不是为了解决语音形式上的问题,而是为了解决语义表达不够清晰了的问题。

通过以上的分析,我们认为不是语音的简化,而是语义的需求把汉语词汇推到了双音化的"大门"前,语义才应该是推动双音化历史形成的真正动力。事实上,这也是符合词汇发展的规律和汉语词汇发展的历史的。

词汇发展有三条重要规律[8]:累积律、区别律和协同律。累积律是指词汇的增长

---

[8] 词汇发展规律的看法来自王宁先生在《词源学》课(2002年)上的观点。

不是置换型的,而是累积型的,新词的产生并不意味着旧词就会消失。区别律是指词形与词形之间要有足够的区别度,以使表达清晰准确。协同律指语言的各要素是协同发展的。这三条规律在汉语词汇走向双音化道路中起了重要作用。

纵观汉语词汇的发展,主要经历了原生阶段、派生阶段与合成阶段三个阶段。其中,原生阶段和派生阶段的词汇都以单音词为主,合成阶段的词汇以双音词为主,派生阶段是汉语词汇积累最重要的阶段,在这个阶段派生了大量的单音新词。[9] 由于累积律,原生阶段和派生阶段产生的词汇大多数都保留了下来,而新的语义却在不断涌现,新旧语义并存,当积攒到一定程度的时候,单音节的语音形式和日益增加的语义内容之间的矛盾就爆发了。区别律要求新的语义应有新的表现形式以区别于旧语义,但是,语音系统内部的音素是有限的,能组合成的音节数量也是有限的,每个新词不可能都用一个不同的音节表示,所以在派生造词阶段的末期产生了大量的同音词和多义词。同音词或多义词在形式上没有区别,不利于人们交流,显然,单音节这种区别手段不能满足需要了。根据协同律,语音和语义应协同发展,语音既然已不能适应语义的发展,就必须做出相应的调整,增加区别手段。

有两种方法可以增加语音的区别度,一种是繁化原有的音系,即增加音节的组成元素,加大音节与音节之间的区别度,这种方法只能在一定限度内发挥作用,因为音系内部的元素增加、音节的加长要以人们的承受力为限度,当超过某个界限时,人们的记忆会不堪重负,反而阻碍交际的正常进行。

另一种方法是保持原有的语音系统,改变词的生成方式,即利用已有的单音词两两结合,生成新词,这种双音合成造词的方法有这样一些优点:第一,可以同时满足意义和形式两方面的需要:意义方面,两个单音词的结合并不是两个意义的简单相加,而是结合后生成新的意义;形式方面,两个音节的区别度远胜于一个音节,据计算,汉语音节可以组合成一百六十多万个双音节词,[10] 这大大超出了汉语的常用词量,所以双音节的形式可以极大地满足词汇增长的需要。第二,汉语语素是单音节的,利用双音合成手段造词既没有改变语素的单音性质,又没有使词汇系统增加新的元素,却能生成数量庞大的新词,而且词与词之间形成了一种有序联系,这是一种系统化的造词方式,更适合汉语词汇的发展;况且,在派生阶段,汉语已经积累了足够数量的单音构词元素,为合成造词创造了必要的条件。第三,双音合成造词是一种"义合"的造词方式,体现了中国古人重视意义的观念,也符合他们对汉语词义内部结构的体会和认识。

在以上两种方法中,汉语最终选择了双音合成造词的方式来解决语音和语义的矛

---

[9] 王宁《训诂学原理》,146—147 页,中国国际广播出版社,1996 年。
[10] 李国鹏《汉语词汇双音化的根本原因》,《抚州师专学报》1984 年第 4 期。

盾,迈入了双音化的"大门"。于是在两汉之后,大规模的、系统的单音派生造词逐渐停止,双音合成造词逐渐取代了派生造词,成为汉语主要的造词手段。

综上所述,我们认为汉语词汇走上双音化道路是汉语词汇发展到一定阶段,在语义的推动下,在累积律、区别律和协同律共同作用下产生的必然结果。

二

两汉以后,汉语采用双音合成造词为主要的造词手段,使得双音合成词在汉语词汇中的比重日趋上升,到了现代汉语阶段,双音合成词已经成为汉语词汇的主力。现代汉语双音合成词主要有两种来源:一种是双音短语词化,即双音短语由句法层面进入词法层面;一种是利用双音形式直接构词。这两种合成词产生的途径从发生学的角度来说是有先后次序的,由第二种途径产生的合成词只有在汉语走上双音化道路后才可能大量出现,因为选择什么样的形式创造新词要受该形式在词汇中的比重的制约,当大批的双音短语词化,形成一定的构形模式之后,人们才会利用这种构形模式直接创造新词。不过,这两种创造双音合成词的途径之间并不是替代关系,当它们都出现以后就共同存在,一起参与新词的创造。

在短语词化和直接构词两种来源中,应当说,短语词化占据更重要的地位。首先,从数量上看,现代汉语的双音词有相当大的部分是在过去的双音结构,尤其是双音短语基础上词化而成的。语言为了满足交际的要求,必须具有传承性、累积性,作为语言的要素之一的词汇也是如此,双音短语词化造成了大量的双音合成词,使双音形式成为汉语词汇的一种重要形式,这些已经产生的双音合成词会长期传承下来,人们不会再为它们指称的事物寻求新的表达形式,除非它们已不适应表达的需要,所以,现代汉语中的许多双音合成词是在历史发展过程中积淀下来的。双音短语词化不仅在历史上为汉语词汇输送了大量的新词,而且为后来的双音造词提供了基本的语义结合模式,双音化形成规模以后产生的双音词只是在双音化潮流推动下的同化类推。其次,汉语词汇研究中存在着的一些难题,比如,汉语双音合成词的成词标准如何确定、离合词属于词还是短语等问题,其实都是由于大多数双音合成词来自双音短语造成的。因此,我们认为在双音合成词的研究中,短语词化规律的探讨具有非常重要的意义。

虽然双音合成词大多数来源于双音短语词化,但并不是所有的双音短语都能够凝固成词,什么样的双音短语容易凝固成词是双音短语词化研究的重要问题。人们往往会从文化的角度解释某些双音短语凝固成词的原因,但文化只是外部因素,决定双音短语能否凝结成词的内因还是应当从语言的内部寻找。

双音化是在语义的推动下发生的,所以,探求制约双音短语凝结成词的因素首先也应该从语义方面进行考虑。由于双音短语词化是一个由非词到词的语言现象,因此,只靠分析已经形成的双音合成词或只考虑未成词前的双音短语都不可能总结出短语凝结成词的条件,我们必须借助于一批由双音短语演变来的双音合成词,考察它们结合之初语素各自的特点,语素之间的语义关系以及结合后会生成怎样的词义才能总结出来。比如,语素意义特点对语素结合有很大的影响:

"衣"和"服"是意义非常近的两个语素,在现代汉语中它们都可以表示人的穿着,但是这两个语素的语义特点有差别,而语义特点的差别影响了它们和其他语素结合成词的成功率。《说文·衣部》:"衣,依也。"《说文·舟部》:"服,用也。"从《说文》的训释来看,"衣"指穿在人身上遮蔽身体和御寒的东西,特点是依附、附着在人身上,而且在先秦文献中,"衣"一般指上衣,和"裳"相对,所以有"衣裳"的连用。"服"则不是指一般穿的衣服,而是指器用(包括衣服),所以"车服"常连用。"服"的特点是和一定场合相匹配的,所以,表示衣服时,和身份、地位、场合有关,而且往往是指包括鞋帽在内的一整套礼服。当面对表示身份、地位、场合、功用等方面的语素时,"服"就比"衣"更具有和它们结合成词的优势,因为"服"和这些语素的语义关系更紧密,如"礼服"、"常服"、"军服"、"校服"等;而遇到表示质地、材料等方面的语素时,"衣"就占了上风,因为"衣"强调的是穿在人身上,它的质地、材料的不同会给人带来不同的感觉,如"毛衣"、"棉衣"、"绒衣"等。因此,人们在丧礼上、服丧期间所穿的衣服叫"丧服",而用麻布做的丧服则叫作"麻衣"。此外,由于"衣"的特点是依附、附着,所以贴身穿的衣服叫"内衣",这个特点使"衣"不仅可以表示人穿的衣服,还可以用来表示事物的外表的物质,如"地衣"、"糖衣"等,这其中的"衣"就不能替换成"服"。

双音合成词的两个语素之间的语义关系也非常重要,它关系到分析、总结语素结合成词的条件。有时候两个语素之间的语义关系是比较明显的,如"老人"、"军事"、"乐器"、"童谣"、"宝剑"等,但大多数时候语素之间的语义关系并不明显,或者是表层语义关系不能反映语素之间真正的关系,这种时候我们需要寻找它们结合时的理据,通过理据判断它们的深层语义关系。比如"黄泉"一词,如果按照一般的语义搭配描写,应该是"颜色+地理事物",但这种描写只是告诉我们两个语素所属的语义类别,至于"黄"和"泉"有什么关系,为什么会选择"黄"来修饰"泉",而且它们结合后还可以表示"人死后的葬身之处",就不得而知了。如果我们追溯它的理据,就会知道"黄泉"的本义不是指"黄颜色的泉",而是指"地中之泉"[11],或者说"地下之泉"[12]。因为先秦时候中国的

---

[11] 《春秋左传正义·隐公元年》杜预注,《十三经注疏》,1716 页,中华书局,1980 年。
[12] 杨伯峻《春秋左传注》(一),14 页,中华书局,1990 年。

疆土主要在黄河流域,那里的土地是黄颜色的,所以"黄"可以指代"土地","黄泉"即指"黄色(土地中)的泉水"。"黄"表示颜色的意义在此是间接的,它和"泉"结合时中间省略了"土地"这一关键语义。那么,为何不用"地"而用"黄"来修饰"泉"呢?这是因为在古代,"泉"泛指地下水,露出地表的叫"泉",不露出地表的也叫"泉"。[13] 如果叫"地泉",则可以指地表之泉,也可以指地下之泉,语义指向不够明确。为了区分地表和地下的泉水,就必须给其中一种泉水另外选择一个语素。因为泉水一般是无色的,利用表示土地颜色的"黄"来突出这种泉水处于地中的特点,就可以将地下之泉和地表之泉区别开来了。中国古代的丧葬制度是土葬,古人死后都要埋在地下,可是人们不愿直接称呼葬身之处,于是就委婉地用"黄泉"来指称,"黄泉"也就逐渐地有了"人死后葬身之处"的意义。当"黄泉"表示"地下之泉"时,语素之间的语义关系就不够明晰了;当表示"人死后葬身之处"时,"黄泉"已作为一个整体来被认知,"黄"和"泉"之间原来暗含的"土地"的语义就更模糊了。实际上,从双音词的语义结合规律来看,单纯表示颜色的语素是不易和其他语素结合成词的,"黄泉"能词化很大程度上是因为在结合时"黄"是作为"土地"的借代,而且结合后,"黄泉"在整体上发展出了专门的意义。这个例子说明只看表面的语义搭配不能准确深入地了解双音合成词语素的语义关系,必须通过理据探求出深层的语义关系,才能在此基础上总结语素结合的语义条件。

以上这些例子告诉我们,两个语素结合成词并不是随意的,它们之间的相互选择是有语义上的限制的,语素在句法层面上可以组合并不意味着在词法层面上就一定能结合,语素在词法层面上结合时受到的语义限制有的是个性化的,有的则是共性的,如果我们能将那些共性的语义限制总结成规律,势必会对我们进一步深入了解汉语双音合成词的生成机制有很大的帮助。

双音合成词的研究有语法、语音、语义等多方面,目前和语法、语音角度的研究相比,语义角度的研究还不够充分,但语义角度的研究在双音合成词研究中占有非常重要的位置。它不仅能帮助我们解决汉语词汇研究中的许多难题,而且直接影响汉语词汇语义学的建设。我们主张语义促动了双音化的发生并推动了双音化的发展,基于这种认识,语义在双音合成词语素结合中发挥了什么样的作用也成为我们关注的重点。本文记录了我们对这些问题的粗浅思考,希望能为双音化的语义角度研究提供一些新的思路。

(符渝:对外经济贸易大学人文与行政学院,100029,北京)

---

[13] 王凤阳《古辞辨》,54页,吉林文史出版社,1993年。

中型语文词典加强释义理据性的体会*

赵丕杰

提要： 本文分析了目前一般中型词典在释义中对词的理据反映不够的现状，提出在释义中加强词义理据性注释的必要性和重要性。对不揭示理据就难以理解或容易误解的词，特别是文化词、典故词、具有比喻借代意义而不易理解的词、语素间语义关系复杂的词、外来音译词以及某些异形词，应尽量简明扼要地说明理据。

关键词： 中型语文词典　词的理据　释义

词的理据，通俗地说，就是用某个词称说某种事物的理由和根据，或者说是一个词得名的由来。有人称之为词的内部形式。[1]它是当代语义学和传统词源学里一项重要的研究内容。深入研究词的理据，特别是从微观上把每一个含有理据的词都探求清楚，是一项艰巨浩繁的工作。近年来，国内已有一批论著相继发表出版，取得了可喜的成果。研究词的理据，不仅具有重要的理论意义，而且具有重要的实践意义。它可以帮助人们正确理解词义，纠正对词义的误解，而且，对编写出高质量的具有丰富文化内涵的语文词典也会有所帮助，可以使读者不仅知其然而且知其所以然，从而准确地理解、掌握和运用词语。

这里仅就在中型语文词典的编纂中如何运用词的理据的研究成果，加强释义的理据性，谈谈个人的想法。

一

现代汉语的词汇以复音词为主，其中，大多数是复合词和派生词，因此，多数是有理据可寻的。显然，在辞书的编纂中应该而且必须对此有所反映。但是，目前除了几部大型语文词典，如《汉语大词典》《辞源》《辞海》等较多地注明词的理据外，一般中型语文词典，或者因为限于篇幅，或者因为对加强释义的理据性的意义认识不足，一般多停留在

---

* 本文写作过程中得到曹先擢、谢自立、余志鸿、季恒铨、钮葆先生的帮助，谨致谢忱。
[1] 张永言《词汇学简论》，华中理工大学出版社，1986年。

对词的理性意义的解释上,涉及理据较少。正因为如此,理性意义的解释有时也很难到位,甚至容易出错。这主要表现在以下几个方面。

1.1 应说而未说

有些词语,不说明理据,读者很难理解为什么用这样的词形,为什么作这样的解释,容易产生疑惑或造成误解。例如:

(1) 昭然若揭　"昭然"是明显的意思,容易理解。什么叫"若揭"呢? 容易使人误解为"像被揭发一样"。

(2) 纸醉金迷　读者很难理解:金可以迷人,酒可以醉人,纸怎么能醉人呢?

(3) 鸨儿、鸨母　鸨是一种鸟,何以比喻妓女或妓女的养母呢?

(4) 干啤、干红、干白　啤酒、葡萄酒,明明都是酒,而且是低度酒(某些酒精含量高,水分少的白酒可以称"干",如"白干"),何以说"干"?

不少词典对诸如此类的词语并未说明理据,没有为读者析疑解惑,读者查了词典还是弄不明白。

1.2 说而不清或说而不确

有些词语,释义中虽然涉及了理据,但是没有说清楚,没有说准确,甚至混流为源,望文生义,造成不应有的错误。例如:

(1) 昭然若揭　有的词典[2]只说"形容真相完全暴露出来",并未落实到字(语素)面意义的分析。有的词典说:"揭:举。明显得像高举着日月一样,形容清清楚楚,真相大白。"虽然已从语素分析出发,但"揭"何以就是举着日月,而不是举着火把或灯笼,仍不清楚。其实,只要说明语出《庄子·达生》"昭昭乎若揭日月而行也"(明显得像顶着日月走路一样),一切都清楚了。

(2) 执牛耳　有的词典释为:"……主盟人亲手割牛耳取血,故用'执牛耳'指盟主。"有的词典释为:"由主盟的人割牛耳取血,盛在盘里,供与盟的人取用。"既然如此,为什么不说"割"而说"执",不说"牛血"而说"牛耳"呢?据《周礼·秋官·司盟》《夏官·戎右》《天官·玉府》的记载,古代诸侯会盟由戎右(车右)帮助主持会盟仪式的司盟杀掉牺牲牛,先割牛的左耳,放在珠盘里,交给盟主拿着,称为"执牛耳";再取牛血盛于玉敦,由

---

[2] 本文引例大多采自《现代汉语词典》(商务印书馆,2002年增补本),少数引自《应用汉语词典》(商务印书馆,2000年版)、《新华词典》(商务印书馆,2001年修订版)、《中学生规范词典》(中国青年出版社,2001年版),以及王艾录《汉语理据词典》(北京语言学院出版社,1995年版)。每个引例后不再一一指明出处。

戎右拿着,请盟主以牲血涂唇,接着与盟者依次以牲血涂唇。《玉府》郑玄注说得很清楚:"合诸侯者,必割牛耳,取其血,歃之以盟。珠槃以盛牛耳,尸盟者执之。"所以,才用"执牛耳"指盟主,后借指在某领域中居于领导地位的人。

(3) 夫人 有的词典说"夫人"的"夫"是满语"福晋"的缩略,也就是说,"夫人"一词源于满语。汉语中确有一些词源于满语,但"夫人"一词早在先秦就出现了[3],绝不可能源于满语。相反,如果说满语的"福晋"源于汉语的"夫人",倒有案可查。

(4) 胭脂 有的词典说:"胭通燕(yān)。此物产于燕地,调脂饰女面。"按"胭脂"也作"燕支",是一种草,可以提取红色颜料。燕支并非产于在今河北北部、辽宁西部的燕地,而产于在今甘肃的燕支山,古属匈奴。匈奴失此山后,曾作歌曰:"失此燕支山,使我妇女无颜色。"可见,"胭脂"是古代匈奴族语言的音译,不可望文生义,分训连语。

1.3 误解字义

复合词的词义同语素义或语素之间语义的结构关系有着密不可分的联系,弄清语素义不仅是释义的必由之路,也是揭示理据的重要途径。而现在有些词典常常忽视这一点。由于误解了语素义或语义结构以致解释不确甚至错误的情况,在辞书中也屡见不鲜。例如:

(1) 指斥 有的词典释为"指名斥责",释"指"为指名。"指斥"一词古有"直面指称"义。蔡邕《独断》:"谓之陛下者,群臣与天子言,不敢指斥,故呼在陛下者而告之,因卑达尊之意也。"在这个意义中,"斥"也是指的意思。如《诗·周颂·雝》:"假哉皇考。"郑玄笺:"皇考,斥文王也。"故"指斥"是同义连文,相当于现代汉语"指称"。而作"责备"义讲时,两个字(语素)的意义都发生了变化,"斥"是斥责,"指"也是斥责。如《汉书·王嘉传》:"千人所指,无病而死。"两个语素仍是同义连文。同样,由"指"构成的"指责""指摘""指控"诸词,均不能释为"指名责备"或"指名控诉",也可以证明"指"就是斥责,不是指名道姓。

(2) 赞助 有的词典释为"赞同并帮助",不确。"赞"就是帮助。《书·大禹谟》:"益赞于禹。"孔传:"赞,佐。"《吕氏春秋·务大》:"交相为赞。"高诱注:"赞,助也。"可见"赞助"也是同义连文,不是赞同并帮助。

(3) 扑救 有的词典释为"扑灭火灾,抢救人和财物",把两个语素理解为并列关系,分开解释,有违原意。"扑"是扑打,"救"是使灾难终止。《说文》:"救,止也。""扑救"

---

[3] 《礼记·曲礼下》:"公侯有夫人,有世妇,有妻,有妾。"

应作扑而救之(使之止)解释,其结构同"扑灭"[4](扑而灭之)。"扑救"最典型的用例是"扑救森林火灾",正可以反映这个词的词义。

(4) 名状　有的词典释为"说出事物的状态",以"说出"释"名",以"事物的状态"释"状",把两个语素理解为动宾关系。其实"状"就是陈述、描绘。《庄子·德充符》:"自状其过。"《文心雕龙·物色》:"故'灼灼'状桃花之鲜,'依依'尽杨柳之貌"。"名状"就是用语言形容描绘,两个语素是并列关系。

(5) 就义　许多词典简单地释为:"为正义事业而牺牲。"这就体现不出"就义"与"牺牲"的区别。"就"是动词,走向。"就义"就是走向正义,即在可以选择的情况下,甘愿为正义而死,是死者的自愿行为,如文天祥、谭嗣同之死。而在战场上中弹身亡,不幸惨遭敌人杀害,都不能说"就义"。

二

鉴于目前一般中型语文词典在释义的理据性上还存在着某些不足,我们认为在释义中适当增加对词的理据的说明,以进一步提高释义的准确性,丰富释义的文化内涵,帮助读者更好地理解词义,是完全必要的。这是提高词典质量的一个重要环节,是词典编纂者应该认真探讨和努力实践的课题。但是,中型语文词典不同于大型辞书,更不是专门的理据词典,因此,所谓加强理据性,只能是根据需要和可能,适当地、恰如其分地增加这方面的内容。过犹不及,把握住一个适当的度,是至关重要的。

2.1　需要性

先说需要。目前,多数中型语文词典是以中等或中等以上文化程度的读者为服务对象的,因此,加强释义的理据性必须把适应和满足这个文化层次的读者的需要作为出发点。对于从字面上就能看出来或者通过简单联想就能体会的显性理据,自然不必多说;对于只要正确解释了词义,就能体现出词的理据的,也不必多说。如"牛刀"和"马刀"语素之间的语义结构关系是不同的,但是,只要释出一个是"宰牛用的刀",一个是"骑马作战时用的刀",就可以了。又如"椅子"所以得名,是有理据的。"椅",字本作"倚",因为可以倚才叫"椅"。但是,只要释为"有靠背可倚的坐具",就体现了词的理据,不必再说何以得名。成语一般都是有出处的,但是,有相当一部分只要讲清字面意义读者就可以理解,便不必再赘引经典出处。例如"不可救药"只要讲清楚"救药"是救之以

---

[4]　见《尚书·商书·盘庚上》:"若火之燎于原,不可向迩,其犹可扑灭。"

药,就不必说明语出《诗·大雅·板》"多将熇熇,不可救药"了。

对于隐性理据,特别是不揭示理据就难于理解其词义的,而目前一般中型词书又未予揭示,或说而不清,说而不确的,则要尽可能说明理据。张志毅先生在《词的理据》一文中说:"在一般语文词典中,对于不透明的古词、术语、疑难词语以及具有流俗词源的词,都要注明其理据。"这一观点很有道理。具体说,以下几个方面的词语更应着重说明。

2.1.1 文化词

某一个词的出现,往往跟特定的文化制度或文化现象相关联,而现在一般读者对那时的文化制度或文化现象已经不甚了解,理解起来自然比较困难,这就需要加以说明。例如:

(1) 公主　周代天子嫁女于诸侯,由同姓诸侯主婚,东周时公已成为诸侯的通称,所以,用"公主"代称帝王的女儿。

(2) 大(dài)夫　宋代医官的官阶有大夫、郎、医效、祗侯等,大夫为官阶最高的医官,后遂尊称医生为大夫。

(3) 饺子　明清两代习俗,饺子必须在除夕之夜亥末子初时包完,取"更岁交子"之意,后在"交"上加"食"旁,便成"饺子"了。

2.1.2 典故词

凡是不说明典故的来历就不易理解何以用来表示今天的意思的,都要尽可能说明理据。例如:

(1) 掎角之势　有的词典释为"比喻作战时分兵牵制或合兵夹击的形势",释义正确,但未说明何谓"掎角",何以用它比喻这种形势。"掎角"后人也有写作"犄角"的[5],有的词典也收"犄角之势",有人因而误解为"有如两只兽角在角斗中互相配合"。因此,应说明语出《左传·襄公十四年》"譬如捕鹿,晋人角之(执其角),诸戎掎之(拖其腿),与晋踣之"。

(2) 纸醉金迷　宋人陶谷《清异录·居室》记载,唐人孟斧把自己房间里的家具都包上金纸,闪闪发光,见到的人都说在那屋里待一会儿,"令人金迷纸醉"。

(3) 每况愈下　原作"每下愈况",指情况愈往下发展愈严重(况:甚)。语出《庄

---

[5] 宋·石介《上赵先生书》:"先生掎之,介等角之。"《水浒传》九十一回:"与城内相为犄角。"《东周列国志》七十三回:"[吴兵]乃分作两寨,为犄角之势,与楚将相持。"

子·知北游》"正获之问于监市履狶也,每下愈况"。意思是用脚踩猪腿来验猪,越往下踩越能看出猪的肥瘦。后来讹变为"每况愈下",字面上就讲不通了。

(4) 黑马 英国本杰朗·迪斯勒利《年轻的公爵》中描述一匹其貌不扬、不被人看好的黑马,却在一次赛马中一举夺魁。后用"黑马"比喻在竞赛中出人意料取胜的竞争者。

2.1.3 不易理解的比喻词、借代词

汉语的词义不一定都是语素意义的复合或词义的直接引申,往往通过比喻、借代的方式进行扩展。词语的比喻义、借代义几经辗转,其理据性深深隐藏,往往不易发现。这就需要我们加以说明。例如:

(1) 鸨儿、鸨母 古人认为鸨是淫鸟,明·朱权《丹丘先生曲论》:"鸨……喜淫而无厌,诸鸟求之即就。"后因称妓女为鸨儿,妓女的养母为鸨母。

(2) 银汉 即天河。银喻其色,汉(汉水,古人认为最大的河流之一)喻其形。

(3) 裲裆 也作"两当",古代一种只遮蔽胸背、长仅至腰的上衣,类似今之背心。因为没有袖子,只能当(遮蔽)背、当心,故名。

2.1.4 语义关系不易理解的复合词

众多复合词的语义关系是显性的,即词义可以从语素义的组合关系得到明示。如前引"银汉"可理解为"银色的汉水",尽管词义具有比喻性质,不能从语素意义直接获得,但是其语素之间的结构关系还是明显的,"银"修饰"汉",可以与"银河"相比照。然而,相当一部分复合词的语素义或语素之间的结构关系并不明显,必须从词语的人文背景、社会历史等角度作全面考察,进行解释,才能准确把握。例如:

(1) 冬至 一般词典均只释为二十四节气之一,这一天北半球白昼最短,夜间最长,并未说明何以称为冬至。容易使人从语素的表层意义误解为"冬天到了"。因此,必须说明"至"是极点的意思,"冬"与"至"是修饰关系,不是陈述关系。古人认为冬至日阴气达到极点,阳气即将回升,所以把冬至看作节气的起点,并当作仅次于新年的重要节日。

(2) 物故 指人死亡。"物"通"歾",死。[6] 所以,"物"与"故"是并列关系,不能误

---

[6] "物故"一词,自古众说纷纭,当以王念孙说为是。王念孙《读书杂志·汉书第十》"物故"条:"物与歾同。《说文》:歾,终也。或作殁。殁、物声近而字通。歾故,犹言死亡。诸家皆不知物为歾之借字,故求之愈深而失之愈远也。"

解为陈述关系。虽然古代汉语里"物"也有指人的用法,但这里却不是。

（3）中表　即表亲,包括跟祖母、母亲的兄弟姐妹的子女的亲戚关系和跟祖父、父亲的姐妹的子女的亲戚关系。"中"指内,"表"指外,前者属"内",后者属"外"。清·梁章钜《称谓录·母之兄弟之子》:"中表犹言内外也。姑之子为外兄弟,舅之子为内兄弟,故有中表之称。"这是中国封建宗法体系下形成的一种特殊人际关系,仅从语素本身的意义是无法了解的。

2.1.5　外来的音译词

汉语借词有借形的,有借音的。借形的外来词叫借形词。它们主要来自日语的汉字词。现在出现了一些来自英语的字母词,它们也属于借形词。借音的外来词叫音译词。这里主要讨论借音的音译词。音译词所用的字只表音不表义,应该说无理据可言。但是,在词典的释义中刻意指出它是音译词,从某种角度上说也是一种理据。特别是有一些中外合璧的音译兼意词或音译加注词,很容易被误认为是汉语固有的词,如早期的菠菜、忏悔、驿站,晚近的拖拉机、保龄球、俱乐部、蹦极等,如不交代清楚,很容易造成错觉。例如：

（1）拉力赛　"拉力"是英语 rally 的音译,一种竞技体育比赛项目。为了使词义明确,用"赛"字加注。

（2）拖拉机　"拖拉"是俄语 TPAKTOP 的音译,是一种农业机械。同样,为了明确意义,也添加了"机",以显示其类属。

（3）黑客　英语 hacker 的音译兼意。原指本不属于电子计算机专业但对电脑技术非常精通的人;现多指能编写解密程序、非法侵入他人电脑系统进行恶意破坏的人。这类词最容易误解,必须加以说明,不能简单地从字面着手寻找理据。

（4）干啤、干白、干红　目前词典都把其中的"干"释为不含糖分的或低糖的。释义正确,但未说明此义何以称"干"。"干"是法语 sec 的意译。这个词在法语中既有干燥义,又有不含糖分义。译为"干"是误译,但已流传开来,很难改变了。虽然我们无法改变已经形成的词形,但是我们有理由了解它们的来由。

2.1.6　某些异形词

异形词是指普通话书面语中并存并用的同音、同义而书写形式不同的词语。在词典注释词义时对异形词进行有意识的引导,推荐规范的词形是十分必要的,也是保证汉语健康发展、排除信息传递干扰的一项重要举措。但是,对异形词的规范也要说明理据,使人信服,才能达到推荐引导的目的。因为理据性原则正是整理异形词的三个主要原则(还有通用性原则、系统性原则)之一。例如：

(1) 规诚—规戒、劝诚—劝戒 "戒""诚"为同源字,在古代二者皆有告诫和警戒义,但在现代汉语中"诚"多表告诫义,"戒"多表警戒义。"诚"的语素义与复合词的词义更为吻合,故以"规诚""劝诚"为推荐词形。

(2) 交代—交待 "交代"一词始见于《汉书》,原意是交接代替,《汉书·元后传》:"新故交代之际。"引申为把自己经管的事交给接替的人;把自己的意图、嘱咐告诉别人;再引申为说明、解释,特指如实地说明自己的错误或罪行。现代口语中还表示完结,如"这条命差点儿交代了",也是"交代"的引申义;因为任务一经交代给别人,自己的使命就算完结了。而"交待"一词始见于《三国志·蜀书·杨戏传》:"交待无礼。"意思是待人轻慢无礼。可见,"交待"是交际接待的意思,古代只此一义,与"交接代替"义毫不相干。最近几十年才出现有人把"交待"用如"交代"的现象。"待""代"二字古不同音("待"是定母上声字),不能通用。吴小如先生早在80年代初期就曾撰文指出作"待"是写别字。据此,显然应以"交代"为推荐词形。

(3) 发怵—发憷、怵头—憷头、怵场—憷场 "怵"的本义是害怕,《说文》:"怵,恐也。"《广雅·释诂》:"怵,惧也。"《孟子·公孙丑上》:"今人乍见孺子入于井,皆有怵惕恻隐之心。"《庄子·应帝王》:"劳形怵心。"这个意义一直延用下来,文康《儿女英雄传》三十六回:"待要进去,又怵着不敢进去。"在成语"怵目惊心"、惯用语"怵怵怛怛"中也保留了这个用法。"憷"字古已有之,音 chǔ,《广韵》:"憷,痛也。"不读 chù,与害怕义毫不相干。把"憷"用如"怵",《汉语大字典》《汉语大词典》均只举了孔厥、袁静《新儿女英雄传》中的例子,于古无征,显系后人误用。因此,当害怕讲的"怵",和由"怵"组成的复合词"发怵""怵头""怵场"等,都应以"怵"为规范词形。

2.2 可能性

再说可能。探索词的理据,是一件尚待深入开发的工程。许多词语的理据因时代久远而难以考究,有的因词义一再引申而源流难以区分,而且,一般语文词典的编纂者也不能花很大的精力去专门从事理据的研究。但是,这并不是说不要讲究词的理据,而是需要我们认真吸收古人的成果,密切关注时贤的研究,也需要我们努力在词典的编纂过程中总结心得,结合自己的体会,在可能范围内,本着对读者负责的态度,适当增加对理据的说明。对于自己没有把握的,或者其说不一、尚无定论的,最好暂付阙如。不要做力所不及的事,像"夫人"源于满语之类的"理据",还是不说为好。

至于在词典中揭示词的理据的方法,应考虑到中型语文词典篇幅不大,不可能包容更多的理据这一特点,以言简意赅为原则。能在释义中体现的,一般不另作说明(如前举之"椅子");只解释一个语素义即能说明问题的,只括注语素义(如"马勺"括注"马:大","麦秋"括注"秋:指庄稼成熟的季节","毛巾"括注"毛:粗糙");能不引古书的尽量不引古书;需要特别说明得名由来的,也要尽量做到文字简约。

　　最后还想说一点的是,对于一本词典来说,适当加强释义的理据性,无疑会起到锦上添花的作用,给读者以更多的理性认识,对掌握词语会有一定帮助。但是,花必须添在锦上。对于词典编纂来说,"锦"就是释义的准确性。只有在释义的准确性上狠下功夫,同时适当增加理据,才能站得住脚,从而提高词典的质量。否则不分主次,甚至本末倒置,那就有沦为哗众取宠的危险了。

　　以上说的仅仅是个人的一些想法和初步体会。由于并没有专门从事词源学的研究,对词的理据知之甚少,今不揣冒昧,胪陈如上,一是想就教于从事词源学研究和辞书编纂的专家,一是希望得到词源学界各位专家对词书编纂的关心和支持,使词书编纂工作更上一层楼。

参考文献

张志毅(1990)《词的理据》,《语言教学与研究》第 3 期。
教育部、国家语委(2002)《第一批异形词整理表》,语文出版社。

(赵丕杰:首都师范大学文学院,100101,北京)

论词的理据与编码度的关系

解 海 江

提要: 编码度指语言中用词汇描述某方面经验的精细程度。文章通过汉外、汉语方言与普通话、汉语方言与方言及汉语古今四个方面的对比论证编码度与语义场理据饱和度之间存在对应关系,并提出两条相关定理:(1)编码时对语义特征的提取愈精细、具体,语义场的理据饱和度愈高,语义场提供义位的数目愈多,描述相关经验的精细程度愈高,则编码度愈高;(2)编码时提取的语义特征愈概括、抽象,语义场理据饱和度愈低,语义场内划分出的义位数目愈少,描述相关经验的精细程度愈低,则编码度愈低。

关键词: 理据 编码度 语义场

0. 编码度(codability),指语言中用词汇描述某方面经验的精细程度,因为对某些事物、事件、经验和状态如何描述或命名,各种语言的能力高低不同。[1]例如,英语中区别 blue 和 green 两种颜色,而有些英语描写这一颜色范围却只用一个词。其实,从语义场的角度看,编码度就是语义场内义位划分的精细程度。那么,编码度与词的理据有什么关系呢? 词的理据(motivation),是指用某个词称呼某事物的理由和根据,它关心的是词和事物命名特征之间的关系。[2]不同语言系统对相对应的事物、事件、经验和状态编码时提取的语义特征的概括或精细程度与语义场内义位划分的精细程度是相关的。这里,我们提出语义场"理据饱和度"的概念。所谓"理据饱和度",指语义场内义位划分时提取的语义特征的概括或精细程度。编码度与语义场的理据饱和度有对应关系。不同语言系统对相对应的事物、事件、经验和状态编码时提取的语义特征的概括或精细程度与语义场切分的精细程度是相互影响的。由此,提出两条相关的定理:(1)编码时对语义特征的提取愈精细、具体,即语义场理据饱

---

[1] Miller, G. A & Johnson-Laird, P. N, *Language and Perception*, Harvard University Press, 1976; J. C. Richard, J. Platt and H. Platt, *Longman Dictionary of Language Teaching & Applied Linguistics*, 70页,外语教学与研究出版社,2000年;王宗炎《英汉应用语言学词典》,54页,湖南教育出版社,1988年;张志毅、张庆云《词汇语义学》,78页,商务印书馆,2001年。

[2] 张志毅《词的理据》,见《词与词典》,中国广播电视大学出版社,1994年。

和度愈高,语义场提供义位的数目愈多,描述相关经验的精细程度愈高,则编码度愈高;(2)编码时提取的语义特征愈概括、抽象,即语义场理据饱和度愈低,语义场内划分出的义位数目愈少,描述相关经验的精细程度愈低,则编码度愈低。反之,不同语言系统对相对应的事物、事件、经验或状态进行编码时,编码度愈高的语言对语义特征的提取愈精细,编码度低的语言对语义特征的提取愈概括。这种关系既存在于不同语言之间,又存在于同一语言如汉语的普通话与方言之间、方言与方言之间和语言的不同断代之间。

1. 汉外对比。各民族表意和指物的语言模式不同,对现实事物概括的程度不同,对事物命名时提取的特征不同,因此,通过不同语言的对比可以发现,不同语言的一个对应语义场,被划分出的义位多寡不同,语义场划分的精细度有异,编码度不同。

汉语和英语相对应的最小烹饪子场"用蒸汽把食物弄熟或弄热",汉语和英语相对应的义位分别是"蒸"和 steam;但汉语中,"蒸"这一上义义位下,根据不同的对象还有不同的名称,分出了下义义场:清蒸、烠、馏、烀。[3] "清蒸"的对象是"不放酱油而带少量汤的鸡、鱼、肉","烠"和"馏"的对象是"凉的熟食","烀"的对象是"生的地瓜、白薯等"。可见,汉语和英语"蒸"语义场相比,汉语"蒸"语义场的义位语义特征提取精细、具体,英语对语义特征的提取概括,汉语比英语"蒸"语义场的编码度高。

在不同语言形态理据[4]的对比中可以发现语言间不同的理据模式与编码度的关系。俄语经常用加后缀的方法表示其理据性,汉语却经常用复合词表示其理据性。[5] 从下面的俄汉相对应词的形态理据对比中可以看出俄汉不同的理据模式与编码的精细程度有关,见表1。俄语词的语素构成大致可以用"空间位置+身体部位+表示物品的后缀"表示,即都是"前缀+根词缀+后缀";汉语词的语素构成大致包括"身体部位+功能",构词类型大多属于偏正结构。两者比较,可以发现,对同一物品命名方式是不一样的:俄语例词都是依据指明所在的空间位置来命名,如"眼睛上的东西"(наглазник)、"手上的东西"(наручник)等等;而汉语则大多通过指明功能来命名,如"保护膝盖的""枕着头的""垫肩膀的",等等。至于"物品"则是一个隐含的义素,并无形态上物质体现。命名方式不同,即理据不同,带来了语义上的一个特点,即把"空间位置"作为称名根据,所指较泛,而把"功能"作为命名依据,所指较具体。[6] 例如 нагрудник 可以泛指

---

[3] 解海江、章黎平《英汉烹饪语义场对比研究》,《烟台师范学院学报》2002年第4期。
[4] 许余龙《对比语言学概论》,137页,上海教育出版社,1992年。
[5] 吴国华、杨喜昌《文化语义学》,68页,军事谊文出版社,2000年。
[6] 同上,70页。

胸上的东西,即"胸巾""护胸甲",甚至"围嘴";同样 наушник 可以泛指"耳朵上的东西",包括"扩耳""耳包",也可指"耳机",既不区分功能,也不区分适用对象是人还是牲畜。俄汉理据模式的差异造成编码度的差异:相对应语义场汉语对现实的切分就显得比俄语要细。

表 1

俄语	汉语
Набрюшник	肚兜 (比剑时用的)护腹甲
Наглазник	眼罩
Нагрудник	胸巾 围嘴 护胸甲
Наголовник	(妇女的)头饰; (马的)头饰
Назубник	(拳击时用的)护齿
Наколенник	护膝
Налокотник	护肘 (铠甲的)肘甲
Наплечник	垫肩 (古代甲胄)护肩
Наручник	手铐
Наушник	耳包 耳机
Подбородник	(笼头上的)勒颊带 (提琴上的)腮垫,腮托
Подбрюшник	肚带
Подлокотник	(圈椅的)扶手 栏杆的扶手
Подсердечник	横膈膜

2. 普通话和方言对比。普通话和厦门方言对"红"的分类和命名特征的选择存在着差异,与普通话和厦门方言"红"语义场编码度的差异有关。普通话和厦门方言都有辨色词"红",但普通话中还有"指色词"和"描色词"[7],指色词根据在浓度、亮度上的深浅、明暗变化给予不同的编码:赤、红、茜、绯红、绛、妃色、惨红、嫩红、粉红、淡红、浅红、深红、暗红、洋红、乳红、银红、鲜红、嫣红、艳红、焦红、大红、水红、朱红、血红、油红;还通过与"某种实物"或"某种状态"相比,对与"红"存有差别的不同红色给予编码:红珊瑚

---

[7] 李红印《现代汉语颜色词词汇语义系统研究》(北京大学 2001 年博士论文),94 页。

色、红铜色、椒红、砖红、柿红、潮红、酡红、猩红、橘红、枣红、火红、胭脂红、檀红、桃红、肉红、茶红、宝石红、鸡血红、海棠红、玛瑙红、玫瑰红、杜鹃红、杏红、樱桃红;此外,还有不同混色的红:榴花红、荔枝红、高粱红、橙红、锈红、褐红、紫红、殷红;而厦门方言只分出一种"水红"。描色词根据浓度、亮度等色彩信息和非色彩信息如质感、太感、触感、情感给予不同的编码:通红、红彤彤、红丹丹、红乎乎、红艳艳、红橙橙、红堂堂、红鲜鲜、红嫣嫣、红馥馥、红光光、红润、红酣酣、红扑扑、粉嘟嘟、红不棱登。普通话和厦门方言由于对"红"命名时提取的特征具体或概括程度的差异造成两者对"红"的编码度的差异,普通话对"红"的特征提取精细、具体,对"红"的描述提供的词汇多,编码度高;相反,厦门方言对"红"命名时提取特征概括,用一个词概括普通话中区别"色感"和"非色感"等不同特征的词。

3. 从汉语方言的比较也可以看出理据和编码度间的联系。牟平地处沿海,与地处内陆的方言区相比,牟平方言对"鱼""虾""蛤"命名时提取的事物特征较具体,编码精细。对"鱼"的分类,按生长环境分为咸水鱼和善水鱼、河鱼和海鱼,以形体特点命名有梭鱼、偏口儿刀鱼、鳞刀鱼、花鲭、牛舌头、辫子鱼,以食用特点有加级鱼、鲨鱼等,按颜色,加级鱼分红鳞加级儿和黑鳞加级儿,鲨鱼分白鲨、黄鲨;与之相对,内地方言"鱼"义场的编码度低,对"鱼"的命名则不需要那么多区别特征。如万荣方言"鱼"语义场中只有一个义位"鱼"。牟平方言中对"虾"的分类也较细:草虾(河虾)、对虾(大对虾)、蝼蛄虾、爬虾(虾爬子)。根据形体特点对"蛤"的分类有:花蛤儿、大花蛤儿、毛蛤儿、闪蛤儿、驴蹄子蛤儿、海红蛤儿、布蛤儿等。而地处内陆的万荣、西安等方言除一个泛称词外则没有关于"虾""蛤"的特称词。

不同方言对"冰""雪"的编码度不同与语义场内词的理据的精细或概括程度有关。哈尔滨方言按照"冰"的形状、质地特点对"冰"有不同的命名:冰流子、冰碴儿、冰脑子、冰层、疙瘩娄子、冻冰碴儿、跑冰排;按照"雪"的不同特点给予不同的称名:鹅毛大雪、棉花套子雪、大片儿雪、冒烟儿雪、大烟儿炮、烟儿炮、白毛儿风、小清雪、清雪儿、湿雪、雪糁子。而厦门、海口等方言"冰""雪"语义场没有针对"冰""雪"不同特点所给了的不同名称。

"笋",由于地理、气候条件不同,饮食习惯不同,对事物认识的差异和提取的事物特征不同,不同方言编码度不尽相同。上海方言分出竹笋、毛笋、冬笋、燕笋、早笋、迟笋、晚笋、(孵)鸡笋、禄笋、笋干、扁尖、托挺等 10 个义位,福州、南宁等方言分出 6 个义位,东莞、萍乡、梅州等方言分出 4 个义位,武汉方言分出 2 个义位,见表 2。太原方言等北方方言区因为没有"笋",所以没有那么多的"特称词"。

表 2

义位 / 方言	上海	东莞	萍乡	福州	梅州	南宁	武汉
冬笋	+	+	+	+	+	−	+
春笋	−	−	+	+	+	+	+
燕笋(春天的嫩笋)	+	−	−	−	−	−	−
早笋(清明前后的笋)	+	−	−	−	−	−	−
晚笋(迟笋)(谷雨立夏之间的笋)	+	−	−	−	−	−	−
(孵)鸡笋(端午前后的笋)	+	−	−	−	−	−	−
六月麻	−	−	−	−	+	−	−
毛笋	+	−	−	−	−	−	−
笋干	+	+	明笋	+	+	+	−
禄笋(毛笋的笋干)	+	−	−	−	−	−	−
扁尖(嫩笋加盐制成的笋干)	+	−	−	−	−	−	−
托挺(扁尖中最嫩的笋)	+	−	−	−	−	−	−
笋虾(嫩干笋)	−	+	−	−	−	−	−
烟笋(经烟火熏烤制成的笋干)	−	−	+	麻笋干	−	−	−
酸笋	−	+	−	−	−	+	−
黄笋(石灰水浸过而发黄的笋)	−	−	−	−	−	+	−
苦笋	−	−	−	+	+	−	−
甜笋	−	−	−	−	−	+	−
鸡婆笋子	−	−	−	−	−	−	−

"蓝色"是汉语不同方言区的人们普遍认知的一个范畴,但是不同方言对它的编码度却存在着差异,与之相关的是不同方言"蓝"语义场内义位语义特征提取的精细程度存在着差异。

表 3

太原	厦门	东莞	牟平	杭州	长沙	南昌	于都
蓝	−	蓝	蓝	蓝	蓝	蓝	蓝
天蓝	天蓝	天蓝	天蓝子色	天蓝	天蓝	天蓝	天蓝
湖蓝	−	−	−	−	−	−	−
宝石蓝	−	−	−	−	−	宝蓝	−
淡蓝	−	淡蓝	−	−	−	−	−
浅蓝	−	浅蓝	浅蓝子色	−	浅蓝	浅蓝	−
毛蓝	毛蓝	−	−	−	−	−	−
深蓝	−	−	−	−	深蓝	−	暗蓝
警蓝	−	−	−	−	−	−	−
藏蓝	牙蓝	−	−	−	−	−	−
黑蓝	−	−	−	−	−	−	−

太原方言划分出 10 个义位:天蓝、湖蓝、宝石蓝、淡蓝、浅蓝、毛蓝、深蓝、警蓝、藏蓝、黑蓝;厦门、长沙、南昌、南宁、东莞方言都划分出 3 个义位,但所划分出的义位并不对应:它们都能划分出天蓝,此外,厦门方言还划分出毛蓝和牙蓝,东莞方言还划分出淡蓝和浅蓝,长沙、南宁方言还划分出浅蓝和深蓝,南昌方言还划分出宝蓝和浅蓝;牟平、于都方言划分出 2 个义位,杭州方言仅分出 1 个义位,见表 3。

4. 古今对"太阳"的称名也反映命名时事物特征的选择与编码度的关系。上古汉语对"太阳"的称名只有"日"。到了现代汉语中,根据神话及人们想像中"太阳"的特征还有不同的称名:日头、火轮、金乌(相传日中有三足乌)、阳乌、金轮、红轮、红镜、赤玉盘、玉弹。在不同的季节对太阳还有不同的命名,对秋天的太阳称为"秋日、秋阳";对冬天的太阳称为"冬日、黄棉袄子"。在一天的不同时间中的太阳有不同的名称,早晨时称为"朝阳、旭日、朝日、朝暾、初日";傍晚时称为"夕阳、斜阳、残阳、落日";中午时称为"骄阳、火伞、烈日、炎日"。

上古汉语表"白色调"的词只有一个"白",《说文》"白,西方色也,阴用事,物色白。"商承祚《说文中之古文考》:"甲骨文、金文、钵文皆……从日锐顶,象日始出地面,光闪耀如尖锐,天色已白,故曰白也。"[8]在表示"白色"语义场中,"白"是一个辨色词,[9]上古汉语和现代汉语都有。但是,现代汉语还有指色词和描色词。[10]在指称"白色"方面根据浓度、亮度上的变化,与"某一实物"相比较在色调方面存在的细微差别和与另一色相比较显出的细微差别分别给予不同的编码。显示浓度、亮度上变化的指色词:纯白、净白、莹白、昏白、涅白、银白、鲜白、银色,与"某一实物"相比在色调方面存在细微差别的指色词:乳白、草白、垩白、霜白、纸白、水白、象牙白、雪花白、珍珠白、银箔白、银辉色、奶白色、骨白色、肉白色、玉白色、盐白色、锡白色、土白色、牙白色、蜡白色,与另一色相比较显出细微差别的指色词:奶油色、鱼肚白、米色、白绿色、米黄。在描述"白色"方面根据色感及其他感如质感、态感、触感、情感、形感等进行不同编码。含有色感的:洁白、精白、皎白、雪白、苍白、惨白、刷白、崭白、白皑皑、白乎乎、白苍苍、白厉厉,含色感而浓度较大的:煞白、死白、寡白、白生生、白刷刷,含色感而亮度较大的:皓白、白亮、白晃晃、白闪闪、白亮亮、银闪闪、银晃晃、银灿灿、银花花、白花花,含质感的:白嫩、白润、白腻,含态感的:白净、白皙、白晰晰、白茫茫、白蒙蒙、白漫漫、白僵僵、白朦朦,含触感的:白绒绒,含形感的:白辽辽,含情感的:白煞煞、白不呲咧、白不拉叽。可见,在描述"白"这一

---

[8] 张志毅、解海江《说文解字诂林续编》(待刊)"白"字条。
[9] 李红印《现代汉语颜色词词汇语义系统研究》,134 页。
[10] 同上。

颜色时,现代汉语提取的特征较上古汉语精细、具体,提供的词汇较上古汉语多,编码度较上古汉语高。

参考文献

鲍厚星、崔振华、沈若云、伍云姬(1993)《长沙方言词典》,江苏教育出版社。
鲍士杰(1998)《杭州方言词典》,江苏教育出版社。
陈鸿迈(1996)《海口方言词典》,江苏教育出版社。
冯爱珍(1998)《福州方言词典》,江苏教育出版社。
黄雪贞(1995)《梅县方言词典》,江苏教育出版社。
罗福腾(1997)《牟平方言词典》,江苏教育出版社。
梅家驹等(1983)《同义词词林》,上海辞书出版社。
沈　明(1994)《太原方言词典》,江苏教育出版社。
覃远雄、韦树关、卞成林(1998)《南宁方言词典》,江苏教育出版社。
王军虎(1996)《西安方言词典》,江苏教育出版社。
魏钢强(1998)《萍乡方言词典》,江苏教育出版社。
吴国华、杨喜昌(2000)《文化语义学》,军事谊文出版社。
吴建生、赵宏因(1997)《万荣方言词典》,江苏教育出版社。
谢留文(1998)《于都方言词典》,江苏教育出版社。
熊正辉(1994)《南昌方言词典》,江苏教育出版社。
许宝华、陶寰(1997)《上海方言词典》,江苏教育出版社。
许余龙 (1992)《对比语言学概论》,上海外语教育出版社。
尹世超(1997)《哈尔滨方言词典》,江苏教育出版社。
詹伯慧、陈晓锦(1998)《东莞方言词典》,江苏教育出版社。
张志毅、张庆云《词汇语义学》(2001),商务印书馆。
———(1994)《词的理据》,见《词和词典》,中国广播电视出版社。
周长楫(1993)《厦门方言词典》,江苏教育出版社。
朱建颂(1995)《武汉方言词典》,江苏教育出版社。
中国社科院语言所词典编辑室(1996),《现代汉语词典》(修订本),商务印书馆。

（解海江:烟台师范学院中文系,264025,山东烟台）

隐喻与词义引申及词汇教学*

朱志平

提要: 隐喻普遍存在于不同民族的语言中,具有普遍性。但是在隐喻影响下产生的词义引申却往往因使用语言的民族认知方式和社会生活方面的差异而呈现出一定的民族性。在汉语第二语言教学中,这种民族性会给第二语言学习者理解汉语词汇带来困难。因此,汉语第二语言词汇的教学要关注词义引申的民族性,并且利用隐喻的普遍性进行词汇教学。

关键词: 隐喻的普遍性　词义引申的民族性　第二语言词汇教学

引　言

"隐喻"不是个新概念,它曾是修辞学致力研究的范畴。不过,近年来认知语义学又赋予了它新的内涵。隐喻现象被认为在语言中普遍存在(张敏,1998),是人类对自然和社会认知活动的反映,它通过概念把自然和社会一些本不相关的方面在语言中建立起联系(John I. Saeed,2000)。在这一点上,认知语义学的隐喻理论跟汉语词汇语义学的引申理论有共通之处。那么,"隐喻"和"词义引申"的关系是什么,它们跟第二语言的词汇教学又有何关联? 本文拟从英汉词义演变的对比分析和汉语双音词的文化内涵来探讨这些问题。

一　隐喻的普遍性与词义引申的民族性

认知语义学近年对隐喻的研究主要在两个方向,一个是隐喻对句法语用的影响,一个是隐喻对词义引申的影响。根据 Lakoff 等人的观点,隐喻是一词多义形成的重要原因。但相比之下,大多数学者更关注前一种研究。Sweetser 则在后一方面作了更深入的探讨,她认为共时平面的语义结构是历时的词义发展在隐喻影响下的结果。比如英

---

* 本文的写作基于作者所承担的国家社科项目《对外汉语教学使用的现代汉语双音词属性库》的研究,项目号:02BYY019,结项证书号:20040851。

语的知常动词(perception-verbs) see(看见)和 hear(听)引申表示"理解(I see——我明白了)"和"服从(You don't hear me ——你不听我的)"是受了隐喻的影响,说英语的人在观念上把大脑喻作了身体(MIND-AS-BODY)(Eve Sweetser,2002)。无独有偶,这种隐喻也存在于汉语的词义引申过程中,汉语说"他不听我的","听"就有"听从"的意思;"这是我个人的一孔之见",其中"见"有"见解"之义。显然,说英语的人跟说汉语的人在使用"看见(see)"和"听(hear)"这两个动词的时候,都把大脑喻作了身体。英汉词语隐喻的这种一致性表明,人类在对社会和自然的认知上有一定的普遍性,反映在语言的词汇中,词义引申也具有共同的方式和方向。

但值得注意的是,这种词义引申的一致性并不总是存在于两种不同的语言之间。"开(open)"和"关(close)"是汉语和英语中较为常用的两个动词,它们两两近义,又各自互为反义词,但是它们的词义引申却各有特点。我们不妨来对比一下它们意义的引申特点[1]:

(1) 开-open

"开"的本义是"开门",由它的繁体字形("開")还可以依稀看出两只手去拔门闩的特点。从意象上看,"开门"的结果有两个,一个是使门内和门外原先相隔离的两个空间接通,从而产生了"起始"义;一个是使两个原先由门闩连接的两个门扇断开,所以又有(某种关系、联系)"断绝""终结"的意思。《现代汉语词典》列举了"开"的 19 个义项,分析"开"的诸多义项,我们会发现,它们都符合这两个特点:

A 接通、起始:①打开②开辟③发动④开办⑤开始⑥开会⑦开饭⑧(消息)传开

B 断开、终结:①开花②解冻③开禁④(队伍)开拔⑤开票⑥开支⑦开除⑧开水⑨开(吃了包子)⑩三七开(分成)⑪16 开(本)

由本义出发的意象分析和这些义项的实际归属相对照,我们可以看到,"开"的诸多意义引申,是在说汉语的人对"开门"这个动作的认知的基础上,与说汉语的人社会生活的各个方面相关联的结果。所以,打通土石就说"开辟",机器从静止到运转就说"开车",……;而连接的花瓣绽开就说"开花",劳资关系的终结就说"开除",……。那么,意义跟"开"相对应的"open",是不是也会如此地引申呢?

根据《新英语历时词典》(A New English Dictionary *on Historical Principles*)[2],open 的本义也是"打开",主要指"开门",在此基础上形成的词义也可以分为

---

[1] 鉴于词义的引申谁先谁后必须要有文献佐证,而我们的目的并不是考察引申的先后问题,所以我们对汉语词的引申特点根据本义和现代汉语共时平面的词义的双向分析来讨论。

[2] Sir James Murray, *A New English Dictionary on historical principles*, Oxford:At the Clarendon press,1893.

两类,一类表示公开、展现、开始等义,比如,"to open cabinet meeting to newsmen[3](向记者开放内阁会议)","A marvelous future opens before him(美好前景展现在他面前)","open negotiation(开始谈判)"等等;另一类表示分散、弄松、泄露等义,比如,"The ranks opened(队列疏散开)""open the soil(弄松土壤)","The spy opened our plan to the enemy(该间谍向敌人泄露了我们的计划)"。

对比"开-open"这四组引申义的特点可以看到,"open"的这两组引申义,前一组跟"开"的A组是比较接近的,但后一组跟"开"的B组却相距较远。当说汉语的人把"开门"看成是(门扇联系的)"断开、终结"时,说英语的人却把同一情况看成是(门扇跟门扇或其他相关部位的分离)、"分散"以致(某物或某事)"泄露"。说明后者在把"开门"这个行为跟"开放""展示"这类动作相关联的同时,又跟"造成缝隙""因有缝隙而使一些本来不对外的信息泄露出去"等动作、情况联系在一起。

(2) 关-close

"关"的引申分析用以"关"为语素的双音词来说明就更为简洁明了。"关"的本义是"门闩"(《说文》"關,以木横持门户也"),引申作动词表示"关门"。从这个基础我们可以看到它的两组引申义,一组是关闭,如"海关、关头、关口"等;一组是关联,在"关联"意义上进一步再分支,一支表示事情方面的关联,如"关系、关于、有关",一支表示情感方面的关联,如"关心、关怀、关照"。

词义跟"关"接近的close的本义是关闭。close的引申义可分为三组,一组表示关闭等意义,比如"close a door(关门)","school is closed(放假)";另一组表示结束、停止,如"close a business(停业)",还有一组表示接近、密切、狭小等,比如"close election(势均力敌的选举——候选人条件接近)","a close friend(密友)","a close space to sleep in(狭小的睡觉处)"等。

可以看得出来,"关"和close的意义引申在前两组上比较接近,后一组则相距较远。也就是说,当说汉语的人把"关闭"两个门扇看成是设置一道门内与门外的障碍,同时又看成是两个门扇的联结的时候,说英语的人则认为"关闭"既是"停止""结束"内外的关联,又是使原先分离的物体密合,因此,"关"和close就有了各自不同的引申方向,一个走向"关联",一个走向"接近"。

我们认为,"开-open"和"关-close"这种在引申方向上的不同正是说英汉两种语言的人在认知上的差异造成的。词义的引申方向是引申方式造成的,而一种语言的词义采用什么样的引申方式又直接受制于语言使用者的认知方式,隐喻则潜藏于认知的过

---

[3] 英文例子主要选自陆谷孙主编的《英汉大词典》。

程中。正是因为二者生活在不同的社会条件下,共同的人类社会与不同的社会生活使得汉英两种语言的这两个词"开-open"和"关-close"的词义引申在基本意义一致的前提下又以各自的方式和方向向前延展。因此,隐喻普遍存在于人类语言的词义引申中,而引申则往往由于方式方法的差异在不同民族的语言之间显示出民族的个性。

对比英汉两种语言的众多词义引申,这样的例子不胜枚举。再比如"领-collar","领"的本义是"脖子"(《说文》:领,项也),在英语中亦然。衣服的上边处在脖子的部位,从而产生了"衣领"义,这一点英汉相同,在这个意义的基础上再发展时,"领"和"collar"的引申方向却发生了分歧,在中国人的观念里,"领"和"袖"作为衣服的重要部位结合为"领袖",引申指领导人物;拿衣服要"提领",拉网要"挈纲","领"从而跟"纲"组合为"纲领","领"也因此引申为动词,有"引领"之义,从而有了"率领""带领""领导"等;在"率领"义的基础上"领"再引申为"领有"之义,从而有"占领""领土""领域"等(曹先擢等,1999)。但是在英语里,"collar"却引申为"项圈",衍生出"肉卷""逮捕""抓住"等义,二者的词义在"褒—贬"这两个方向上的延伸,也是由于说汉语的人和说英语的人把"领"(collar)和社会生活的不同方面相关联的结果。

因此,尽管隐喻和词义引申在不同语言中都普遍存在,但词义引申的方向和方式却因语言不同而异。这种差异毫无疑问是不同社会条件下不同认知方式的结果,不同的认知方式导致不同的意义关联,反映在词义引申上就表现为一定的民族性。那么,这种民族性跟第二语言学习的关系是什么?

二 隐喻影响下的词义引申与第二语言词语习得

词义引申的研究看似是历时的,但是,我们会发现,这种词义的历时演变却交叠着存在于共时的语言平面上。特别是在第二语言教学中,它往往成为第二语言学习者面临的障碍。

在一项第二语言趋向补语习得顺序的调查中我们看到这样两个数据:以英语为母语的第二语言学习者掌握"复合趋向补语"的本义用法正确率均在90%以上,但是对"复合趋向补语"引申义用法的掌握正确率却都只有70%(杨德峰,2001)。这个数字给了我们两点启示:(1)引申义不易被第二语言学习者掌握;(2)不易掌握的原因不仅仅是学习者水平造成的,因为处在不同水平阶段的学习者同样都有问题。

为什么引申义不易掌握?这个问题需要把认知语义学的隐喻观和词汇语义学的引申概念联系起来考察。对比认知语义学所列举的英语中"up and down"的概念隐喻跟汉语相关的趋向补语(引申用法)就可以看到。在英语里"up and down"的概念隐喻之一是：Conscious is up, unconscious is down(有意识是向上,无意识是向下)(Saeed, 2000),如:"wake up";但是,在汉语里有意识是过来,无意识是过去,如:"昏过去""醒过来""明白过来"等等。这个例子说明,英语中将意识的变化隐喻为"由上而下"或"由下而上"的纵向空间,但在汉语里则隐喻为"由此及彼"或"由彼及此"的横向空间,英汉两种语言在将空间位置的移动隐喻于表达意识时移动方向是不同的。可见,在这个表达上说英汉两种语言的人对抽象空间的认知是不一样的。正是这种不一样影响了英语为母语的第二语言学习者对汉语补语引申用法的习得。

上述例子其实只是汉语词义引申在语法范畴里的一种表现,只是汉语词汇中大量存在的隐喻的一个缩影。有很多汉语词汇的使用,是让第二语言学习者难以理解的。他们常常提出这样的问题:"工程"与建筑有关,为什么要说"希望工程";"毛"既是动物的毛发,为什么说"毛病",等等。但是,在汉族人的观念中这些引申意义跟词语原来的意义却是相关着的:人才的培养跟树木的培养一样,十年树木,百年树人,所以,汉语才把可以为国家出力的人称为"栋梁之材",社会主义现代化的大厦,要从一砖一瓦建起,这里面最关键的当然就是人才的培养了,那么,普及基本教育的规划当然也就是一项代表未来希望的人才工程;同理,古代中国人认为动物的毛细小,因而才有"明察秋毫",所以,小病、小问题称作"毛病",也就是很自然的了。不论是"工程"还是"毛病"都是说汉语的人将"人才培养"喻作"建筑房基",将"细小的事物"喻作"毛发"的结果。

事实上,第二语言学习者不能理解的是就是引申义和本义(或引申前的词义)之间的相关性。站在他们的角度上,很难把"开"和"关"这对很具体的动作,"领"和"毛"这类很具体的事物,跟某些在他们看来并不相关的事情和事物联系在一起。所以,开始学习这些词语的时候他们并不觉得难,但是当这些词语被移用来表示其他一些说汉语的人认为是相关的动作、事物或事情时,第二语言学习者就觉得难以理解了。他们不能想象"开门"的"开"跟"开水"的"开","关门"的"关"跟"关心"的"关",等等,到底有什么关系。因为,在现实空间中,事物或行为动作的移动作为一种物理活动,并不难被第二语言学习者理解,因为它们普遍存在于人类共同生活的自然界中。但是,当这种现实空间的变化在不同民族的认知系统中被概念化、意象化,用于引申的表达时,它就要受到某一民族认知系统和语言系统的双重限制。从而使词义引申方向和方式都具有某一语言自身的特点。

汉语词汇引申义的难于理解,在双音词学习中表现尤甚,比如有这样一个汉语练习题,给出半个句子"他大的事情做不好,……",要学生用"不屑"这个词完成下半句。在考虑良久之后,学生们有的说"……,因为他不屑这些事",有的说"……,因为这是他不屑的事"。这种中国人一看就明白的题,留学生为什么错了？翻开汉英双语的《现代汉语词典》,"不屑"的义项有两个:①认为不值得(做)(not worth doing),②形容轻视(belittle)。词典的例子是"不屑一顾""脸上现出不屑的神情"。对照词典的解释、例子和学生的病句,我们很难批评学生或词典。因为词典对"不屑"的解释,以及学生照着词典的例句造的病句在语法上无可挑剔。其实问题出在"屑"这个语素的意义上,"屑"的常用义是"细碎"(《玉篇》"屑,碎也"),跟"不"组合成双音词,表示"因为某事(某物)小而不愿做(看不起)",原义的"小"在"不屑"中已经潜藏在"认为不值得"这个意义的底层而不易被第二语言学习者体会到了。所以,在上面的汉语题中,尽管没有说到"小"这个概念,但是这个概念实际上却在跟上文的"大事"共同提示连接这个句子的人。所以,中国人一看就知道,下文必然会是"……,小的事情又不屑……"之类的意思。然而,第二语言学习者却百思不得其解。

"屑"很少单用,基本上是个非自由语素。由于不能直接进入句法,非自由语素的意义是模糊的,当这个意义具有引申的民族性时,就很难被第二语言学习者掌握。根据笔者的统计,在对外汉语教学使用的《汉语水平词汇与汉字等级大纲》的前三级词汇中,有双音词3254个,占这些词汇总数的62%左右,组成这些双音词的语素共1860个,其中,非自由语素1250个,占语素总数的67%,这是个不小的数字。这些语素及它们组成的双音词意义引申的民族性值得第二语言教学重视。

对于来自非汉字圈国家的学生,同一汉字掩盖下的语义引申民族性,也是一个难点。比如"错",学生在理解"你错了""这个字写错了"这样的句子时没有什么问题。因为这是个单音词,可以直接跟对译词"wrong"关联起来。但是在遇到"交错"这个双音词的时候却迟迟不能把握。"错"的本义是用金属涂饰、镶嵌,引申指刻画花纹(《史记·赵世家》"剪发文身,错臂左衽"),再引申为"交错""错杂"义,在这个意义上才引申来表示跟规范相冲突。因此,在"你错了"中这类用法其实是"错"在"交错"意义上的进一步引申。但是在英语中"wrong"没有那么复杂的引申过程。它的诸多义项都跟"错误的""不正当的"意义相关,比如"It's a wrong to tell lie(撒谎是不道德的)""It's a wrong number(你打错了)""You are treating him wrong(你这样对待他是不公正的)"等等。所以,学生就很难理解"不同的画面交错在一起",这里面的"错"跟"错误"的"错"之间有什么关系,因为在同一个汉字掩盖下的这两个义项之间的关联是说英语的人观念里不存在的。我们曾经调查过第二语言学习者双音词的偏误,在1110例偏误中,47%是同语素之间的误用,这已经很说明问题(朱志平,2004,2)。

三 利用隐喻的普遍性进行汉语第二语言词汇教学

怎么排除词义引申的民族性给第二语言学习者带来的障碍呢?我们认为,解铃还须系铃人。隐喻既然是存在于各种语言中的普遍现象,它的普遍性就必然可利用来解决它所造成的词义引申民族性的问题。就第二语言教学而言,隐喻的普遍性可以从两方面来看,一个是目的语本身的隐喻趋势,一个是成人学习者认知社会的语言隐喻通感。第二语言学习者主要是成年人,基于母语学习的经验,他们不乏隐喻经历,也很容易在第二语言中感受到隐喻,或者急于使用隐喻。这一点可以从第二语言学习的偏误略见一斑。比如这样的句子：

例1：这艘轮船从大阪动身开往上海。(应当用"启程")
例2：那场战争很快就闭幕了。(应当用"结束")
例3：跟中国朋友聊天是提高汉语会话能力的很好的道路。(应当用"途径")

这三个句子中的"动身""闭幕""道路"分别被喻作他用,尽管因与汉语用法不符而让人觉得有点儿"自作主张",但它们无疑是第二语言学习者语言隐喻通感的一种表现,是值得我们关注的。第二语言词汇教学正可以利用这种隐喻通感,把不利因素变为有利因素,引导学生用自己的隐喻通感去体会第二语言的词义变化和引申。

过去20多年来,汉语第二语言的词汇教学一直面临着如何帮助学习者区分字跟词的问题,主要是没有把语义因素引入教学。由于在汉语词汇特别是双音节复合词中汉字跟它们所记录的语素不能一一对应,语素的多义性又往往被汉字所掩盖,而且还存在着大量非自由语素。所以纯粹只从词汇层面学习者很难把握住各个词。比如,"端正"和"极端"中的"端"是一个汉字,它所记录的却是两个语素,"内容"和"容貌"里的"容"也是两个同形语素,这是"同字不同素"的问题;再比如"立场""立刻""建立""孤立"这4个词中虽然都含有"立"这个语素,但是它们所指绝非一个义项。此外,上面这些例子中的语素,无论是"端""容"还是"立"又都是非自由语素,由于它们不单独进入句法,学习者就无法在词汇学习的层面掌握它们的意义。所以,词汇教学特别是双音词的教学必须从语义入手,同时关注引申的民族性给词汇带来的大量文化内涵。

立于隐喻的普遍性和词义引申民族性的角度来看词汇教学,语义和文化是两个不可忽略的焦点。所以,我们所教的汉语词汇至少应分成两部分两类四种进入教学设计,首先应当根据是否有民族性引申分为两部分;其次,根据民族性引申在词汇层面还是语素层面分两类,一类是在词汇层面上存在民族性引申的,比如"工程"用于教育,"光彩"用于荣誉,"单调"用于不丰富多彩等等;第二类是语素层面上存在民族性引申的,这一类又分为两种,一种是双音词的一个语素含有民族性引申,比如"风"既指"风景",又指"风度",一种是两个语素都含有民族性引申,比如"奥秘""密切"以及像"开"和"关"结合成"开关"转指启动和终止某个运作的枢纽,"尺"和"寸"结合成"尺寸"转指长度,等等。很显然,词汇层面的最容易引导学生去把握,语素层面的则比较难,两个语素都含有民族性引申的最难。

对于不含民族性引申的词汇,可以充分利用第二语言学习者的语言隐喻通感,比如,学了"海"就可以引导学生类推出"海面、海峡、海军"等词。再比如,"路"与"路口、路上、路过"等。这种"类推法"的采用其前提是其他词所含的"同语素"必须共一个义项。对于"同语素"是自由语素的词一般都可以从义项相同的单音词入手,把学生从单音词引向双音词,这类词在教学中一般不需要分析。笔者做过一个实验,在学习"山脚"这个词的时候,把其中的"脚"跟"人脚"联系起来,两个班三十多个初级水平的学生无一例外地类推出了"山顶"和"山腰",他们显然一点儿也不缺乏这种"以物为身"的隐喻通感。"举一反三"是语言教学的重要手段,其实它也是多数第二语言学习者赖以提高语言水平的一个重要学习策略。在教师的鼓励下成人学生丝毫也不缺乏这种能力。问题在于教师自己在设计教学时必须对"同语素"词汇所涉及的字、词、素、义有清楚明确的区分。比如"海拔"虽然跟"海军、海面、海峡"等共有一个语素,但却不可以让学生自己类推,而要由教师作分析,"海拔"原为"拔海",由于语素位置互换使得它已经失去了语素组合理据的清晰性。

对于含有民族性引申的词汇,教学分层次来进行。根据上面的区分,双音词的教学可以分三层来进行:词汇民族性引申、单语素民族性引申、双语素民族性引申。"词汇民族性引申"要在词汇层面上从词汇本义着手加以引导。比如"单调"可以从音乐入手,"背景"要从拍照入手,"保守"的形容词用法则要从动词用法入手,等等;"单语素民族性引申"往往涉及"同语素"双音词,对这类词语,我们主张采用"归纳法"教学,即在学生有一定积累后帮助他们归纳总结。比如跟"情"字相关的双音词,"感情、热情、同情、心情、无情、情绪"可以归纳到一块儿。只要出现第二个,就应当提示学生前面已经学过的词,同时帮助他们辨析。还要注意区分不同义项跟不同语素,比如"表情、神情"就要作为另一组,因为不属于一个义项,而"情报、情景、情况、情形、病情"则是由另一个语素组成的,跟上面的两组要完全分开。应当强调的是,我们这样分类并不是主张教师把这个分类原封不动地搬进课堂,而是主张教师把这种分类的方法贯彻在教学设计中。

"双语素民族性引申"是词汇教学的重中之重。这种词又可以分三类,一是文化内涵深厚的,比如"师范""题目""结束"等。对这种词我们主张把"分析法"和"对比法"结合起来,先分析文化内涵和语素结合理据,再跟同语素同义项的另一个双音词对比。比如,说英语的学生常常不明白培养教师的学校为什么叫"师范",特别是学了"模范"这个词以后。这时我们就要在追溯"模范"和"师范"各自的结合动因基础上来串联两个"范"的意义:"模"和"范"古代都指模子,木制的叫"模",竹制的叫"范"[4]。"模范"结合指做

---

[4]《集韵》:"範,模也。"又《一切经音义》:"……以木曰模,以竹曰範。"

人的表率,按照中国人的观念,老师应当是学生效仿的楷模,所以"师范"结合表示教师培养的目标。再比如"题"是人的前额,引申之表示文章的命名——"题目";"结束"本来指穿戴完毕,引申之表示"发展或进行到最后阶段,不再继续"等等,而英语里的 topic 和 conclude 却跟前额、穿戴没什么关系。二是双音词两个语素结合以后产生隐喻,比如"尺寸、干脆、驾驭、往来"等,要把本义和隐喻过程展示给学生。三是两个语素的结构关系是古代句法,比如"笔试、油滑、袋装"等,要对结构关系加以分解。

从范畴化的原型理论看,每个词义引申系统都组成一定的语义范畴,这个范畴的原型就是系统中的本义,而双音词的每个语素由于它们的语义分别引申自不同的本义,则分别属于不同的语义范畴,而且是分别处在两个范畴边缘上,而且,这两个边缘正好在此处相接,否则它们就不可能结合为一个双音词。所以,两个语素相结合,或者说两个语义范畴相衔接的前提有两个:一个是两个语义范畴在衔接处语义相关或相同,一个是在隐喻影响下的词义引申向另一个语义范畴的方向延展。比如,"结"和"束"的本义本来没有什么关系[5],但是由于古人穿衣的最后一道手续是"打结""束带",因此二者在这个基础上结合为一个词,表示"发展或进行到最后阶段"(《现代汉语词典》)。

利用隐喻进行词汇教学,必须把"举一反三"与"条分缕析"结合起来。可以从两方面操作,一方面要在教学过程中培养并鼓励学生运用联想,另一方面是利用人类共有的认知能力来分析隐喻过程和文化内涵。同时,隐喻的利用应当建立在词汇语义学分析的基础上,也即要分清本字、本义,分析引申系统和理据。同语素、同义项的词可以"举一反三",否则就要"条分缕析"。在这个基础上,汉字才能真正发挥其以简驭繁的功用。作为人类认知在语言中的一种表现,隐喻反映在词语中,无非是把对自然和社会生活的认知加以链接、延展,正像许慎所说的"近取诸身,远取诸物"(《说文解字》序),在这一点上全人类的语言是一致的,只是由于语言系统、民族文化和社会生活诸方面的差异而使得不同语言的词义引申具有了自己的特点。对汉语来说,还加上了汉字的隔阂。因此,当我们在教学中有意识地帮学生把这些方面链接起来,学生就很容易把握其中的语义关联,取得事半功倍的效果。

参考文献

陈　曦(2001)《关于汉字教学法研究的思考与探索——兼论汉字"字族理论"进行汉字教学》,《汉语学习》第 3 期。

---

[5]《说文》:"结,缔也。"本义是"打结"。《说文》:"束,缚也。"本义指"捆绑"。

国家汉办(2001)《汉语水平词汇与汉字等级大纲》,经济科学出版社。

贾　颖(2001)《字本位与对外汉语词汇教学》,《中国对外汉语教学学会北京分会第二届学术年会论文集》,北京语言文化大学出版社。

吕文华(1999)《对外汉语教学语法体系研究》,北京语言文化大学出版社。

王　宁(1996)《训诂学原理》,中国国际广播出版社。

杨德峰(2003)《英语母语学习者趋向补语的习得顺序》,《世界汉语教学》第 1 期。

张　敏(1998)《认知语言学与汉语名词短语》,社会科学出版社。

朱志平(2001)《对理论的应用与互动——论汉语第二语言教学的研究》,《语言文字应用》第 4 期。

———(2004)《双音词偏误的词汇语义学分析》,《汉语学习》第 2 期。

Eve Sweetster (2002) *From Etymology to Pragmatics*,北京大学出版社。

John I. Saeed (2000) *Semantics*,外语教学与研究出版社。

Jacke Fisiak (1995) *An Outline History of English*,Kantor Wydawniczy Saww, Poznan.

(朱志平:北京师范大学汉语文化学院,100875,北京)

词源学的流派和理论

张志毅 姜 岚

提要： 本文主张词源学应该兼容词源学七个流派：哲学派、语文学派、历史比较学派、民族语言学派、方言学派、区域类型学派、流俗词源学派。应该抢占八个理论制高点：历时系统论、宏观词源学、语言联盟论、方法论、四个异质论。

关键词： 兼容 流派 理论 制高点

0.1 词源学首先推动词的历史研究；其次，推动历时词汇学、共时词汇学（特别是构词法）、语义学特别是历史比较语言学的研究；第三，有助于辞书编纂，单语词典的释义及义项排列，双语词典的词义对比；第四，有助于理解、掌握词义，促进词汇教学；第五，有助于思维史、文化史、民族史、社会史、经济史等的研究。

0.2 语源、词源问题的复杂性，远远超出了历史比较语言学家的研究内容和思考所及。因此，仅用历史比较法已经不能解决语源、词源的全部问题，必须超越一个学派，运用新理论方法。

0.3 词汇是意识中的世界。词源，是意识世界的源头。词源学处于意识世界研究的时空坐标点上。向前看，要追溯到100年、1000年、3000多年前，乃至史前时期的意识世界。向外看，要扩展到多种意识世界。因此，词源学尤其需要视野、胸襟和兼容，尤其需要抢占理论制高点。

一 词源学流派

1.1 哲学词源学

哲学是人类最早的智囊，连数学、物理学、化学都被它囊括，小小的词源学当然也不例外。

哲人最早思考的问题之一是"名""实"关系以及命名原则。

在人类文明发祥地之一的古希腊，早在公元前5世纪至公元前3世纪就闪出了名实论碰撞的智慧火花。

Heraklitos(前540—前480)主张"按本质"(physei)命名。Demokritos(前460—前370)主张"按习惯"(Thesei,即"按法则"、"按协商"或"按规定")命名。其后,Kratylos(约与苏格拉底同时)、Epikouros(前341—前270)、Stoikoi学者Chrysippos(前280—前207)都主张本质论:"语言是在需要表示对象的称谓时由于本质的驱使而发出不同的声音。"(见Epikouros派学者Carus Lucretius的《论事物的本质》)

Demokritos是用事物和名称的四种矛盾关系来反对本质论的:第一,一词表示不同事物;第二,一个事物有不同名称;第三,事物未变,而名称变了;第四,许多概念没有词来表示。[1] Hermogen(约与苏格拉底同时)、Aristoteles(前384—前322)都主张习惯论:名称在于约定俗成。

在两派争论中,也有中间论者。Platon(前427—前347)在《The Dialogues》(《对话集》或《对话录》)里,不仅记录了这次论战,而且以Sokrates(前469—前399)的名义,透露出他个人的折中观点。一方面,他引用了词源与事物特征有关系的例子,但他不同意词总反映事物的本质;另一方面,他也不同意词和事物的联系是偶然的。他认为,最初名实有某种内在联系,后来可能失去联系,其联系是由社会传统确定的。[2]

两派之中,本质论跟早期的词源观念的联系更为直接。他们认为,"每个字母都是模仿一定的性质","名称乃是它所表示的事物的声音的模仿","一切词都含有与其本质相符的'真实'",词源学"就是要找出各个词中的'真实性'(etymon)",因此,词源学就被规定为是"关于词的真实意义的科学"——Etymologie(etymology)。[3] 继承Stoikoi学者观点的有古罗马和中世纪的语法学家、哲学家,如Bappou, M. T.(前116—前27)、Abrycthk, A.(354—430),也在追求"真实"意义。这跟后世的科学词源学有较大的区别。

与古希腊同时,在人类文明的另一个发祥地中国也闪耀着名实论撞击的火花。

孔子(前551—前479)以名正实,"名不正则言不顺,言不顺则事不成"。邓析(前545—前501)主张"按名定实","循名责实"。墨子主张"取实予名"。后期墨家认为"所以谓,名也;所谓,实也。"尹文考察了"同名异实"。荀子(前313—前238)认为"名无固宜,约之以命,约定俗成谓之宜,异于约则谓之不宜。名无固实,约之以命实,约定俗成谓之实名。"

---

[1] 康德拉绍夫《语言学说史》,7页,武汉大学出版社,1985年。
[2] 同上,8页。
[3] 汤姆逊《十九世纪末以前的语言学史》,7—17页,科学出版社,1960年。

希腊和中国的哲学智慧,不在于结论,而在于给人类留了思考的空间:名实的联系是必然的吗?哪一类名(如模仿声音类)跟实的联系是必然的?名实孰为第一性?词源学就是寻找词的"真实"意义吗?这些富有启发意义的问题,一直在人类头脑里悬浮了2000多年。

1.2 语文词源学

哲学词源学是从思想出发的,语文词源学是从古典文献文本出发的,是为读经、解字、释词而寻找文献中的字、词的源头及历史,因此,也可以称之为文献词源学。

语文词源学源远流长,连绵不断。

从公元前1500年起逐渐形成了印度最古老的宗教、历史文献《吠陀》(Veda,原意为"知识",中国古代意译为《明论》)。其第四集就讲述词汇,涉及词源。公元前1000年左右印度的第一批词典就注释了《吠陀》中的难词及一部分词源。公元前500年亚斯卡对《吠陀》作了语言及一些词源注释。至迟到公元前3世纪巴尼尼(Pānini)总结了其前的词根表,找出了口传下来的词根(dhā tu),并分析出每个词的屈折词尾、附加成分。而且,他们还研究了"语音的转换和各种亲属语音之间的关系"。[4]这为近代的历史比较学升起了启明的信号。

在希腊化时代(希腊东方时代,前334—前331),在埃及新Platon学派Alexanderian学派极力维护文学语言的规范,查明了《荷马史诗》的全文,诠释了公元前6—5世纪的几部著作,内中包含许多词源注释。

中国上古有《易经》的"乾,健也",孔子的"政者,正也",孟子的"校,教也",管子的"礼者,理也"。汉代有《白虎通义》《释名》《说文解字》。中古有"右文说"。近古有"音近义通说"。近代有章太炎的《文始》《新方言》等,有黄季刚的对《说文》《尔雅》的批校。现当代有刘师培、沈兼士、王国维、杨树达、王力、陆宗达、俞敏、王宁、王凤阳、刘又辛、殷寄明、任继昉诸位学者的研究成果。

语文词源学在中国积累了丰富的语料。经史子集中镶嵌着奇珍异宝,传笺注疏中镂金错彩,《释名》《文始》《同源字典》等专书琳琅满目。

语文词源学开阔了思路、探索了方法、拓展了视野。

古希腊的哲学词源学旨在探求词所代表的事物本质的"真实意义"。语文词源学则从多方面超越了这个狭隘的主旨或窄小的视域。它探求的意义,包括:①名字的"所以之意";②字词的原始义、字源义、词源义;③两个或多个关系词的最大公约数或公倍数

---

[4] 汤姆逊《十九世纪末以前的语言学史》,4—5页。

意义、特征义；④系统义。它的视角和方法包括：①以今释古；②以通释方；③以俗释雅；④以易释难；⑤以源释流；⑥以声释义；⑦以形释义；⑧以义释义；⑨以形音义系联；⑩以素释位（以字素、词素、义素释字位、词位、义位）。它尽可能扩大容量：①容进了字族；②容进了词族；③容进了浩如烟海的文献资料；④容进了文字学、音韵学、训诂学的丰硕成果，以义为主体，以字、音为两翼；⑤吸收了历史比较语言学、现代语言学、语义学的新成果。中国的字源学和词源学互补，文字学、音韵学和训诂学互注，形音义兼顾，是中国词源学的特色。

当然，语文词源学，特别是中世纪及以前的欧洲、中国词源学，有着共同的弊病：掺杂了许多臆测、随意、胡猜、牵强附会、望风捕影。

1.3 历史比较词源学

前科学词源学的最大功绩是引导出历史比较语言学，而历史比较语言学的功绩之一是推动科学词源学的诞生。这是在欧洲从 18 世纪 80 年代 Jones W.，至 19 世纪 80 年代新语法学派之间发生的事。

科学词源学，是拿同源的共同成分（或一族词），在亲属语言（语族或语支）之间对应比较其语音、形态、语义的历时演变，构拟出它们在母语中的原始形式及意义。其比较的实例和成果，人所共知，不必赘述。值得注意的是，用科学词源学的观点、方法研究出的第一个汉语词源学成果便是 1934 年问世的高本汉的《汉语词族》（Word Families in Chinese，张世禄 1937 年译为《汉语词类》）。岑麒祥 1957 年翻译了梅耶的《历史语言学中的比较方法》(1924)，1981 年出版了《历史比较语言学讲话》。伍铁平 1981—1992 连续发表了比较词源学四探，徐通锵 1996 年出版了《历史语言学》。这些成果比语文词源学更突出了下列前提原则：任意性、继承性、谱系性、系统性、异质性（如本族词和外来词异质）、原则性（语音原则、形态[结构]原则、语义原则[本义和引申义大致相同]）。这些都给语文词源学以新的启示。

1.4 民族语言词源学

中国的少数民族语言词源研究，在世界词源研究中是特别值得注意的派别。

中国 55 个少数民族，约操有 120 种语言。这些语言，主要分布在汉藏语系和阿尔泰语系。拿同源词、关系词把汉语同这两个语系进行谱系学、类型学比较，取得了许多词源学成果。

第一，同源词及关系词成果。

这方面的成果主要有：汉藏语的"其"和 gji, 虚字比较，同源字（俞敏, 1949, 1984,

1989)。汉藏语"针"同源,"铁"同源(张琨,1969,1971)。同源词及借词(丁下,1979。严学宭,1979)。汉侗语源联系(董为光,1984)。"别离"汉台语对应,汉台语关系字,台语里的关系词(邢公畹,1983,1989,1990,1991)。"马"在原始藏语的构拟,同源词特征(孙宏开,1989,1991)。汉藏语系的"路"(黄泉熙,1989)。苗汉同源词谱(陈其光,1990)。汉傣同源词辨(罗美珍,1992)。汉语与亲属语同源词根及附缀成分(郑张尚芳,1995)。关系词相对有阶分析,汉台关系词,台佤关系词(陈保亚,1996,1997)。藏缅同源词(黄布凡,1997)。同源词研究,汉藏语历史比较的择词(区别分化前后的关系词。吴安其,1996,1997)。汉语和藏语同源体系的比较研究(施向东,2000)。

第二,词族成果。

词族的理论及其语料的整理,是中国词源研究的显著功绩之一,这方面的成果主要有:中台藏缅数目字及人称代名称词语源试探(王静如,1931),汉壮侗语族的单位词(张公谨,1978),汉语同族词内部屈折的变换模式(严学宭,1979),汉语上古音表解(同族词比较。郑张尚芳,1981,油印稿),壮侗语族量词(梁敏,1983),"五色之名"及汉台语关系(张永言,1984),藏缅语人称代词(李永燧,1984),汉苗瑶语第三人称代词(曹翠云,1988),白语基数词与汉藏缅语关系(白绍尼,1992),汉藏缅语住所词(宋金兰,1994)。

第三,深层对应成果。

深层对应,就是拿一种语言的一组同音词跟亲属语言一组同音词比较,其结果是减少偶然性,增加必然性。这方面的主要成果是汉台语比较中的深层对应(邢公畹,1993,1995)。

总之,民族语言词源学有三个重要的收获,一是在非亲属语言间做类型的比较中提出"关系词"理论,二是词族理论,三是深层对应理论。而这三个理论是我国学者对世界的历史比较语言学三个重要贡献。

1.5 方言词源学

中国的方言词源学研究,在世界词源研究中是另一支值得特别注意的派别。

从词源学角度看,汉语方言研究取得两方面成果。

第一,方言底层研究。

在方言底层研究方面,取得了许多成果,主要有:台语量词在汉语南方方言中的底层遗传(游汝杰,1982),粤语中的壮侗语族语言底层(李锦芳,1990),闽方言中壮侗语底层(赵加,1990),粤语是汉语族群中的独立语言(其中存在百越底层。李敬忠,1990),北京香山满语底层(赵杰,1993)。

第二,方言同源词研究。

方言同源词包括方言和通语之间的、方言和方言之间的。方言同源词研究是从汉代的《方言》《释名》《说文》等书开始的。

《方言·卷二》:"a.错、b.鐕 c.坚也。自关而西,秦晋之间曰错,吴扬江淮之间曰鐕。"ab 是方言,c 是通语。ab 双声叠韵。ab 和 c 是见溪旁纽,真脂对转。

利用现代方言丰富资料和中古音、上古音资料,可以进行十分有价值的历史比较研究,找出同源词。例如:

	北京话	上海话	福州话	广州话	中古	上古
宽	k'uan	k'ue	k'uaŋ	fun	k'uan	k'uan
阔	k'uo	k'ue?	k'uak	fut	k'uat	k'uat

汉语方言词典的编纂出版,获得了空前丰收,为我们提供了研究同源词的无比丰富的资料。"方言事实常可以给我们用来做正确地解决词源研究问题的钥匙"。[5]

汉语方言的差异是同源词产生的一个重要原因。这正如欧洲亲属语言的差异促使了同源词的产生。汉语某些方言是以汉字为纽带,以地方变体形式存在的亲属语言,某些方言之间的差异比欧洲某些亲属语言的差异还大。因此,在词源研究上,汉语方言和欧洲亲属语言具有同等重要意义,而汉语方言的材料更丰富,给词源研究提供了更为广阔的天地。

1.6 区域类型学派

这是跟历史比较法相对而言的一个词源学流派。属于历史比较法范畴的,有亲属语言比较,语族(支)比较,方言比较。随着词源研究的扩展、深入,还必须进行非亲属语比较,非同一语系的语族(支)比较。超越谱系的比较,一般是在区域相邻的语言间展开的。因此,这种探求词源的流派就叫区域类型学派。它探求的主要词源是关系词、借词。在谱系分类不明或有争论的情况下,做类型学比较是稳妥的。如对中国境内的汉语和侗台语,汉语和苗瑶语。在谱系分类已经明确分属两个语系的语言间做类型学比较也是顺理成章的。如汉语和蒙古语,汉语和朝鲜语(韩语),汉语和越南语,汉语和日语。蒙、朝(韩)、越、日的汉语借词多达50%左右。"越南语有两套词汇:一套是白话,即越南固有的词汇;一套是文言,即汉越语,也就是汉语借词。"越南语从一至十的数词也有两套。[6] 据日本国立国语研究所对 90 种现代杂志的调查,汉语借词达 47.5%。

---

〔5〕 岑麒祥《历史比较语言学讲话》,100 页,湖北人民出版社,1981 年。
〔6〕 王力《王力文集》第十一卷,799 页,山东教育出版社,1990 年。

从这个视角研究词源的主要成果,除了几本日语词汇研究专著以外,还有些论文,如《试论日语借词与古汉语词之间的传承关系》(史式,1982),《谈日汉同形词的古汉语来源》(崔淑萍等,1990),《谈日语的和语、汉语、外来语词汇》(陈端端,1993),《关于日本语的汉语词问题》(刘玉昆,1995),《关于日语词汇中的汉语词》(李莉,1998)。当然,也有研究汉语中的日语借词的论著,如《谈现代汉语中的"日语词汇"》(郑奠,1958),《现代汉语中从日语借来的词汇》(王立达,1958)等。关于汉语和侗台语、苗瑶语、孟高棉语等的关系词比较探源,在1.4中已有所交代。

1.7 通俗词源学

通俗词源,作为一种现象,早就在古代语言中出现了。作为一个术语,是德国语言学家 Forstemann(佛尔斯特曼)将近19世纪末,在《库恩杂志》第一卷提出的。他用的德文单词是 Volksetymologie。英、法、俄语分别翻译成 folk etymology, etymologie populaire, народная этимология 。汉语译为流俗词俗、俗词源、假词源、通俗词(语)源、民间词(语)源、俚俗词(语)源等。"流俗"一词在汉语里常用贬义,不如翻译成通俗词源。而假的、错的、歪曲的、民间的词源,在通俗词源总数中是较少的。

在 Forstemann 之后,我们选出研究通俗词源的六位学者,五种观点。

1.7.1 索绪尔认为,流俗词源是"歪曲形式和意义不大熟悉的词,而这种歪曲有时又得到惯用法的承认。""那是把难以索解的词同某种熟悉的东西加以联系,借以做出近似的解释的尝试。"[7] 他认为它跟类比不同。

1.7.2 布龙菲尔德认为,"这样的规则化的新构形方式,跟早先的词形结构不相符合(历史学家所发现的),有时候叫做通俗词源(popular etymologies)。""所谓通俗词源(§23.6)多半是适应性的和感染性的。一个不规则的或语义上隐晦的形式,被一个结构更正常和含义较明确的新形式替换了——虽然后者往往有点牵强附会。"[8] 他把它归为类推(analogy=索绪尔用的法语 analogie"类比")变化的一种。

1.7.3 布达哥夫则从词的内部形式切入。"用词表达概念的方式、词的声音外壳及其最初意义之间联系的性质,就叫做词的内部形式。依据这点来说,этимология(语源,语源学)是某词的最初意义,同时也是研究有关词的最初意义及其后来发展阶段的一个语言学分科。""它的最初内部形式就渐渐被人忘记了。""在民间语言中,时常可以看到词的内部形式各种改变意义的情形。这种现象就叫做民间语源。""在许多场合下,

---

[7] 索绪尔《普通语言学教程》,244页,商务印书馆,1982年。
[8] 布龙菲尔德《语言论》,515、522页,商务印书馆,1980年。

民间语言中改变意义的词,时常以改变了的形态重回到标准语中来。""总之,民间语源乃是在民间语言中根据祖国语言容易理解的词改变不易理解的词的意思的个别情况,换句话说,这是将不易理解的词或语改为容易理解的词和语。"[9]

索氏和布氏都只注意词的形式或意义,而布达哥夫则兼顾了形式和意义的联系——词的内部形式,并把通俗词源归结为内部形式这个上位课题之中。五年之后,在布达哥夫出版的《语言科学引论》第一章第七节把词的内部形式和词源同词义发展并列,进一步探讨了词义发展和词源的关系,和内部形式的关系。[10]

1.7.4 1973年的美国语言学会会长 Bolinger, D. L. 和 Sears, D. A 合写了一本书《Aspect of Language》(third edition, HBJ. 1981)。书中认为,通俗词源指"当听话者听到一个陌生的词时,他把它错当成已经早就熟悉的某个词,并且进而把它与某些自己了解的事物联系到一起。这种讹误可能在心理上导致语词语法结构的改变。""使词的形式发生变化","造成微小的词形变化"。总之,"是语词使用中的讹误问题","是在特定语言环境中临时出现的东西","它属于言语,而不属于语言"。[11]

1.7.5 通俗词源研究的后起之秀、英语出身的张绍麒先生,从1985至2000年十五年间,他从攻读汉语词汇学硕士到晋升教授之后,曾在《光明日报》《辞书研究》等报刊上发表了多篇通俗词源研究成果,出版过《语词符号结构探索》《汉语流俗词源研究》两部专著。他认为"流俗词源的本质特点是语词内部形式变异"。"表面上看可能改变语词的语音形式,而在根本上它首先改变的是语义,不过这个语义不是语词的词义(所指),而是一种被作为形式使用的语义,它是语词内部形式的要素之一。"[12]

1.8 未来的汉语词源学

未来汉语词源学任重而道远。第一,继承哲学词源学的智慧,开拓先哲留下的空间;第二,弘扬语文词源学的优良传统,开拓它的多元思路,精化它的多元方法,扩展它的广角视域;第三,强化历史比较词源学的普系性、系统性、异质性、原则性;第四,升华民族语言词源学的词族理论和深层对应理论;第五,继续发掘方言底层语料和开发方言底层研究和方言同源词研究;第六,扩展、深化区域类型学词源研究,为词源研究开拓更广阔的视野;第七,深入研究通俗词源学中的语词内部形式变异问题,吸收通俗词源学的丰富语料和研究成果。

---

[9] 布达哥夫《语言学概论》,61—67页,时代出版社,1956年。
[10] Будагов, Р. А. Введене в науку о языке, М. 1985. стр. 62—78.
[11] 张绍麒《汉语流俗词源研究》,9—10页,语文出版社,2000年。
[12] 同上,10—11页。

未来的汉语词源学,在吸收以上七个流派的词源学成果中,将逐渐发展成熟。

人、物、学一理,有容乃大。

二 词源学理论

2.0 要想兼容,就必须站在制高点上。只有站在制高点上,才能分清各学派的高中低、偏正误,才能发现各学派的合理因素和片面因素,才能超越一个学派的狭窄视域。

所谓制高点,就是学术思想史的制高点,就是理论制高点。学术史自古就有两条线:一条是文献史,一条是思想史。思想史是从文献史中总结、抽象、升华出来的,而且是学术史的主线。学术的制高点就位于这条主线上。

总结词源学学术史,在众多的思想点上,下列几个理论组成了制高点。

2.1 历时系统论

尽管以词源为重要内容的历史比较语言学,在青年语法学派手中达到了较为成熟的地步,但是,青年语法学派还是缺乏系统观,被讥为原主义。虽然索绪尔力主系统论,但是,他以为历时语言学中,要素"彼此间不构成系统"[13],"变化永远不会涉及整个系统,而只涉及它的这个或那个要素,只能在系统之外进行研究"。[14] 简而言之,他认为历时不存在系统。后来,雅柯布逊突破了索氏的局限性,强调"每一种变化都必须看成为它所属的那个系统的一种功能",[15] 历时存在着系统。

词源学研究,必须受历时系统论指导。同源词的对比,必须是历时系统的对应,而不能是偶然的音义相似。仅凭音义的微别就确定为同源词,这是规定主义。而规定主义是亚里士多德至索绪尔之前的语言学的主要思潮。在这一思想影响下确定的同源词,常常带有主观性,常常混入许多非同源词,致使同源词的研究偏离正常轨道。

词源学研究的指导思想,由早期的原子观发展为现代的整体观。下列语言学词典对词源学的定义或多或少地受了原子观的影响:"指对词的来源与历史以及对词的形式与意义的变化(包括向其他语言借词[Borrowing])所作的研究。"(哈特曼等,1972)"研究词的来源、历史及其词义变化的学科。"(理查兹等,1992)"传统上指研究词的形式和意义的起源和历史。"(戴维·克里斯特尔,1997)从整体论来看,词源学还包括"揭示词

---

[13] 索绪尔《普通语言学教程》,143 页。
[14] 同上,127 页。
[15] 徐通锵《历史语言学》,155 页,商务印书馆,1986 年。

的词源关系,建立词的族属类别"。[16] 词的来源的研究,很少研究单个词,而大多数是研究有同一来源的一组词或有同族关系的一组,也就是历时多元研究或类聚研究。总之,是历时的系统研究。进入这个系统的主要系列单位是词位、音位、义位、法位,其次系列单位是词素、音素、义素、法素。

2.2 宏观词源学

局限于语言内部的词源学,称为微观词源学。超越语言内部的词源学,称为宏观词源学。

相当多的同源词和同族词,在语言内部就可以找到词源,这类研究需要三条先决条件(埃里克·P. 汉普,1992):①"掌握语音变化、词法变化、句法变化",②"掌握类比、借词、重构和内部重构",③掌握地域语言学(areal linguistics)。刘又辛认为,"研究汉语词源学,文字学是基础,音韵学是工具,训诂学是核心。"[17] 这是就微观词源而言的。

还有相当多的同源词和同族词,必须借助语言以外的知识:自然史、社会史、文化史、思想史、宗教史等等。

20世纪60年代以来,互渗(互相渗透)是语言学的大趋势之一。各级学科之间的互渗姑且不论,语言与世界,词与物的互渗,是直接跟词源有关的。

语言哲学告诉我们,语言是存在的家园。离开世界,自然没有语言;离开语言,也不能认识世界。迄今为止,人们所认识的世界都反映在语言里。"意义是主体所能把握的真正的知识客体。"对词的史前意义的判断,只能靠历史知识。例如,有人说"狗"和"驹"是同源词,是原始语言的同一个词的分化。历史知识告诉我们,狗是最早驯化的家畜,大约在渔猎时代晚期和畜牧时代早期。而马的驯化,大约是在畜牧时代中晚期和农业时代初期。相隔上千年的狗和驹,用一个名称称呼,这个推断有点玄。

《说文·禾部》说:"黍,禾属而黏者也。以大暑而种,故谓之黍。从禾,雨省声。"历史知识告诉我们,黍是殷商之前已有的农作物,已见于甲骨文。而"大暑"作为二十四个节气之一,始见于战国的《逸周书》和《管子》等书,比"黍"晚了约1000年。如果按把二十四个节气写入历法(那是西汉成帝末年改《太初历》为《三统历》的时候)算,"大暑"比"黍"至少晚1300年。因此,"黍"的命名定音跟"大暑"没有关系。

由此可见,寻求词源、同源词、同族词,不能只靠语言知识,而常常得求助于历史知识。因此,宏观词源学常常是历史学的一部分。

---

[16] 何九盈《中国现代语言学史》,502页,广东教育出版社,1995年。
[17] 刘又辛《谈谈汉语词源研究》,见《汉语词源研究》第一辑,吉林教育出版社,2001年。

2.3 语言联盟论

语言联盟论是跟语言谱系论相对的。布拉格学派的中心人物 Трубецкой, H. C. 看出谱系论在探求同源上的局限性,提出语言接触和联盟观点。之后,Meillet, A.、Hjelmslev, L.、Jakobson, R.、Weinreich, U.、Thomason, S、Paul K. Benekict 等语言学家都对语言接触和联盟研究做出了不同程度的贡献。到中国陈保亚(1996,1999)这里,这一理论臻于完善。它是区域类型学的基础理论,在这一理论指导下,语言比较不限于同源关系、谱系模式,可以是接触关系、联盟模式。它比较的主要内容是关系词,包括新老借词。

为了鉴别语言的同源关系和接触关系,陈保亚(1996)特别引进了 Swadesh, M. 的 200 核心词的理论和方法。1952 年 Swadesh, M. 从印欧语中筛选出最稳定的 200 个词,1955 年又从 200 个词中选出更稳定的 100 个词。两种语言的关系词在这两阶词中的分布是有差异的:有同源关系的语言,关系词在核心词中出现的多;有接触关系的语言,关系词在核心词中出现的少。只有证实了同源关系,才有可能去证实同源词。而"证实同源词比证实同源关系困难得多"。(陈保亚,1996)因为同源词的证实,还得具备另一些具体条件。

2.4 词源学的方法论

中西方词源学共用的方法是比较法。中西方词源学也有个性方法。

西方词源学多用语族间的历史比较,即拿一个词在语族间寻找同源词,寻找同源词在语族内的语言对应关系的证据。它是拿三个框架避免随意性的:一语音共性,二语义的共性,三形态共性。

国学词源学,传统方法多是拿两个或几个同源词,在汉语文献内,寻求语音共性和语义共性。因为缺少语族和形态的控制,所以难免随意性。

为了避免随意性,汉语词源研究的方法,必须允分运用相当于语族的方言材料,必须以词族为比较的单位,寻求词族的语音特征,必须以一组同音词(字)在方言间做深层对应比较,必须以汉字为线索寻求同源词、同族词。

总之,要综合运用中西方具有杰出贡献的七个方法:丹麦学者 Rask, R. K. 的语音对应法,德国学者 Popp, F. 的语法对应法,俄国学者 Будагов, P. A. (1963)的语义对应法,Swadesh, M(1952)的 200 核心词检测法,中国学者的词族对应法、深层对应法、系联法。

除此以外,在词源的几个宏观课题上,还应该注意定量分析法。

从古希腊至今,一直在争论名实的任意性问题。非任意性论者,古今都举象声词、叹词为例,任意性论者都举非象声词、非叹词为例。双方都可以举出几百个例子。从前有所谓"例不十,法不立"之说,如此说来,例过十、过百乃至近千,法还不立吗?现代科学的回答是否定的。因为质的规定性不决定于孤立的绝对的量,而决定于相关的相对的量,汉语中的象声词有 400 个左右,感叹词有近 100 个,再加上一些拟声造的词,总数在 600 个左右。这个数占汉语总词数的千分之一或几百分之一。能用这个比例数论定名实的非任意性吗?显然不能。因此,我们得特别注意模糊学的原创者美国教授扎德(Zadeh, L. A.)的高见:"一种现象,在能用定量的方法表征它之前,不能认为它被彻底地理解,这是现代科学的基本信条之一。"

上述论争论证中,古今惯用的是内省式的简单枚举法,即由主观的认识、省察为出发点,寻找有限的实用的若干例子,证明主观有局限性的认识是正确的。其结论,常常是不科学的。科学的方法应当是,从初步的定性研究出发,经过封闭域的全量定量分析,检验、校正、精化、提高原来的定性,把非科学的直觉(非任意性)转化为可靠的科学的结论(任意性),如此"定性—定量—定性"循环下去,各种科学才会获得当今的现代化的进步。如果暂时不能做全量分析,做些抽样定量分析也好。例如,我们从《说文通训定声》中选取"同、从、宗、音、㕚、句、叚"7 个右文,得到含这些右文的总字数为 136 个,其中有广义的右文义的字数为 92 个,占总字数的 67.65%。无右文义的字数为 44 个,占总字数的 32.35%。如果去掉广义右文义中的反义和较远的间接义,那么含狭义的右文义的字数所占的比例为 20%至 30%左右。这中间有些右文义是模糊的。如叚声字在《定声》中有 22 个,其中只有 5 个有赤义,占总字数的 22.72%。如果去掉 4 个误解的字(即不是叚声字),那么,有赤义的字可占总字数的 27.77%。而段注却说"凡叚声……皆有赤色"。可见,连段玉裁这样精审的学者在定量分析面前都得受到重新检验。

2.5 根词和衍生词异质论

根词,也叫原词或初词(王力)、初始词、原始词(intia 或 redices),是产生得最早(多在史前)、意义最基本、结构最单纯、构词能力最强、全民性最突出的基本词汇中的核心词。它们以这五个特点区别于其他基本词汇,更区别于衍生词。根词在一种语言中大约在 500 个左右。合成词和派生词都是它们的衍生词或滋生词。

根词多是任意的、无理据的。衍生词不是任意的,而是有理据的。拿衍生词去说明根词的理据,是倒行逆施,是违背历史原则的。如:

春,蠢也。物蠢生乃动运。(《汉书·律历志》)

土,地之吐生物者也。(《说文·土部》)

韭,菜名。一种而久者,故谓之韭。(《说文·韭部》)

怎样判别根词和衍生词? 第一,以文字为线索,一般说来,用"春、土"等独体字为词形的是根词,用"蠢、吐"合体字为词形的是衍生词。第二,以文献为参照,"韭"见于《诗经》,"久"见于《论语》,皆不见于卜辞、铭文,无法判别先后。"土"见于《书经》《易经》《诗经》、卜辞。"吐"见于《诗经》,不见于卜辞。"土"应为根词。第三,以词类产生的先后为参考。名词(亚里士多德称为静词)比动词、形容词先产生,具体名词先于抽象名词,跟人生活密切的具体名词、动词、形容词先于离人生活较远的具体名词、动词、形容词。专有名词先于一般名词(布龙达尔,1928)。代词先于一般名词、动词、形容词。基数词先于其他数词。实词先于虚词。据此,名词"春"早于动词形容词"蠢"。具体名词"韭"早于形容词"久"。具体名词"土"早于动词"吐"。第四,用根词的五个特点区别于衍生词(前文已论列)。

2.6 同源词和关系词异质论

同源词是语言发生学和谱系学的范畴。关系词是类型学的范畴。

关系词,首先是指不同语系之间的音义相关的词。如罗杰瑞(Jery Norman)和梅祖麟把汉语的"江"跟南亚语系孟高棉语族巴纳语(Bahnar)、塞当语(Sedang)的[Kroŋ]、卡涂语(katu)的[Karuŋ]、布罗语(Bru)的[Kloŋ]、呵莱语(Hre)的[Khroŋ]、古孟语的[Kruŋ](皆为"河流")视为关系词。把汉语的"河"跟阿尔泰语系蒙古语的[ɣool](河流)视为关系词。(桥本万太郎,1985)近来有些学者认为,我国的几种孟高棉语族跟壮侗语族有密切关系。

关系词,其次指同一语系不同语族之间的、缺乏同源词证据的对应词,如邢公畹(1990,1991)的汉台关系字、台语里的关系词研究,陈保亚(1996)汉台关系词研究。在缺乏证据的条件下,关系词比同源词的提法稳妥些。

2.7 字源和词源异质论

一般说来,字源是有史以来的现象,其研究是有文献史料和文字史料可以证明的。词源不完全是有史以来的现象,其中一部分推导是属于史前时期的。

字源研究,比较可靠。它利用字形及声符的系联,借助音义条件,可以得出较可靠的同源字、同族字。词源研究,只能以字形、字音、字义为线索,以词的音、义、结构(形态)为根据,以一种语言的文献为证据,以同一语系语族间或方言间的历史比较对应为制约规律,这样才可以得出同源词、同族词。

同源字,有时是以不自由的语素的形式存在的。如:"张家庄、张格庄、张哥庄、张戈家"中的"家、格、哥、戈"是地名中存留的同源字。其义都是"家",其音都是见母[K],鱼铎对转,鱼歌旁转。

同源词,都以词位(偶尔是词位变体)的形式存在的。如"家/嫁",都是自由的词位,女子成家或女子结婚到异姓家就是"嫁"。"萝卜/莱菔"是词位及其语音变体,"斑白/班白、颁白","踌躇/踌躅"是词位及其词形变体。

汉语的字源研究和词源研究是互补互利的。

2.8 词源义和词义异质论

广义的词源义,应该包括四个内容:A. 某词的原始义,B. 词的理据,C. 词的内部形式,D. 同源词之间或同族之间的共性意义。

原始义,是词的最早的意义。其中大部分是可以用文献证明的(这类一般称"本义"),一部分是由字或词形构造分析确定的,一部分是由同源词或同族词历史比较推导的。后面两种意义,都不是词义。

词的理据,是命名的理由和根据,是词义的附属内容,它不是词义的主体。一般说来,了解词的理据会有助于掌握词义。因此,中型语文词典常有选择地把说明词的理据作为释义的补充手段。

词的内部形式,广义的是指词的理据、词的语义结构和语法结构。狭义的只指后两个内容。总之,它不是指词义本身。词的语义结构和语法结构所以称之为"内部形式",就是相对于词义这一个内容而言的,它们是反映词义的两种内在的形式(有别于外在形式语音)。分析这两种内在形式,有助于理解词义。

狭义的词源义,专指同源词或同族词的共性意义。它是"最大公约数式的意义"(沈兼士)、"意象,特征义"(王凤阳),"带有具象性,居于义素这个层次上"(王宁),"具有多元性、抽象性、模糊性、同规性、依托性"(殷寄明)。相比较而言,词义的客观性较突出,它客观地存在于语言系统和言语作品中,存在于辞书中。词源义的主观理念性较强,它是研究者从同源词或同族词的隐性义素归纳出的共性的语义特征。词义是以义位为单位的交际性的语义单位,词源义是以较高范畴为单位的思维性的语义系统。词义包括以百万计的义位组成的庞大的语义系统,词源义只包括数以百计的大小、高低、长短、曲直、明暗、深浅等义素组成的很小的语义特征系统。

2.9 以理论为先导的词源学

只有抢占上述理论制高点,才能建立起以理论为先导的汉语词源学。没有理论,无所谓"词源学",只能在黑暗中摸索着,重复记录,反复描写,循环整理。必须牢记中国人记录了两千多年的彗星资料而结果却叫"哈雷彗星"的教训。

我们强调理论,并不是忽视语料。没有或缺乏语料的词源学,只能是空谈词源学。准确地说,汉语的词源学必须以理论为先导,以语料为基础。

总而言之,我们的倾向是:即将成熟的汉语词源学还必须做些催熟的工作,一要兼容词源学七个流派的营养,二要抢占词源学理论制高点。

参考文献

埃里克·P. 汉普《关于词源学》1992,见汪榕培等《九十年代国外语言学的新天地》,辽宁教育出版社,1997年。
布达哥夫(1956)《语言学概论》,时代出版社。
布龙菲尔德(1980)《语言论》,商务印书馆。
陈保亚(1996)《语言接触与语言联盟》,语文出版社。
———(1999)《20世纪中国语言学方法论》,山东教育出版社。
岑麒祥(1953)《从广东方言中体察语言的交流和发展》,《中国语文》第4期。
———(1981)《历史比较语言学讲话》,湖北人民出版社。
何九盈(1995)《中国现代语言学史》,广东教育出版社。
黄易青(2001)《汉语同源词研究概述》,见《汉语词源研究》第一辑,吉林教育出版社。
康德拉绍夫(1985)《语言学说史》,武汉大学出版社。
刘又辛(2001)《谈谈汉语词源研究》,见《汉语词源研究》第一辑,吉林教育出版社。
梅耶(1957)《历史语言学中的比较方法》,科学出版社。
桥本万太郎(1985)《语言地理类型学》,北京大学出版社。
费尔迪南·德·索绪尔(1982)《普通语言学教程》,商务印书馆。
汤姆逊·威廉(1938),История языковедения до конца XIX века, М., Учпедгиз,《十九世纪末以前的语言学史》,科学出版社,1960年。
王凤阳(2001)《汉语词源研究的回顾与思考》,见《汉语词源研究》第一辑,吉林教育出版社。
王 力(1982)《同源字典》,商务印书馆。
———(1990)《王力文集》第十一卷,山东教育出版社。
王 宁(2001)《关于汉语词源研究的几个问题》,见《汉语词源研究》第一辑,吉林教育出版社。
徐通锵(1996)《历史语言学》,商务印书馆。
殷寄明(2001)《我对语源学若干问题的探讨》,见《汉语词源研究》第一辑,吉林教育出版社。
张绍麒(1992)《语词符号结构探索》,山东教育出版社。
———(2000)《汉语流俗词源研究》,语文出版社。
Абаев, В. И. (1956) Вопросы методики сравнительно-исторического изучения индоевропейских языка, М..
Будагов Р. А. (1958) Введение в науку о языке, М..
——— (1963) Сравнительно-семасиологические исследования (романские языки), М..

(张志毅 姜岚:烟台师范学院中文系,264025,山东烟台)

汉语命名造词的哲学意蕴
——兼论任意性与可论证性的争议

周 光 庆

提要： 本文为有助于深入发掘汉语命名造词和词汇发展的基本规律，努力接近认识人的文化世界、探讨人的存在方式的最高目标，着重研究汉语命名造词的目的与功用、命名造词的分类与概括、命名造词的理据与表现，从汉语命名造词的实际出发，探寻其哲学意蕴，并从这一角度讨论了语言符号的任意性与可论证性的问题。

关键词： 命名造词　造词理据　哲学意蕴

现代语言学创立者索绪尔首倡的语言符号任意性原则，是其理论体系的重要基石。在他以后，这一理论原则既得到了广泛的认同和发挥，也受到了不少的批评和挑战。最近二十年来，中国语言学界也围绕任意性原则与可论证性原则，发生了一场温和却又持久的争议。我们认为，从汉语实际出发，就语言符号是否具有并且如何具有任意性和可论证性的问题开展研究和争论，是很有意义的，但是最好能够扩大理论视野，参考语言哲学的一些原理。东方古代哲人荀子早就指出："故知者为之分别，制名以指实，上以明贵贱，下以辨同异。贵贱明，同异别，如是，则志无不喻之患，事无困废之祸，此所为有名也。然则何缘而以同异？曰缘天官。凡同类同情者，其天官之意物也同；故比方之疑似而通，是所以共其约名以相期。"（《荀子·正名》）西方现代哲人卡西尔已经强调："如果我们想要发现把语词及其对象联结起来的纽带，我们就必须追溯到语词的起源。我们必须从衍生词追溯到根词，必须去发现词根，发现每个词的真正的和最初的形式。根据这个原理，词源学不仅成了语言学的中心，而且也成了语言哲学的基石。"[1]这样，我们就能认识到，为了有助于从根本上解决语言符号任意性与可论证性的问题，为了有助于深入发掘汉语命名造词和词汇发展的基本规律，为了有助于真正"发现把语词及其对

---

[1] 卡西尔《人论》，145页，甘阳译，上海译文出版社，1985年。

象联结起来的纽带",努力接近认识人的文化世界、探讨人的存在方式的最高目标,我们应该而且可以在已有学术成果的基础上,着手研究命名造词的目的与作用、命名造词的分类与概括、命名造词的理据与表现,亦即严格地从汉语命名造词的实际出发,探寻汉语命名造词的哲学意蕴。

一　从目的与功用看命名造词的哲学意蕴

有的理论语言学著作在论述命名造词的目的与功用时,引用斯伟夫特《格列佛游记》中的一个故事:大人国里的人们试图绕开语言符号而用实在的物件进行交际,于是每个人总是随身携带着一个大口袋,里面装着要说到的各种东西,想要说到什么,就从口袋里掏出那个东西。其结果当然是交际活动的失败。这的确是一个饶有兴味的故事,用不着具体的论述,它就能使人理解命名造词的目的与功用首先就是用语词来指称事物,使语词成为代表事物的符号,以便将事物"引渡"到相关的思维和交际活动中来。然而,应该指出:第一,正是通过指称等方式,语词符号与所指事物形成了稳定而牢固的联系;第二,指称事物固然是命名造词的第一种目的与功用却又不是它唯一的目的与功用。

如果我们的考察和分析不仅具有语言学的同时还具有语言哲学的眼光,那么,就不难理解:每一种事物都是客观存在的;但是,只有当它与人发生关联并成为人的认识对象,只有当它具有名称并进入了语言,它才能变得可以理解,才能向人表现自己的存在,才能具有特定的意义。如果说,事物的意义体现了人与事物的多重关系,构成了人与世界交往的基本方式,是人生存的不可或缺的前提,那么,语词符号则是人与事物多重关系的中介,是人与世界交往的中介,因而,同样也是人生存发展的不可或缺的前提。而在另一方面,客观存在着的事物林林总总,却不是每一种事物都能在同一历史时期获得一个名称,通过语言符号进入人的世界。历史事实证明,往往只有那些与特定历史时期人们的共同生命活动、生活方式、文化观念密切相关的东西,只有那些与特定历史时期人们的共同思维方式、认知能力基本相应的东西,才能受到语言的特别关注,从而获得一个名称,进入语言之中。董仲舒《春秋繁露·深察名号》所论述的:"名生于真,非其真,弗以为名。名者,圣人之所以真物也",比较接近这个道理。譬如,《尔雅》记载了宗族、母党、妻党、婚姻四类亲属称谓,上四代下八代,详尽而繁复。这说明,在当时的文化背景和生活方式里,人际关系尤其是亲属关系受到了特别关注,构成了种种特定的"意义"。而与此相对照的是,关于个人在社会生活中的基本权力,却不见《尔雅》记有专门词语予以表示。这又说明,个人基本权力的问题,还没有成为那个时代人们生命活动和生活方式的关注点。又如,《尔雅》记载的人的疾病的名称有二十多个,但大都是指称由于劳累和忧伤产生的疾病,几乎没有指称由于细菌形成的疾病的语词。这自然表明,由于劳累忧伤产生的疾病,是当时人们关注的焦点,而由于细菌形成的疾病,则不是那个时代人们所能认识的。由此可见,选取备受关注的事物而予以名称,从而揭示事物、标明事物并将其引入人的世界,是命名造词的第二种目的与功用。

进而,我们又可以发现,人们在关注某种事物而为之命名造词的时候,他实际上已经将这种事物归为一类,而与其他种类事物区分开来,已经对这种事物的某些特性和功用有了初步的概括和解释,已经为这种事物初步赋予了某种"意义"。当他命名造词的时候,往往还希望名称能表现自己关于这种事物的生活经验,表达这种事物的特定"意义"。此即《管子·九守》所强调的:"修名而督实,按实以定名,名实相生。"事实上,在大多数时候,他对这种事物的初步认识和解释,他关于这种事物的体验和经验,也都会通过一定的方式和程序(详下)在命名过程中转移到语词符号的构造和使用中去。"语词只有把事物表达出来,也就是说只有当语词是一种表现的时候,语词才是正确的。……语词是存在,这种存在就是值得被称为存在的东西,它显然应由语词把它显现出来。"[2]譬如,根据《尔雅》的记载,在先秦时代,四季各有别名,"春为青阳,夏为朱明,秋为白藏,冬为玄英。"显然,在"青阳"等词产生之前,中国先民已经将四季区分开来,分别命名为"春、夏、秋、冬"。这四个名称,足以指称、引渡、揭示、标明四季。可是,他们何以还要为四季再造别名呢?可以肯定,这主要是为了表达他们对于四季的另外一种认识和解释。根据晋代学者郭璞《尔雅注》的考释,在中国先民的心目中,四季的另一些重要特征依次分别是"气清而温阳"、"气赤而光明"、"气白而收藏"、"气黑而清英"。认识四季的这些重要特征,对于协调农耕生活的进程与节奏,有着重要的意义。于是,"青阳"等词也就产生了,而先民对于四季的这些认识成果,也由造词理据转化为词源结构,影响着人们对于词义的理解和运用。由此可见,面对备受关注的事物,选取值得重视的特征作为命名理据,从而认识事物、解释事物并将其成果融进语词的构造和使用中去,是命名造词的第三种目的与功用。

命名造词是人在与世界交道时的一种特有的、自觉的符号运动。在命名造词的过程中,人不仅实现了对事物乃至对世界的初步理解,从而"赋予"事物乃至世界以特定的"意义",而且还在理解和"赋予"中彰显出自己特有的而与其他一切存在者不同的存在方式。在命名造词的成果里,人不仅以符号化的方式将客观事物引入人的世界,从而萌发出对自己存在的"筹划",而且还在符号化过程中彰显出自己特有的而与其他一切存

---

〔2〕 伽达默尔《真理方法》,523页,洪汉鼎译,上海译文出版社,1999年。

在者不同的存在方式。譬如,人与动物,中国人与外国人,都生存于同一物理世界,都能感受到和风的吹拂与影响,但只有中国先民本着农耕生活的经验去认识它、解释它,将和风分为四类,各予一个名称:"春为发生,夏为长,秋为收成,冬为安宁。"(《尔雅·释天》)。显然,在这一命名过程中,中国先民已经显示出自己对和风的独特态度、独特感受,显示出自己与其他一切存在者的不同认知方式和不同生存方式,因而也就显示出一个自我来。这正如《荀子·正名》所论断的:"彼正其名,当其辞,以务白其志义者也。"同样显然,命名造句的基本目的与功用常常又自然而然地关系到人的生存本体问题。为了使这一认识更为清晰,有必要重温卡西尔系统论证过的一个经典性理论:"如果有什么关于人的本性或'本质'的定义的话,那么这种定义只能被理解为一种功能性的定义,而不能是一种实体性的定义。……人的突出特征,人与众不同的标志,既不是他的形而上学本性,也不是他的物理本性,而是人的劳作。正是这种劳作,正是这种人类活动的体系,规定和划定'人性'的圆周。"这里的"劳作",是指包括命名造词在内的"符号活动",因此,他强调:"我们应当把人定义为符号的动物,来取代把人定义为理性的动物。只有这样,我们才能指明人的独特之处,也才能理解对人开放的新路——通向文化之路。"[3]由此可见,在揭示和标明事物、认识和解释事物的同时,从一个角度帮助塑造人的自我、彰显人的存在是命名造词的第四种目的与功用。

论述至此,我们深信,命名造词是人所特有的劳作,是人所特有的存在方式,其目的与功用,既在有助于人揭示和标明事物、认识和解释事物,又在有助于人塑造自我、彰显存在,充满了哲学的意蕴。如果说,我们应该承认部分语词符号的能指与所指的"自然联系"是任意的,因为这是事实;那么,我们更加应该承认有更多的语词符号的所指的形成与表现是可论证的,因为这也是事实。而且,就研究词源学和词汇学而言,只有在承认它们的所指形成与表现的可论证性之后再承认它们的能指与所指"自然联系"的任意性,才是更为全面、更加合理、更有理论与实践价值的。

二 从分类与概括看命名造词的哲学意蕴

"名也者,所以期累实也。"(《荀子·正名》)对客观世界中事事物物的分类,是人类语言的基本特性之一;命名造词活动本身以及命名造词主要目的与功用的初步实现,都必须依赖于分类的过程,依赖于分类之后的概括。这是语言学家和语言哲学家都已达成的共识。然而,分类就必须有一定的标准和方式,概括就必然有一定的方式和成果。

---

[3] 卡西尔《人论》,34、87页。

而且，人类总是在不断进化发展的，人类对事事物物的分类的标准和方式、概括的方式和成果，也都是在不断进化发展的。过去，人们恰恰忽视了分类与概括的进化发展特征，往往以今律古，似是而非。基于这一认识，我们对中华民族为了命名造词而对客观世界中事事物物所作的分类与概括进行了总体的观察与思考，认为依次从以下三个方面对这一问题进行初步的分析和论述是比较恰当的。

第一，意象性分类与意象性概括。

关于人类原始思维的研究表明，原始人思维的最高状态是意象思维，即以意象为符号的思维方式。所谓意象，是主体经过多次感觉、知觉之后对事物表象进行改造、组织而形成的已经从背景中分离出来的特殊性质的图像，是事物的形象在心理活动中的概括反映。"由于它能为物体、事件和关系的全部特征提供结构等同物"，[4]而且是立体的、动态的、饱含情感意味的，因而可以激起人们许多前逻辑的感受，启发想象，引起共鸣。作为一种思维符号，意象在思维活动中具有"能指"的功能，可以由语词符号来表达。运用意象思维不能进行"逻辑推理"，却能从事"意象推演"，亦即凭借头脑中的意象从当前情境中的意象联系而想象到一种新的意象联系。在意象推演过程中，人们往往遵循相似原则（将意象及其联系的相似性作为推演的根据，认为相似的东西大都具有相似的性质和结果）和相邻原则（将意象之间在时空上的相邻关系作为推演的根据，认为相邻的东西大都具有因果关系），最终形成了意象的类化和类化的意象。"所谓意象的类化，就是根据'象'上的某种相似性，对有关感觉材料进行分类整理，从而整体地或部分地揭示有关对象在'象'上的某些共同特征，其结果就是类化了的意象。……因为类化意象虽然来自感性的直观，却已经过了一定的概括，因而可突破个别性对象的限制，能够把握某一类或某一系列的众多的对象"，进而通过各种各样的类化意象及其分解、拼接活动来把握各种对象和周围的世界。[5]在这里，语词所表达的主要是类化意象。意象思维固然是原始人的最高成就，却也是文明人常用的思维方式，中华民族更是擅长此道。这在汉语词汇形成过程中有较多的反映。这就是《管子·心术上》所总结的："以其形因为之名，此因之术也。"譬如，众所周知，古代汉语的单音单纯词，"霞、瑕、騢、蝦"同源，"缟、皎、鹤、皓"同源，"笱、钩、鉤、朐"同源，"矫、挢、跻、翘"同源，"濛、雾、瞑、盲"同源，"侔、儕"同源。它们之所以分别被划为同一类别，具有同一"义类"，都是由于分别具有同一表象特征和情态特征，或皆为赤色，或皆为白色，或同为弯曲貌，或同为高扬貌，或同为迷蒙貌，或同为侔对貌。这类词的造词过程，生动地反映出中国先民所擅长的思

---

[4] 阿恩海姆《艺术与视知觉》，595页，滕守尧译，中国社会科学出版社，1984年。
[5] 刘文英《漫长的历史源头》，293页，中国社会科学出版社，1996年。

维方式和认知模式,以及他们通过命名造词而与客观事物建立起来的初步联系。中国先民既以这种方式揭示事物存在的特征,也以这种方式彰显自我存在的特征。

第二,功能性分类与经验性概括。

随着社会实践和思维能力的不断进步,中国先民在思维活动中逐渐强化了主体意识而推重实践经验,开发出了意向思维和经验思维。意向思维以主体的意向活动为思维的主要形式,以主体的情感意识为思维的主要内容。经验思维是实践型的,其认识层面以主体实践的需要和目的为依归,以实践的效用和经验为转移,对具体的经验知识极为重视。它们都习惯于从主体的情感需要和实践效用出发,对经验进行选择、过滤或净化,赋予经验以主体意识的特征,使经验带有主观需要和功能评价的色彩;习惯于在实践中以体验的方式把握事物的"意义",从感受经验中把握抽象的原则,通过实践性的意向运动达到理性化的认识。其结果,常常能"打破个别观察材料的孤立封闭状态,用力把它从其实际发生的'此地此时'中拔拽出来,使它与其他事物联系起来,并将它和其他事物一道归集到一个涵盖一切的秩序之中,归集到一个'体系'的同一性之中去",从而形成"心灵概念"。[6]这样形成的"心灵概念",是事物的功能特征或性状特征亦可统称为区别性特征在心理活动中的概括反映,构成了语词符号表达的内容。它最初的功用,主要是依据主体的实践性意向改造和凝聚经验,使具体事物获得固定的"意义"、确定的特质和特定的位置。在这里,语词所表达的主要是"心灵概念"。意向思维和经验思维,是中华民族所擅长、所常用的思维方式,中国传统哲学的建构也较多地运用了这两种思维方式。[7]这在汉语词汇的形成过程中有较多的反映。譬如,众所周知,古代汉语的单音单纯词,"和、谐、骍、龢"同源,"堨、埋、按、遏"同源,"管、关、键、辖"同源,"傅、俌、辅、贕"同源,"政"与"正"同源,"义"与"宜"同源,"吏"与"理"同源,"旗"与"期"同源,"导"与"道"同源,"学"与"效"同源,它们之所以分别被划为同一类别,具有同一"义类",都是由于分别具有同一功能特征,凝聚着同一实践经验。这类词的造词过程,生动地反映出中国先民所擅长的思维方式和认知模式,以及他们通过命名造词从功能方面与客观事物建立起来的初步联系。当中国先民以这种方式揭示事物的功能特征和实用意义时,他们也就以这种方式彰显出自我存在的特征。

第三,系统性分类与辩证性概括。

早在西周时代,中国先民就萌生了具有辩证特征的系统思维。到了春秋战国时代,社会转型,思想激荡,促使这种思维方式趋于成熟,形成了一定的模式。它的基本特征

---

[6] 卡西尔《语言与神话》,53页,于晓等译,三联书店,1988年。

[7] 参蒙培元主编《中国传统哲学思维方式》第一章,浙江人民出版社,1993年。

是以全局的视角和矛盾的观点去观察和把握事物,发现全局是由各个局部都按照对立统一的秩序组织起来的,全局的各个局部之间,全局与其周围的各种事物之间,都存在着紧密的内在联系,往往会互动共变。特别值得注意的是,中国古人深信,宇宙的整体和各具体事物的整体具有统一的结构,宇宙系统的演化过程和具体事物系统的发展过程,遵循同一的法则。[8]在这种辩证性系统思维的观照下,中国古人对天地间林林总总事事物物的分类,更多地依据事物之间内在的对立统一关系和互动共变关系。对于看上去相反相对的事物,对于看上去分离零散的事物,他们往往能发现其间对立统一、互为因果的关系,发现其间的统一结构或同一法则,将它们既分析又整合而归为一个大类,然后进行辩证性概括。因而特别善于彰显和表现事物之间对立统一、互为因果这一最大最本质的特征,从而形成抽象的综合性概念。中国古人并且还能认识到,概念("指")虽然感觉不到,可以说是天下所无的,但是事物("物")却能感觉得到,是可以由概念表示的。因此,"天下无指而物不可谓非指者,非有非指也"(《公孙龙子·指物论》)。这在汉语词汇的形成过程中有较多的反映。譬如,人所共知,古代汉语的单音单纯词,"翁媪"、"买卖"、"受授"、"赘质"分别同源,各为一类,它们之间分别都具有对立与统一的关系;"知智"、"照昭"、"窈幽"、"造就"分别同源,各为一类,它们之间分别都具有原因与结果的关系;"右佑"、"背负"、"帚扫"、"砚研"分别同源,各为一类,它们之间分别都具有工具与行为的关系;"古诂"、"鱼渔"、"柄秉"、"田佃"分别同源,各为一类,它们之间分别都具有对象与行为的关系;"浮桴"、"聚萃"、"空孔"、"张帐"分别同源,各为一类,它们之间分别都具有特性与事物的关系;"亭停"、"义宜"、"瑱填"、"厅听"分别同源,各为一类,它们之间分别都具有事物与功能的关系;"枯渴"、"耦偶"、"住驻"、"改革"分别同源,各为一类,它们之间分别都具有事物与共性的关系;"寤悟"、"扶辅"、"角较"、"相省"分别同源,各为一类,它们之间分别都具有具象与抽象的关系。这许多类型的词的造词过程,深刻地反映出中国古人以全局的视角和矛盾的观点把握事物并与客观事物建立起来的初步联系。当中国古人以这种方式揭示出事物的存在状态和关系特征时,他们也就以这种方式彰显出自我存在的特征。

论述至此,我们深信,命名造词在其必然具有的对事事物物进行分类与概括的初始阶段,就既从特定的角度揭示和标明了事物,认识和解释了事物,又从特定角度表现出人在特定历史时期的思维方式和认知模式,彰显出人在特定历史时期的生存方式和主体特性。而语词符号的所指,无论它主要是关于事物的类化意象,主要是关于事物的"心灵概念",还是主要为关于事物的综合概念,其形成与表现都是可以论证的,这在很

---

[8] 蒙培元主编《中国传统哲学思维方式》,168页。

大程度上决定了语词符号的本质特征。就词源学词汇学研究而言,只有在承认了所指形成与表现的普遍可论证性之后,再来承认能指与所指"自然联系"的可能的任意性,才有益于更好地探讨词汇的形成发展规律、词汇的揭示认识功能、词汇的文化哲学意蕴。

三 命名造词的理据与表现

然而,我们又必须认识到,命名造词功用的完全实现,并非仅仅依赖于对事物的分类与概括,而是还要凭借造词理据的选取与表现;"所指"形成与表现的可论证性,并不能直接说明语言符号是任意性的还是可论证性的,而只有具体考察造词理据的选取与表现,才能正面解决语言符号任意性与可论证性的争议。所以在以上论述的基础上,我们还有必要进一步探究造词理据的选取与表现。

所谓造词的理据,就是人为事物命名造词时想要实现名称亦即语词的特定功用而寻找到的理由与根据。一方面,它是人面对事物而选取用来作为命名造词理由与根据的某种显著特征;另一方面,它是语词的语义内容与语音形式相结合的可论证性道理。造词理据的选取与表现,在理论上并不十分复杂,可在实际上却是人类经历了漫长时期的探索才逐渐获得的成果。在汉语的原始时期,中国先民在思维方式上往往凭借意象去把握对象,在社会生活中常常摹拟鸟兽的鸣叫声以诱捕鸟兽,加之又时时处于认识新奇事物所引起的冲动之中,因而对事物的声音特征怀有浓厚的兴趣和特别的敏感,能够通过摹拟的谐声从听觉上直接把握它所指代的对象,进而理解其中的意义,于是创造出了一个个摹声词,其中名词如"牛、羊、猫、狗、鸡、鸭、鹅、雁、雀、鹊、蛙、蜂、虎、豹、风、雨、江、河"等等,动词如"哭、笑、嬉、哀、滚、打"等等。应该说,这些摹声词的形成都有其理据,那就是人所感知的事物的声音特征。这足以说明,中国先民在那个时代就已经萌生出追求名称的特定功用、寻求造词的生动理据的朦胧愿望,但是摹声词为数很少,在那个时期的绝大多数情况下,中国先民还既不能自觉地也没有条件去追求名称的特定功用、寻求造词的生动理据。然而,随着自身的不断进化,随着社会的不断进步,随着言语交际的不断提升,随着汉语词汇的不断发展,中国先民和世界各国先民一样,对于造词理据的选取由不自觉而自觉,对于造词理据的表现由不可能而可能;语词符号的可论证性也随之而逐渐成为普遍的规律。

在这里,首要的问题是:为事物命名,何以需要一定的理由与根据?何以需要选取事物的某种显著特征作为命名的理由与根据?请先看中国古代哲人的观察:"物固有形,形固有名,名当谓之圣人。"(《管子·心术上》)"夫辩者,将以明是非之分……焉摹略万物之然,论求群言之比,以名举实,以辞抒意。"(《墨子·小取》)"举,拟实也。"(《墨子·经上》)再看西方现代哲人的论述。首倡语言符号任意性原则的索绪尔,也承认部分语言符号的可论证性,并且指出它的作用有:"(1)把某一要素加以分析,从而得出一种句段关系;(2)唤起一个或几个别的要素,从而得出一种联想关系。"[9] 费尔巴哈则在《对莱布尼茨哲学的叙述、分析和批判》一书中强调:"名称是用来区别的符号,是某种十分显明的标志,我把它当做表明对象的特征的代表,以便从对象的整体性来设想对象。"[10] 而乌西诺在《神祇名称》一书中给出的答案更为生动:"人们并不是发明出什么任意的声音复合体,好把这个复合体作为某个客体的记号输引进来,就像人们制作出一种标志那样。某个客体在外部世界显现自身,它引起的精神激动就为它的命名提供了场合和手段。感官印象是自我与非我遭遇时所接受的东西,其中最活泼、最可爱的印象自然要寻求言语的表达;它们就是说话的大众试图为事物分别命名的一块基石。"[11] 由此,我们可以想到,一方面,好的名称有相应的来源:当人们要为某种事物创立一个好的名称时,他所感受到的"最活泼、最可爱的印象自然要寻求言语的表达",人们也总会选取事物最引人关注的某个特征作为命名的理据,使之转化为词源结构",以便摹拟事物而使名称能够充当"表明对象特征的代表",从而实现其揭示和标明事物的功用;另一方面,好的名称有相应的功用:因为它表现了"最活泼、最可爱的印象",所以当人们说到或听到某种事物的名称时,总可以"唤起一个或几个别的要素,从而得出一种联想关系","以便从对象的整体性来设想对象。"例如:"聪囱"、"憭䆛"、"憭寮"分别同源,"聪、憭、憭"三词都是指称聪明才智的,都以中空通透的特征为造词理据。只要明白这一点,古人在说到或听到"聪"或"憭"或"憭"时,就能唤起一种联想,由"聪"联想到"囱(天窗)",由"憭"联想到"䆛(疏窗)",由"憭"联想到"寮(小窗)",就能在联想的引导下,把它们"当做表明对象的特征的代表",从而更快更好地认识事物、解释事物,即使经历了几千年以后,我们今天也可以通过对"聪、憭、憭"三词造词理据的系列性研究,探寻到古人对于它们所指称的事物的体验和认识,乃至古人的才智观。

由此可见,选取事物的某种显著特征作为命名造词的理据,并以这样的理据为事物命名造词,是很有必要、很有意义的。然而,在选取命名造词的理据之后,还必须以命名理据为依凭去寻找恰当的造词材料、运用恰当的造词方式以造词,否则,造词理据就难以得到表现,就难以转化为词源结构,语词符号也就难以发挥其揭示和标明事物、认识和解释事物的功用。而就古代汉语的单纯派生词(如"聪、憭、憭"等等)而论,所谓"恰当

---

[9] 索绪尔《普通语言学教程》,183页,高名凯译,商务印书馆,1980年。
[10] 转引自《列宁全集》第38卷,436页,人民出版社,1959年。
[11] 转引自《语言与神话》,106—107页。

的造词材料",就是原来已经存在的、现在可以作为比拟对象的"源词"。这种源词(如"囱、䀠、寮"等等),作为人们常见常用的名称,指代着人们先前已经认识的最具有或最能表现那种作为造词理据的特征的事物。本来,名称与事物及其特征之间并不一定具有天然的必然的联系,但是,先前已经认识的事物是早已有了自己的名称的,人们呼唤那个名称,就联想起它所代表的事物及其显著特征,它们之间的联系是牢固的。人们甚至习惯地认为,原已认识的事物的名称就代表了那种事物的显著特征。因此,这样的名称亦即"源词",也就成为"恰当的选词材料"。所谓恰当的造词方式,就是拙著《古汉语词汇学简论》提出并论证过的"比拟命名式",亦即以新认识的事物与原已认识的事物的显著相似特征或相应关系为造词理据,激发相应的联想,比拟原已认识的事物的名称即"源词",取用其语义特征和语音形式为材料,为新认识的事物命名,从而造成新词。例如,在古人看来,人的聪明才智就像房屋的各种窗户一样,都具有中空通透的特征,于是就分别以"囱、䀠、寮"三词为源词,取其语义特征和语音形式为材料而造成"聪、𥈭、憭"三个相对应的新词。有了如此恰当的造词材料和造词方式,就能生动地表现出那些被人们选作造词理据的事物的特征,使之转化为新词的词源结构,成为新词词义的一个有机部分。运用这样的材料和方式造成的新词,表现了它所指称的事物的显著特征,凝聚了人们关于该种事物的认识成果,显示了它与源词的历史联系,同时也彰显了人的思维方式和认识模式乃至生存方式,因而便于人们的理解和记忆,易于得到人们的认同和传播,也就能较好地发挥其文化功用。在古代汉语中,这样形成的派生词是很多的,并且往往自成系列,我们完全可以借用卡西尔《人论》中的话来说:"正是运用这些日常语词,我们形成了对于世界的最初的客观视域或理论视域。这样的视域不是单纯的'所予',而是建设性的智慧努力的结果。而这种努力若不始终借助语言的作用就不可能达到它的目的。"

当然,我们也应该看到,分类概括并选取事物的某种显著特征作为造词理据而以"比拟命名"的方式命名造词,也有其潜在的弊端:当它显现出事物的某种特征时,它同时也就很有可能遮蔽了事物的其他特征;当它以显现事物某一特征的方式引导人们认识事物时,它同时也就很有可能抑制了人们探寻事物其他特征的主动性和自觉性。这正如王弼《老子指略》告诫的:"名必有所分,称必有所由。有分则有不兼,有由则有不尽……是以圣人不以言为主,则不违其常;不以名为常,则不离其真。"例如,"霞"与"瑕、蝦"等词同源,"霞"也就成为表明对象的颜色特征的代表,时常引导人们从这一角度去体察云霞。但是,云霞的主要区别性特征并不仅仅是红色,人们也不能将对云霞的认识停留在颜色特征上。假如说"全部理论认知都是从一个语言在此之前就已赋予了形式的世界出发的;科学家、历史学家以至哲学家无一不是按照语言呈现给他的样子而与其客体对象生活在一起的"，[12] 那么，我们就更加必须在接受语词所凝聚的认识成果、在遵循语词所启示的认知模式的同时，自觉地打破它所启示的认识模式，超越它所凝聚的认识成果，主动地转换认知角度，深入社会实践，进一步考察语词所揭示的事物，争取获得更为丰富，更为深刻的新认识。而以哲学的眼光看，这也正是人在语言活动中不断地重新认识世界、建构世界、彰显自我的一种方式，具有本体论的意义。

论述至此，我们深信，命名造词活动对理据的选取与表现，具有引导人们把语言"当做表明对象的特征的代表，以便从对象的整体性来设想对象"，进而获取可供参考的认识成果和认知模式的潜在作用，同时也从特定角度表现出人在特定历史时期的思维方式、生存方式和主体特征。我们进而认为"语词符号的可论证性"，实际有两层含义，一层是对事物进行分类概括中的可论证性，一层是理据选取与表现中的可论证性。"语词符号的任意性"，也应该分层论说，在对事物进行分类概括的层次上也是可论证的，只有在理据选取与表现的层次上，才是任意的。争论语词符号是任意性的还是可论证性的，既不是要以否定对方为目的、以牺牲对方为代价，也不是要统计二者的百分比，从中选出一方作为主导原则，而是要借此领悟语词符号揭示和标明事物、认识和解释事物以及彰显人的存在等重要功用，要通过对词源学的研究去认识词汇与世界与文化的深层关系，去探讨人的认知模式和存在方式，从而使汉语词源学在人文科学领域创造并发挥出更大的功用。

（周光庆：华中师范大学文学院，430079，湖北武汉）

---

[12] 卡西尔《语言与神话》，55页。

词源与字源

张世超

提要： 本文界定"字"与"词"、"字源"与"词源"两对概念，进而阐述字源研究与词源研究的区别与联系，指出传统字源研究中存在的问题，提出新的字源研究方向，即以古文字材料为主，整理汉字形体的孳乳派生现象，并探索其规律。字源研究不能混同于词源研究，但字源研究将为具体的词源研究提供证据和线索。

关键词： 字 词 字源 词源

词与字的异同是个多年来的老话题，即使是在词源学范围内，也有人认真地进行过讨论，但由于本文后面将要涉及的问题，我们还是要首先将词与字的关系申明。

一 词与字

1.1 词与字是两个不同的概念：词是最小的能独立运用的语言单位，而字则是记录语言中某一特定成分的符号。就其整体言：词汇是一种语言中词的总和，而字则是记录某种语言的符号体系。

1.2 汉字是记录汉语的符号体系。一个汉字，记录汉语中的一个词或词素；从语音角度看，秦汉以后，一个汉字比较严格地记录汉语中的一个音节。在古汉语中，以一个字记录一个词的情形最为常见，下文提到类似情况时，以"词"为代表。

1.3 传统文字学认为汉字都有形、音、义三要素，其实是一种不科学的认识。具体的汉字仅是个符号而已，它的"音"，实际上是所记录的词的语音形式；它的"义"，实际上是所记录的词的意义内容。字与它所代表的词之间，具有社会的约定性。离开了它所记录的词，字无音、义可言。例如：

《说文》："椅，梓也，从木，奇声。"

《现代汉语词典》"椅"下收"椅子"："有靠背的坐具，主要用木头、竹子、藤子等制成。"

同为从木奇声的形声字，其意义却风马牛不相及，因为它记录了两个完全不同的词。再如：

《广韵·混》："体，蒲本切，麤皃，又劣也。"
《现代汉语词典》："体(tǐ)，身体，有时指身体的一部分。"

同一个字，却有两种完全不同的读音和意义，也是因为它记录了两个完全不同的词。前者从人，本声，所以，所记之词后来写作"笨"；后者从人、本会意，所记之词从前写作"體"。

因此，平常所说的"字音""字义"是一种习惯的提法，指的是这个字所记录的词的音、义。

1.4 词的内容是词义，而词的"形"是它的语音形式。同形词未必是同形字，如"修"与"脩"；同形字亦未必是同形词，如"朝(zhāo)"和"朝(cháo)"。

二 词源与字源

2.1 汉语的词源研究以探求汉语词的原初造词理据和音义状态为其目的，这是一个伟大的工程。学者们或对某些词族的源头情况进行探索，或对某些词的亲缘关系进行认定，或对某一词族的起源、发展情况进行历史的描述，都是为完成这一工程而做出的努力。

2.2.1 汉语词在历史上的音义情况是靠汉字记录下来的，因此，进行词源研究不可能不关注汉字的研究。宋代"右文说"的提出，标志着旧字源学的建立。

2.2.2 旧字源学是以对《说文》的研究为基础，以对形声字声符的比较、归纳为主要方式建立起来的。因而，它与生俱来的缺陷是：一、所依据的字形材料较晚，也不够准确；二、将语言问题与文字问题熔为一炉而冶之。其结果是：一、不能准确地推溯更早的字形源头，也不能准确地推溯更早的语词源头；二、以偏概全，将所发现的声符含义现象推广到全部形声字，走向自我否定。

2.3.1 经历了清代、"五四"以后，1949年以后几个阶段的语言学，词汇学研究发展，词源研究已经获得长足发展。但旧字源学中字词概念混同的影响仍未消除。例如，著名语言学家王力先生虽然从理论上分辨同源字和同源词，但仍表示："我们所谓同源字，实际上就是同源词。"[1] 朱星先生说："同源字，是指音义俱近或音近义同的字……

---

[1] 王力《同源字典》，5页，商务印书馆，1982年。蒋礼鸿先生指出："这一名称混淆了'词'和'字'的概念，就会在实践上产生若干难于解释的麻烦，或自陷于矛盾。"见《读〈同源字论〉后记》，载《怀任斋文集》，上海古籍出版社，1986年。

同源字,实际上就是同源词。"[2]邵文利、刘玉涛先生的文章《试论同源字》旨在纠正"字""词"相混的偏差,文中给同源字所下的定义是:"同源字的产生从实质上说,是词汇孳乳现象在书写形式上的反映。"[3]仍然是将同源词、同源字等同的观点。

2.3.2 同源词指一组语音相同或相近,语义相关,有派生或同出关系的词;同源字则是指一组在字形构成上有着派生或同出关系的字。同源词和同源字所指,有着其相同、重合的部分,也有其不同、无干的部分。

2.3.3 众所周知,形声字主要有两个不同的来源:同源词附加形旁形成的形声字和同音词附加旁形成的形声字。前者是同源词在书面上的分化、独立,而后者则是同形词在书写形式上的区别。"辟"字按《说文》之解,本义为"法也",它在早期古书上可以兼写"躲避"、"譬喻"、"邪僻"、"开闢"……诸义之词。当后来人们增加形旁将所记的这些词区分开时,"辟"与"避""譬""僻""闢"所记诸词并无渊源派生关系,即不是同源词,但从文字的发展看,谁也无法否认"辟"字与"避""譬""僻""闢"等字的形体派生关系。

2.3.4 "派生"又称"孳乳"。容庚先生编《金文编》,用金文与《说文》及其他典籍上的文字比较,用早期金文和晚期金文比较,发现了许多"孳乳"现象。如"每"孳乳为"敏","古"孳乳为"故","羊"孳乳为"祥"等。我们据四版《金文编》统计,被列为"孳乳"的现象共223例。就母体字与孳乳字的关系而言,可以确定意义相关,表现了词的派生现象的有75例,剩下的148例中,除一部分有待于继续讨论外,便都属于意义上无甚关联之列了。《金文编》一书中有着明显的说文学遗迹,因此,像"大"与"太"、"永"与"羕"、"女"与"母"、"毋"、"知"与"智"、"鼎"与"贞"、"酉"与"酒"等皆未被列入"孳乳"现象中。尽管如此,就《金文编》现有的"孳乳"现象看,也可知容庚先生"孳"概念,指的是字形的派生。

2.4 近些年来,一些学者利用古文字材料进行字源研究,取得了很好的成绩。笔者所见重要的有以下几种著作:

(1)张希峰《古文字形体分化研究》,1993年,吉林大学博士学位论文。

(2)王蕴智《殷周古文同源分化现象探索》,1996年,吉林人民出版社。

(3)郝士宏《古文字同源分化研究》,2002年,安徽大学博士学位论文。

诸家的研究互有短长,此不赘述。另外,李学勤先生主持的大型工具书《字源》正在编纂中,此书的完成,将进一步推动新字源学的研究。

2.5.1 就古文字材料看,字形的孳乳分化除上述形声字的两个来源外,还有其他

---

[2] 朱星主编《古代汉语》下册,76页,天津人民出版社,1980年。
[3] 邵文利、刘玉涛《试论同源字》,载《汉语词源研究》第一辑,吉林教育出版社,2001年。

的途径,例如利用已有的异体分化,在原始象形字上加标表音的声符,加标表义类的意符等。

2.5.2 词的求别要求可以使原来的异体字各派用场,如"女"与"母","母"与"每","句"与"勾";而字的孳乳又可以产生新的异体,如甲骨文"鸡""凤"二字在原始象形字上分别加标"奚""凡"构成的新形体。

2.5.3 总之,词的孳乳增多是语言不断地适应交际的结果,字的孳乳增多是字不断地适应记录语言的结果。

三 字源研究与词源研究

3.1 我们所能知道的汉语词汇在历史上的状况,都是通过对文字记录的研究得到的。通过字源研究总结出来的词源关系,具有其先天的近缘性和确切性,这种优越性是仅仅因音索源无法比拟的,只要我们能正确地对待字源学的结论,不像"右文说"的主张者那样将字源和词源混为一谈。字源研究中的词源部分是词源研究的基础。

3.2 用古文字材料进行字源研究是一项很有意义的工作。我们不仅可以通过对字的形体结构的分析推求字的本义,还可以将断代的文字材料进行比较,总结出字形及字所记录的词义的历史情况。这些将为我们的词源研究提供线索和证据。例如,大盂鼎"畏天畏",毛公鼎"夙夕敬念王畏不易",用"畏"写"威"之词义,使我们认识到"畏""威"二词原是由一个源头向两个相反的方向发展而成的。金文中,"省""眚"同字反映的也是同类问题。西周五祀卫鼎铭中,"逆"与"东""南""西"并提,代表北方,战国梁十九年鼎铭中即有"朔方"之词,与典籍同。这使我们认识到,后世"朔方"一词源于"逆方",是由以南方为正的观念中派生出来的。金文中,"宝""保"二字构形上的交叉,提示二字所写之词出自同源。"宝"以"缶"为声符,而西周𦉢𠦪尊铭即以"缶"字写"宝"这个词。这也使我们认识到"宝爱""保护"一族词义的源头,可以上溯到陶器类——缶。在陶器刚刚被发明使用的远古时代,这一词义的派生是合理的。

3.3 同源字与同源词是两个迥然有别又相辅相成的研究领域。一些已被证明的同源字现象,启发我们在词源学领域深入探讨。例如,甲骨文材料已确切地证明"月""夕"二字同源,但二字的声韵较远。这一同源字现象是反映了"月""夕"二词同源,进而反映了我们现在使用的,据《诗经》《楚辞》总结出的上古声韵系统对甲骨时代语言现象的隔膜呢,还是反映了另一种语言文字现象:同一个字书写了两个读音不同,并无渊源关系的词,现在还无一致的意见。类似的现象还有"卜"与"外","立"与"位","后"与"司"等。

这些问题,是需要我们进一步研究的。

参考文献

陈彭年等(1982)《宋本广韵》,中国书店。
王　力(1982)《同源字典》,商务印书馆。
许　慎(1977)《说文解字》,简称《说文》,中华书局。
中国社会科学院语言研究所词典编辑室(1981)《现代汉语词典》,商务印书馆。

(张世超:东北师范大学文学院,130024,吉林长春)

汉语同源字与同源词

杜 永 俐

提要： 在汉语研究领域，"同源字"与"同源词"并不是陌生的概念。但是，这两个概念的确切的内含和外延，目前并没有明确的界定。在为同源词或同源字所下的定义中，字、词不分，把这两个概念等同起来。本文认为，讨论同源词，应该从词的音与义出发；而讨论同源字，则必须从汉字的本体——字形出发。本文从汉语与汉字的关系上、从汉字的构意性质、汉字的孳乳过程等几个方面，分析了汉语同源字与同源词之间的本质上的区别，并对这两个概念进行了界定：凡由同一字根（通常是声符）孳乳出来的一组字叫同源字；同源词则指语音相同或相近，具有相同的隐性义素的一组词。同源字记录的可以是同源词。

关键词： 同源字　同源词

一　问题的提出

在汉语研究领域，"同源字"与"同源词"并不是陌生的概念。但是，这两个概念的确切的内含和外延，目前并没有明确的界定。人们常常把这两个概念等同起来。特别是人们在为同源词或同源字所下的定义中，这种等同体现得非常充分。

朱星先生在他主编的《古代汉语》教材中说："同源字，是指音义俱近或音近义同的字。""由于汉字是方块字，一个字一般都具有音、形、义三个部分，一个字就相当于一个词，所以，同源字，实际上也就是同源词。"[1]

王力先生在《同源字典·同源字论》中，为同源字所下的定义是："凡音义皆近，音近义同，或义近音同的字，叫做同源字。同源字，常常是以某一概念为中心，而以语音的细微差别（或同音），表示相近或相关的几个概念。"[2]

周祖谟先生在《中国大百科全书·语言文字卷》中说：

"在汉字里有许多音同义近，或音近义同的字。这类字往往是语出一源。如广与

---

[1] 朱星主编《古代汉语》下册，76页，天津人民出版社，1980年。
[2] 王力《同源字典》，3页，商务印书馆，1982年。

旷、坚与紧、孔与空、宽与阔、改与更之类,语义相通(或相同),声音相近或相通转,所以称之为同源字。……同源字实际上也就是同源词。不同文字的同源等于是追溯语源。""类聚同源字的意思也是在寻求语源。同源字的研究,实际上就是语源的研究。"〔3〕

从上述定义,我们不难发现,被定义的对象明明是"同源字",但却都是仅仅从"音、义"关系上进行界定,惟独没有涉及"形"。朱星先生的定义提到了"形",但却不是从"同源字"之间关系的角度谈的,而是为了说明汉字和汉语单音词的关系,为"同源字就是同源词"的论断寻找依据。周祖谟先生在定义中列举的几组"同源字",在形体上没有任何关系。因此,上述定义,都有一个共同的特点:他们谈的是"同源字",涉及的却是音与义的关系,却没有汉字的本体——"形"——的问题。字、词不分,将同源字与同源词等同,这是目前词源学研究中比较普遍的倾向。

将"同源字"与"同源词"等同,来源于汉语字、词关系的错综复杂。汉字是构意文字,与拼音文字不同的是:拼音文字是以拼合语言中的语音来记录语言的,它以字音同它所记录的语言发生直接关系;而汉字则首先是通过字形与语言发生联系。汉语的发展,首先是通过字形所构成的汉字体系反映出来的,同时,新字形的产生,也是新词产生的重要标志。例如,田,本义为田地,引申出"种地、田猎"之义,造成一字记多义现象。为了分化"田"的记词功能,使书面汉语的理解更加准确,人们便为"田"字加上与引申义有关的义符"人、攵"构成新字"佃、畋"。这两个新字形的产生,成为由"田"分化出"种田、田猎"两个新词的标志。如果没有造出这两个字形,"种田、田猎"只是"田"的引申义,尚未成为派生词。在这种情况下,同源字和同源词是等同的。因此,在绝大多数情况下,新词的产生往往体现为字形的增加,汉字与单音词的关系是基本对应的。在这种情况下,"字"确实相当于"词"。

但是,尽管如此,在研究同源词时,也没有理由和必要,将字与词混为一谈,我们仍然应该而且也能够把字与词分开。

对"同源字"与"同源词"这两个概念进行区别,已经得到了一些学者的关注。蒋礼鸿先生的《读〈同源字论〉后记》,从训诂学的角度对王力先生以"同源字"称同源词的做法提出了不同意见:"讲训诂,探求语源,如若不严格区分'词'和'字'的概念,就会在实践上产生若干难于解释的麻烦,或自陷于矛盾。"任继昉在其《汉语语源学》(重庆出版社,1992年)中,也提出了区分同源字与同源词的问题。他认为,"字源意在文字形体的来源、造字的理据,而语源意在词的音义来源、造词的理据。"王蕴智的《同源字、同源词说辨》是一篇专门对两个术语进行辨正的文章。他认为,"同源字和同源词是两个概

---

〔3〕 172 页,中国大百科全书出版社,1988 年。

念。……凡语音相同相近,具有同一语义来源的词叫同源词。同源字的定义应该是:凡读音相同或相近,具有同一形体来源的字叫同源字。同源词的着眼点在于词的音义来源和音义关系上;而同源字的着眼点主要在于字的形体来源及其形义关系上。""同源词属于词义系统问题,同源字则属于字形系统问题。"〔4〕

尽管上述专家对同源字与同源词所下的定义各有不同,但是,他们都注意到了二者之间的差别。将同源词与同源字这两个概念进行科学的界定和区分,对于汉语字源学与词源学的研究,都是非常必要的。

二　同源字与同源词应当区分

传统小学家在训诂工作中常常是字、词不分,以字代词。正因为如此,字源与词源的混淆,一般认为是古代小学家字、词不分的结果,实际上,字、词不分,在古代小学家那里仅限于进行词义训诂的时候,而在自觉的词源研究中,从没有以字代词的现象,字源与词源一向是分得很清楚的。

"字源(原)"一词由来已久,历来都是作为文字学书的书名,专指文字的起源沿革,并多以汉字部首为字源。例如,唐代李腾有《说文字原》一卷,五代林罕作《字原偏旁小说》三卷,宋代有娄机的《汉隶字源》六卷,《宋史·魏王廷美传》载赵光继有《广韵字源》,元代周伯琦有《说文字源》,清代有蒋和的《说文字原集注》、《说文字原表》,吴照有《说文字原考略》,汪立名有《钟鼎字源》……,等等。实际上,传统小学家虽然大都"字"、"词"不分,但是,却从未用"字源"来指称"语源"或词源,也从未用"字源学"来概括"语源学"研究,因为这两对概念是现代语言学中才有的,古代小学中并没有这些术语。用"字源学"来概括古人的语源学研究,始于现代学者对古人的误解和术语的误用。"同源字"与"同源词"两个术语的混淆,也属于这种情况。

传统语言学中,真正的语源学研究开始得很晚。小学家们最早在训诂工作中运用声训,包括两个方面的目的:第一,通过破假借解释词义,即通过训释词和被训释词之间的语音关系探求本字,以达到解释词义的目的,例如:《荀子·非相》:"伊尹之状而无须麋。"注:"麋与眉同。"《汉书·王莽传》:"赤麋闻之。"注:"麋,眉也,古字通用。"以"眉"训"麋",是破假借。第二,通过同源词解释词义,即以与被解释词同源的词作训释词,通过训释词与被训释词之间的同源关系,揭示被训释词的词义特点,从而达到了解词义的目的。例如,《诗经·召南·采蘋》:"于以采蘋,南涧之滨;于以采藻,于彼行潦。"郑笺:"蘋

---

〔4〕《古汉语研究》1993年2期。

之言宾也;藻之言澡也。"《荀子·修身》:"以不善先人者谓之谄。"杨倞注:"谄之言陷也。"注释中揭示蘋与宾、藻与澡、谄与陷具有同源关系,已经是在进行探源工作,但其目的是通过宾、澡、陷了解蘋、藻、谄的词义特点,通过词义特点的了解来理解其具体的词义,这只是以探源作为训释的一种手段,而不是自觉的词源研究。真正的语源研究始于东汉刘熙的《释名》,他自称是探求事物命名的来源,即"名源"。他说:

"夫名之于实,各有义类,百姓日称而不知其所以之义。故撰天地、阴阳、四时、邦国、都鄙、车服、丧记,下及民庶应用之器,论叙指归,谓之《释名》。"(《释名·自序》)

可见,刘熙并没有以"字源"称名源即语源。

将字源与词源混淆,由"右文说"与"右音说"发其端,章太炎的《文始》继其后。宋朝王圣美的"右文说",以为凡同声旁的形声字意义都相近;[5]清黄承吉提出"字义起于右旁之声"说,又称"右音说",也认为有某声即有某义。[6]他们的观点,都是从不同的角度证实了"音近义通"现象的存在,他们从"字"出发,实际上谈的是同源派生词之间的音义关系在汉字形体上的体现。即,他们是从字本位出发,谈的却是词的派生问题,这种倾向直接导致了后世的字源和词源的混淆。最突出的表现是章太炎从字形出发所进行的语源学研究。

《文始》以初文和准初文为系源的起点,是利用汉字的特点及其同源字与同源词的关系进行词族系联,这未始不是一种可行的方法。因为在文字产生的初期,初文、准初文是先于会意、形声而产生的,而形声孳乳字又大量存在,因此,在根词未能确定的情况下,把初文、准初文为坐标点(而不是起点)系联同源词,即把字形作为系联同源词的一种手段,不失为一种有效的操作方法。但是,太炎先生并没有分清字源与词源,他是把字根理解为语根的。这就使他的系源工作缺乏正确的理论基础。初文和准初文是文字学术语,从字源学上来说,它们是字根。由于汉字的构意文字的性质以及与汉语的关系,它们可以作为系联同源词的一个坐标,它们可能是词根,也可能不是词根。因为,汉字最早的形体和汉语最早的词毕竟是不能等同的。"马"字的产生一定早于"妈"字,但是"马"这个词却并不一定早于"妈",这是显而易见的。但是,太炎先生并没有注意字根与词根的区别,而是把二者等同起来。因此,尽管《文始》已经是在进行真正的语源学研究,其在汉语研究史上的意义和价值不可估量;但是,作者所采用的研究方法却充满着矛盾性。首先,他利用音转理论,探讨词孳乳和派生的规律,但是,他却以"初文"和"准初文"作为"词"的孳乳和派生的起点,以字根代替词根,即将字根与词根混为一谈;第

---

[5] 宋·沈括《梦溪笔谈》卷四。
[6] 见《梦陔堂文集》。

二,他的"孳乳"和"变易"两大条例所概括的现象,既有词的派生问题,又有字的孳乳问题,两种现象交织在一起。这些矛盾现象就给人们一种印象:即古汉语中的字源与词源难以分开,可以混而不别。只是,章太炎并没有明确使用"字源"、"词源"的概念;后来的学者们受《文始》的影响,便将词源与字源混同起来。这种混同,是违反语言科学的。

文字是记录语词的符号,它的音义是从语言中承袭而来的,它的本体是字形,因此,研究同源字也应该从字形出发。在上述大家为"同源字"所下的定义中,都是从音义关系上谈"同源字",并未涉及汉字的本体——字形,显然谈的是同源词而并非同源字。词是语言单位,谈"词"应该从语言中的音义出发;"字"是记录符号,如果谈"字",就应该以"形"为出发点。汉字与汉语中的单音词虽然关系密切,但仍然应该而且也能够进行区分。谈音义的时候称"词",谈形体的时候称"字"。

既然是谈"音义"问题,完全可以直接称"词",何必要称"字"呢?这只能造成不必要的概念混淆。

当然,由于汉字与汉语关系的特殊性,单音节的同源字与同源词在事实上有时候是重合的,但是,这种重合,是有条件的,并不能证明同源字与同源词无法分开。

字源与词源。字源指文字形体音义构形的来源,即字形的构形理据。词源则是词的音义来源。

字根和语根。字根指汉字字形赖以孳乳的形体。字根是同源字孳乳的起点。例如:

辟:避、僻、譬、劈、癖、霹、擗。

"辟"是字根,是"避"等字的孳乳的起点。

语根则是词语赖以派生的最初的词语,是同源词派生的起点。

字根可以寻求,而语根则不易确定。因为,语言的产生已不可追溯,文字却是后产生的,而且文字总是通过物质的载体来实现的,人们可以通过前人留下的文物文字确定字根。因此,在进行同源字系联时,可以确定"某字孳乳某字",例如,"辟"孳乳"僻"字,"马"孳乳"妈"字,是没有问题的,我们完全可以说,相对于"僻""妈"字来说,"辟"和"马"是字根;而派生出同源词来的语根却很难进行确定,这是由于语言起源时的状态已经不可追溯,因此,语根只是理论上存在的东西,实际上很难追溯和判定。

同源字与同源词。凡由同一字根(通常是声符)孳乳出来的一组字叫同源字,例如,上举以"辟"为声符的一组字,它们都是以"辟"为字根孳乳产生的,具有共同的形体来源;同源词则指语音相同或相近,具有相同的隐性义素的一组词[7]。记录同源词的一组字可以是同源字,例如:

---

[7] 关于隐性义素,参见苏瑞《隐性义素》,《古汉语研究》1995年3期。

禾、龢、盉；敬、警、驚、儆

也可以是一组形体互不相关的非同源字，例如：

天、颠、顶、题；孔、空；宽、阔；改、更

对上述术语进行了界定，字源学与词源学的研究范围和研究内容就都明确了：

字源学是研究汉字字形的孳乳和演变规律的学科，而词源学则是"研究词的形式和意义的来源的学科"。[8]王宁先生把词源学的任务阐述的非常明确，她认为，科学的汉语词源学的任务主要有三个："第一，探求后代已成为单纯词的联绵词与叠字词的词源；第二，探求汉语双音合成词的来源；第三，分辨汉语词与外来词，并探求外来词的来历及其汉化的过程。"可见，字源学与词源学的研究对象和研究范围有着本质的不同：词源学研究词汇的派生和发展规律；字源学研究字形的孳乳和发展规律。

三　汉语同源词与同源字的关系

汉字字源学应该是研究汉字孳乳和演变规律的学科。在现代学术体系中，汉字字源学应该是汉字学的一个分支。汉字在世界拼音文字和构意文字两大体系中，是构意文字的典型代表，也是世界上唯一的不间断地发展了三四千年的构意文字。在如此漫长的历史中，汉字是如何由一批形象化的象形符号发展为具有严密的构形系统的符号体系的？它是如何随着汉语的发展而适应记录汉语的需要的？它有怎样的发展机制？它的发展规律是怎样的？它的发展趋势是什么？在信息时代的今天，汉字将怎样发展，将发挥怎样的作用？研究汉字字源学，有助于解决这些问题。

汉字与汉语的单音词虽然有对应关系，却仍然不能等同起来，它们有各自的发展规律。汉字的发展离不开汉语的发展，但是，研究汉语的发展却代替不了汉字发展规律的研究。字源学所要研究的内容，就是汉字如何在汉语发展规律的推动下，不断完善自己的体系，使自己不断适应汉语的发展的。传统小学家们忽视研究字形孳乳的规律，我们不应该继续忽视，更不应该以词源的研究代替字源的研究。汉字的本体是字形。字源学应该研究在语言的推动下字形派生的规律。

语言是文字发展的动力，但是，语言的发展，代替不了文字的发展。一部分字形的孳乳，是在词汇的派生推动下发生的，这些孳乳字，反映或记录的是同源词，例如上面所举的禾组、敬组字；但并非所有的字形孳乳都是同源词派生的结果。新词的产生、造字的重复、用字的假借、造字方法的差异，都可以孳乳新字；而如果这些孳乳字的形体都是

---

[8]《中国大百科全书·语言文字卷》，42页。

由一个声符为字根孳乳而来的,那么,无论这些字记录的是不是同源词,这些字则都是同源字。同源字与同源词具有如下关系:

第一,重叠关系,即同源字同时也是同源词。因词义引申产生的孳乳字是同源字,同时也是同源词。

某个单音节词在书面交际过程中,不断发生词义引申,使单义词发展为多义词。这就产生了一字记多义的现象,势必会在书面交际中引起理解上的歧义。于是,人们为了使字符表义更加准确,便在原字上分别增加与各个引申义有关的义符,构成新字,以分化引申义,达到专字记专词的目的,使书面交际更加准确。例如:

冓:遘、媾、購、覯、構、篝、溝

这组字,形体上具有共同的来源,即都是由"冓"孳乳而来的,因此,是一组同源字;同时,它们所记录的一组词,都具有"交合"的隐性义素,因而也是一组同源词。[9]

可见,由于词义引申而产生的孳乳分化字,即同源字,它们所记录的词是一组同源词。

宋代,王圣美创"右文说"。据宋沈括《梦溪笔谈》卷十四记载:"王圣美治字学,演其义为右文。古之字书,皆从左文。凡字,其类在左,其义在右。如木类,其左皆从木,所谓右文者,如戋,小也;水之小者曰浅,金之小者曰钱,歹而小者曰残,贝之小者曰贱。如此之类,皆以戋为类也。"此外,清代段玉裁在《说文解字注》中,也常常揭示这种"右文"现象。例如:

凡叚声字皆有赤色("鰕"字注语)

凡农声字皆训厚("浓"字注语)

凡从辰之字皆有动义("娠"字注语)

凡从兀声之字多取孤高之义("兀"字注语)

"右文说"揭示了汉字的一个局部规律:有些形声字的声符具有揭示词义来源的功能,即示源功能。但是,王圣美和段玉裁等用"凡"字来概括这种局部现象,便犯了以偏概全的错误,即把局部真理说成了普遍真理。因为只有在词义引申推动下产生的形声字,其声符才具有揭示词语来源的功能,即只有这种形声字的声符才是"右文",在同音借用条件下产生的形声字和用声符和形符拼合而成的后代形声字,其声符就没有示源功能,是不能称作"右文"的。具有"右文"现象的一组字,由于是在同一个声符的基础上孳乳产生的,因此,在形体上是一组同源字,它们所记录的也是一组同源词。

第二,是同源字而非同源词。即因同音借用而在一个声符的基础上孳乳产生的一

---

[9] 王宁《训诂学原理》,150 页,中国国际广播出版社,1996 年。

组形声字,它们是同源字,记录的却不是同源词。

某个字在使用过程中,除了被用来记录本词之外,还被借用作另一个同音或近音词的记录符号,从而产生了一字记多词的现象。人们为了避免由于这种现象所造成的书面交际上可能出现的混淆,便为原字加上与假借义相关的义符造出新字以分化假借义。例如,"辟",本义是"法",但在《左传》等先秦文献中,开辟、躲避、偏僻、譬喻、便嬖等意义皆借用"辟"字,这就是用字过程中的同音借用现象。同音借用造成了一字记多词现象,不可避免地会给书面交际带来消极影响。于是,人们便在原字上加上义符以分化其记词功能,从而孳乳出一组具有共同的形体来源的同源字。其中,有的是为原字加上与本义相关的义符造出新字以承担本义,使原字专门承担假借义,例如:

莫:暮　　其:箕　　云:雲　　來:麥

有的是在原字的基础上,加上与假借义相关的义符以分化其假借义,使本字专门记录本义。例如:

辟:避、譬、嬖、僻、闢

在同音借用推动下而产生的形声字,它们之间是同源字关系,但它们所记录的却不是同源词。因为这些字所记录的词虽然音同或音近,但在意义上没有相通的关系。

第三,是同源词,而非同源字。例如:

欺、谲;藩、屏;天、颠、顶、题;冠、贯;孔、空;宽、阔;改、更

《中国大百科全书》把其中的几组词如"孔、空;宽、阔;改、更"等称为"同源字",或称为"形体无关的同源字"。但是,既然谈"字",本身就是"形体"问题;既然与"形体"无关,即形体上没有联系,实际上是"音近义通"的同源词,不如径自称"同源词",而没有必要称为"同源字"。

综上所述,同源字与同源词虽然关系密切,但是绝不等同,其间的关系是可以区分清楚的。因此,词源学研究词汇的派生规律,字源学研究字形的孳乳规律。一部分字形的孳乳,是在词汇的派生推动下发生的,反映或记录的是同源词,但并非所有的字形孳乳都是同源词派生的结果。新词的产生、造字的重复、造字方法的差异,都可以孳乳新字。而派生词的产生,其记录符号即可以是同源字,也可以不是同源字。

分清同源词与同源字,就不会把形声系统与同源系统等同起来;就会在总结同源词族时,正确地利用汉字的形体但又不拘泥于字形,注重从音义关系上系联同源词,使同源词族的系联更加科学,从而使汉语词源学的研究取得更大的成就。

(杜永俐:烟台教育学院,264025,山东烟台)

声符系源的"义通"探索

包诗林

提要："音近义通"的系源理论显然比声训和"右文说"更加科学,但由于上古音研究的先天不足,以及对于词义系统性认识的欠缺,在系联同源词的实践中,完全撇开字形是不可取的。从汉字构形学和现代语言学的角度看,形声字的声符确有载义功能,通过语义分析,我们可以了解同声符同源词的示源特点。

关键词：声符　系源　载义类型　语义关系　示源特点

系联同源词,必须从语音和意义两方面入手,"音近义通"作为语源探求的标准和原则,经历了一个曲折发展的过程。早在先秦典籍中,就存在着一种特殊的训释条例,即声训,如：

《论语·颜渊》："政者,正也。"

《礼记·中庸》："仁者,人也。"

声训是以声韵相同或相近的语词来训释词义,这种释义方式到汉代有了进一步的发展,刘熙的《释名》,就是利用声训来揭示事物的得名之由。

《释名》之后,独立的语源研究不绝如缕,在宋代有王圣美的"右文说",在清代有程瑶田的《果臝转语记》和王念孙的《释大》。首先提出"音近义通"理论的是戴震："训诂声音,相为表里。"(《六书音韵表序》)不过真正摆脱文字形体限制,从语言学角度探究语源,并进行同源词系联的是晚近时代的章太炎先生,所著《文始》以初文为核心,将音近义通的词组织起来,形成一组同源词族。20 世纪 30 年代,瑞典汉学家高本汉运用西方历史比较语言学的探源方法和系联手段,写了一篇《汉语的词族》,从新的角度开辟了一条汉语语源研究的道路。王力先生在总结前人对语源研究的基础上,特别是总结了章太炎和高本汉等人的经验和教训,写出巨著《同源字典》,标志着历史悠久的语源研究已纳入现代科学语言学的轨道。

从声训、"右文说"到"音近义通",同源词研究也一步步摆脱形体的局限,向完全意义上的科学语源学迈进。但从绵延近两千年的实践来看,同源词探求尚未取得令人满意的成就,虽然原因是多方面的,但从语源研究本身来看,传统语源研究,特别是"右文说"过分拘泥于汉字形体,而现代语源研究往往又轻视汉字形体在语源研究中的作用。

所以,我们认为,在进行汉语语源研究,探索同源词系联的方法和手段时,摆脱汉字形体束缚,坚持音义结合固然是现代科学语源学前进和发展的光明大道,但是在古音研究尚不成熟,现代词汇语义理论体系尚未完善的情况下,完全摆脱形体是不可取的,贸然系源、推源也是危险的。章太炎先生的"成均图"所表示的语音通转过于宽泛,导致无可不通的情况已受到广泛批评。王力先生的韵转理论在实际操作中也有类似缺陷,而且系联的同源词数量太少,不足以反映汉语语源的实际面貌。因此,就目前来说,走传统语源学和现代语源学理论相结合的道路,同源系联从声符入手,仍不失为一条现实而稳妥的途径,这也是系源的一项最基础的工作,待时机成熟,再从据声符的局部系联同源词发展到音义结合的广泛系联,进而构拟完善的汉语词族,藉以窥见古代汉语词汇音义结合的内在联系,更加深刻地揭示汉语词汇的系统性,同时为汉藏语系的研究奠定坚实的基础。

一　声符载义示源功能的理论依据

"右文说"发端于先秦时期的声训,汉代《释名》已开"右文说"之先声,晋代杨泉在《物理论》中所说的"在金石曰坚,在草木曰紧,在人曰贤",一般认为是"右文说"的最直接的源头。宋代"右文说"的产生很显然是受声训方法的影响以及对许学的反思,王圣美作《字解》,提出了"右文说",由于该书已亡佚,其理论只能从沈括的《梦溪笔谈》卷十四中略见一斑:

> 王圣美治字学,演其义为右文。古之字书皆从左文。凡字,其类在左,其义在右。如木类,其左皆从木。所谓右文者,如戋,小也。水之小曰浅,金之小曰钱,歹小者曰残。如此之类,皆以戋为义也。

"凡字,其类在左,其义在右",为"右文说"的精髓,王氏认为形声字意符表示的只是义类,而真正的意义则在声符中,他把一组同声符的字类聚在一起,由声符求义,从而把汉字的声音和意义直接联系起来,这在当时是进步的。不过,"右文说"的致命弱点在于无视汉字的客观实际,把局部夸大为整体;在于不明白右文相同未必尽相同源,右文相异亦可同源。还有一点需注意的是,以"右文"称说形声字的声符也不完全符合汉字实际。

"右文说"后经宋王观国及宋末元初戴侗的进一步阐发,影响逐渐扩大,"因声求义"的语源学训诂主张也成为三大训诂方法之一,并为清代"音近义通"理论的提出奠定了基础。

以字形为线索而系源,自"右文说"始,避其偏颇,声符确实有一定的示源作用。章太炎先生作《文始》,以"音近义通"理论为指导,在实际系源中以510个"初文"、"准初文"为"语根",充分说明声符的载义功能不可抹杀,声符示源是有一定道理的。

首先,从形声字的界说看,声符具有载义示源功能。

许慎在《说文解字序》里对形声字的界说是:"以事为名,取譬相成,江、河是也。"许氏的界定是从汉字形体结构着眼的,只是共时的归纳,不是历时的审视。所谓"以事为名",指的是事物在语言中的称说,即语音,在形声字里则指这种语音物化了的声符。所谓"取譬相成",是指根据事物的属性所表示的范畴,在文字体系在找一个与它相对应的最简单的符号比附于声符的旁边,以表该字所记录的语词所属的类。由此可见,"许慎是把声符看成字的主体,把形符看成是区别符号的"。[1]如从"爱"得声的字多有"隐"义,从"益"得声的字多有"加"义。

在同源词系联中,我们必须认识到,声符与形符是纲与目的关系,形符是后加的,是为在书面上分化同源词而附上的,形符只表示分化字(词)所属的意义范畴。只有声符才是承载意义的本体,是该系语词词义特征的体现。正如杨树达先生在《形声字中有义略证》里所云:

> 盖文字根于言语,言语托于声音,言语在文字之先,文字第是语音之徽号。以我国文字言之,形声字居全数十分之九,谓形声字义但寓于形而不在声,是直谓中国文字离语言而独立也。其理论之不可通,固灼灼明矣。……字义既缘声而生,则凡同义之字或义近之字,析其声类,往往得相同或相近之义,亦自然之结果也。

其次,从形声字产生的主要途径看,声符具有载义示源功能。

殷寄明先生从汉字形体历时演变的角度出发,运用现代语源学理论,通过全面的比较、分析后认为,形声字产生的最主要也是最重要的途径有如下三条[2]:① 沿借字之音孳乳分别文。借字记录了语言中一个无本字的语词,这个语词的意义在语言运用过程中的发展因无本字,原非本义故不表现为纵向引申而是横向分别文,即同源词,如"群、峮、輑、宭、裙"均有"众多相连"义;"湍、喘、遄、颛"均有"急"义。② 替换原形声字的声符。③ 沿本字之音孳乳分别文,其分别文即形声字的声符所承载的可以是原本字的本义,也可以是引申义或假借义。

因此,从名称上看,声符虽然只是表示读音的,但"实际上有很大一部分形声字的声符既表音又表义,而且所表示的意义是从语源上揭示的"。[3]文字的产生和发展,先有

---

[1] 王凤阳《汉语词源研究的回顾与前瞻》,载张希峰《汉语词族续考》,巴蜀出版社,2000年。
[2] 殷寄明《汉语语源义初探》,113页,学林出版社,1998年。
[3] 侯占虎《利用谐声偏旁系联同源词探讨》,《古籍整理研究学刊》1990年第5期。

独体文,后有合体字,而且由于汉语的音节特点,作为合体字的形声字声符,实际上都是曾经单独使用的单音节词,既然是词,就有可能承载各种类型的语义。

再次,从语言发生学的角度看,声符具有载义示源功能。

语源是指某个具体词在发生学上的来源。从发生学的角度看,语言中的词可以分为原生词和派生词,原生词是最早产生并具有派生功能的词,而派生词就是指由原生词直接或间接派生出来的词。原生词及其派生词构成一组具有同源关系的词。

随着社会的发展、先民对客观世界认识的加深,以及日益广泛的交际需要,语言也随之不断丰富,主要表现在词汇的空前增生与扩张上。先秦时期的《诗经》总字数三万多,但使用的不同文字只有3400个,李斯等人的《仓颉篇》收字约3300个,东汉许慎的《说文解字》收字9353个,宋代丁度等人编的《集韵》收录了53525个字。[4]

实际上任何一种语言中的音节都是有限的,有人对现代北京话里的音节作了统计,结果表明:"北京话里的音节数目应当是748个(不分声调)或3021个(分声调)。……我们说北京话里大约有750个(不分声调)或3000个(分声调)音节比较恰当。"[5]因此,表现在语词中必定会产生大量的同音词,而在记录语词的文字中则表现为大量的音同现象,在构字方法上也只能表现为假借或形声。汉语形声字的产生正是解决这一矛盾的最好证明,《说文解字》所收的9353个字当中,形声字为7679个,占总字数的87.39%。由此可以看出,古汉语单音词的不断繁衍增生在文字上主要表现为形声字的"孳乳浸多"。值得注意的是,"人们在运用某些音节构制新词时,将这些音节承载的语义也带进了新词中。实际上音节的选择,是根据音节承载的语义来决定的"[6]。

同源词之间有着音义上的天然联系,是从语言发展过程来说的,语言中的语词形成以后,不断出现的新词是在原生词基础上派生的,新词的音义都是从旧词的早已结合在一起的音义中发展来的,因此带有历史的可以追溯的必然性。如"右"派生出"佑","立"派生出"位","帚"派生出"扫"。

二 声符载义的类型以及同声符同源词之间的语义关系

形声字是汉字中的主要结构类型,汉字是世界上独一无二的音意文字这一根本性

---

[4] 殷寄明《汉语语源义初探》,142页。
[5] 刘泽先《北京话里究竟有多少音节》,41页,文字改革出版社,1959年。
[6] 殷寄明《语源学概论》,297页,上海教育出版社,2000年。

质正是因为存在着大量的形声字所决定的,而形声字声符的载义和示源功能,也正是由于汉语以及汉字本身的特点所决定的。利用声符系联同源词之所以成为系源的一项基础工作,主要是因为同声符的字在语音上相同或相近,我们在实际系联时,只需考察它们之间的"义通"即可。所以,据声符系源比其他途径要方便得多、可靠得多。

一组同源词应该有共同的语义特征,那么,在一组同声符的同源词中声符显然承载了该组词的共同的语义特征。首先我们来看看形声字声符的载义情况:

其一,声符承载形体本身的本义,如"暮、枝"等。

其二,声符承载该形体作为本字的引申义。语词本义的引申运动,不断派生引申义项,某些引申义项被语言共同体广泛接纳,并形成固定用法时,为了使之与本义在形式上相区别,人们通常在原字上加注表类属的形符,为它构制后起本字,这样形符表示范畴义,而真正的语义则是由声符承载的。如"间、痫、𣐀、娴","间",本指空间上的缝隙、间隔。《说文》:"间,隙也。""间"由空间上的缝隙、间隔引申为时间上的间隔,即时段。人生病至病愈,其间有间隔,故"间"又可指病愈。在时段上、病愈义上,"痫"与之同源,"痫",即间歇性发作的病。"间"由缝隙、间隔义又引申为缝隙大,表示空阔宽大,在这个意义上的同源词是"𣐀",《说文》:"𣐀,大木貌。"也可指大树本身,《集韵》:"𣐀,大木。""间",又可引申为时间宽裕,在这个意义上,"娴"与之同源,《说文》:"娴,娴雅也。"

其三,声符承载该形体所表示的假借义。从书面语言词义发生学的角度来看,文字产生前的原始语言和后世口头语言中的语词,通过已有文字记录,这便是许慎所谓的"本无其字"的假借,沿着假借义引申派生,也可产生同源词。

在声符的上述三种表义类型中,第一种极为少见,大部分声符所含的为引申义和假借义。同源词中的语义关系大部分表现为相关或相通,王力先生将其具体分析为关系:工具、对象、性质或作用、共性、特指、受事、抽象、因果、现象、原料、比喻、形似、数目、色彩和使动,[7] 实际上,还应加上相对关系。

那么,系联这种语义相通的纽带又是什么呢?

"根据语义判定同源词的关键是证明它们在语义上的引申关系。"[8] 语言和人类思维密切相关,我们可以从人类原始思维产生发展这一视角窥测词义引申的特征。原始人类思维的发展分为三个阶段,即直观的动作思维、具体的形象思维和类化的抽象思维。可见,"远古人的思维不论哪一个阶段都具有形象性,而且往往存在于有悖于现代文明人逻辑的方面。……在这种认知模式下,今天看起来毫不相干的不同领

---

[7] 王力《同源字论》,载《同源字典》,商务印书馆,1982年。
[8] 孟蓬生《汉语同源词刍议》,《河北学刊》1994年第4期。

域的事物可以发生联系,甚至被等同起来,而它们的联系往往产生于某一细微的表象特征相同。"[9]

这种形象性的语义特征正是同源词间语义相通之所在,不过对于这种相通语义特征的显现,学界则有不同看法。王力先生认为,"同源字,常常是以某一个概念为中心,而以语音的细微差别(或音同),表示相近或相关的几个概念。"[10]先看下面一组同源词,我们采用义素分析法,看看同源词之间是否存在着相同的概念:

钩:[＋曲]＋[钩]
枸:[＋曲]＋[木]
鞠:[＋曲]＋[轭下]
笱:[＋曲]＋[竹制渔具]
痀:[＋曲]＋[背]
朐:[＋曲]＋[干肉]

显然,一组同源词之间具有相同的区别性义素,而不存在相近或相关的概念,而且,与词汇意义不同,"词源意义指的是同源词在滋生过程中由词根(或称语根)带给同族词或由源词直接带给派生词的构词理据"[11]。因此,同源系联考察的是区别性义素,而非概念,而这种相同的义素正是形声字的声符载义的体现。如上例中的声符"句",《说文》:"句,曲也。"同时我们注意到,"曲"正是这组同源词的形象特征。

从以上分析中我们可以看出,形声字的声符确有载义示源功能,而且其所在之义可以为原本字的本义、原本字的引申义,也可以为假借义。同时通过对远古人类思维发展的一般过程和同源词语义显现特点的综合考察,我们认为,同声符同源词的语义系联纽带是形象特征,而这种形象特征是通过声符所载的语义(在释义中表现为义素)而显现出来的。

三 从"义通"角度看同声符同源词的示源特点

"形声字是因增强区别词的目的而产生的,在汉语词汇派生的推动下,采用增加义符或改换义符的方法孳乳造字,这是同源词依托汉字而产生的重要形式。"[12]形声字

---

[9] 陈建初《论"㮕、㯺"同源——语源研究中的认知观刍议》,《古汉语研究》1999年第4期。
[10] 王力《同源字论》。
[11] 王宁、黄易青《词源意义与词汇意义论析》,《北京师范大学学报》(人文社会科学版)2002年第4期。
[12] 王宁《训诂学原理》,131页,中国国际广播出版社,1996年。

作为汉字的主型构字方式,同声符的同源词便广泛存在。真理是有条件的,同样"音近义通"仅适用于同源派生词,如果不问条件,任意扩大使用范围,那么就重蹈"右文说"的覆辙,就语言发生的起点来说,音义之间的联系毕竟是约定俗成的。因此,"凡某声皆有某义"的说法是违背语言规律的,显然是不科学的。"实际上,同源词并非都同声符,同声符的形声字也未必都是同源词。也就是说,形声系统并不与同源系统重合。"[13] 就一组同声符的形声字来看,我们可以得出以下结论:

1. 同声符的未必同源

上文已经介绍了声符载义的类型,即本义、引申义和语源义,本义和引申义可以看成一个语义系列,那么与之相区别的就是语源义,这种以假借为特征的语源义大量存在于同声符的形声字中。如,以"皮"为声符的形声字,朱骏声《说文通训定声》共列 23 个。其中,"波、陂、坡、駊、颇、跛、尲、旇"这组词均含有高超、高大、不平、不正之义。水之不平曰"波",地面高出的斜面叫"坡"或"陂",马奔腾起伏不平曰"駊",头之不正曰"颇",行之不正曰"跛"或"尲",旌旗飘扬不定曰"旇"。这些词语出一源,无疑是一组同源词,但却与它们的声符"皮"的本义毫无关涉。《说文》:"皮,剥取兽皮者谓之皮。"段玉裁《说文解字注》:"析言则去毛曰革,统言则不别也。取兽革者谓之皮,因之所取谓之皮矣。引申凡物之表皆曰皮,凡去物之表亦皆曰皮。"因此,这组同源词与"皮"声符的其他词之间不同源。

2. 同源词之间往往具有层次性

词汇意义的发展是枝蔓相引,绵延不绝的,一个词派生出另一个词,逐渐繁衍为同源体系。某一语词的本义引申出另一些意义,渐渐生成了词义系统;而当词义系统中的某一引申义裂化为新词时,便成为新的语词的发端,又有自己的派生系统。这种词义的引申,语词的派生不仅限于构制本字,同样也适用于借用本字承载语义的假借字。再来看看"皮"声符的一组词,"皮"本指剥取兽皮,引申为剥取之物、外表物、外加物,从这一点看与之同源的有"被、披、帔、绂、髲、贩"。从剥取兽皮之义又引申为分析、分解义,与之同源的有"破、簸、波、披、铍"。这样由"皮"之本义分化出两个引申系列,因而有两组词与之同源,这是由于词义沿着"皮"之本义向不同方向引申的结果。由此我们可以看出,词义沿着本义单向纵向引申的同时,在这一引申长链的每一个节点都有可能孳乳派生出一组同源词。所以,在这种远源与近源之间表现出一定的层次性。

---

[13] 王宁《训诂学原理》,133 页。

3. 一词兼数源

同音假借会导致一词兼表两义或多义,但不能看作同源词。(我们这里说的是某个词通过不同的语义特征与其他语词构成同源关系。)王力先生的《同源字典》充分注意到了这一点,如"夹、挟"同源,"夹、颊"同源。但也有值得商榷之处,"瑕、霞(煆)、瘕、騢、鰕(蝦)"这组词在王力先生看来,语音相同,且都有"赤"义,音同义通,因而是一组同源词。但仔细审之,便发现"瘕"与其他词在语义上并无相通之处,《说文》:"瑕,玉小赤也。"桂馥曰:"玉尚洁白,故谓小赤为病。"《说文》新附:"霞,赤云气也。""瘕",《说文》:"瘕,女病也。"段玉裁曰:"瘕,盖腹中病。""騢",《说文》:"騢,马赤白杂色。""鰕",《说文》:"鰕,鮅也。"段玉裁改为:"鰕,鰕鱼也。"并云:"鰕者,今之蝦字,……凡叚声如瑕、鰕等,皆有赤色。"

因此,"瑕"与"霞(煆)、騢、鰕(蝦)"在"赤"义上同源,"瑕"(玉病)与"瘕"(人腹中病)语义相通。一个"瑕"字根据不同的语义特征与其他词构成同源关系,一身兼两源。

4. 反义同源

"从词义方面来区分同源词,最常见的是词义相同相类,其次是相对相反。"[14] 陆宗达先生在《〈说文解字〉通论》中说:"由一个语源可以发展成为两个互相对立的词。例如,天与地,古与今,男与女,始与终等等。"[15] 一组同声符的形声字也有这种情况,即由同一语源分化成相互对立的两组同源词,最经典的例子要算"尧"族同源词:

尧 ⎰ 高大:峣(山高),颛(高长的头),骁(高大的马),獟(高大的犬),翘(长而高大的尾巴),趬(高高地举足)。
   ⎱ 短小:侥(短小的人),蛲(腹中小虫),铙(小铃)。

实际上,传统所谓的反训,就是词义沿着某一源词的不同方向引申,进而孳乳分化成意义相反或相对的同源词。

(包诗林:安徽大学中文系,230039,安徽合肥)

---

[14] 张世禄《汉语同源词的孳乳》,533 页,载《张世禄语言学论文集》,学林出版社,1984 年。
[15] 陆宗达《〈说文解字〉通论》,北京出版社,1981 年。

古文字材料和汉语同源词研究

金国泰

提要： 出土古文字材料对汉语同源词研究具有十分重要的意义，值得充分重视。古文字字形可以反映出《说文解字》及各种传世典籍显现不出的同源词书写形式分化的许多事实，非形声形式的分化和形声形式的分化都不乏其例。依据古文字文献篇句内部的语义关系，可以发现许多词的古义，也可以发现许多同源词派生过程的遗迹。古文字材料对同源词系联还有验证作用。

关键词： 古文字　同源词　字形　记言材料　验证

探索和系联汉语同源词，是为了尽可能地了解更早些时代汉语言词汇的真实面貌，而出土于中华大地的先秦古文字文献，正是反映这一真实面貌的最直接、最可靠的材料。从这些材料中可以看到久远于篆隶的商周词汇书写形式真迹，可以看到传世文献没有表现的和古人训诂无说的古代词义，同时也暴露出一个事实，音韵学家们归纳的上古语音系统及其音变规律还不能完全说明存在于同源词之间的古音联系。近一个世纪以来，一些非专意于语源研究的古文字学家如罗振玉、王国维、郭沫若、于省吾等在考证古文字、解读古文字文献时，已经实际触及到一些语源研究内容，另如沈兼士、杨树达等学者则已有目的地尝试利用古文字资料探求语源。现代日本学者藤堂明保著《汉字语源辞典》，虽然继承着章太炎《文始》的系统，但是却不再以《说文》小篆字形为初文、准初文，而用甲骨文和金文字形作核心字。但是，面对20世纪古文字材料一批又一批大量出土的盛况，面对20世纪古文字学迅速发展的成果，不能不说在汉语同源词研究领域，对古文字材料的应用还很不足。两年前，董莲池先生在词源学研讨会上发表《字形分析和同源词系联》一文，就是从古文字字形举证立论的。本文想继董文，再从几方面举出一些实例，看古文字材料对同源词研究确有十分重要的作用，以引起词源研究家对古文字材料更多的关注。文中难免有谬误，恳望批评指教。

一　从古文字字形看同源词

词有两个层面的形式，一是口耳之间的传达形式语音，二是书面上的记录形式文字。探索汉语同源词离不开语音和字形这两条互济互补的纽带,而字形提供的词与词的联系是最切近的,它给研究者的启示及结论的准确度常是因音索源一法不能代替的。由于《说文》小篆有一些已经违离古意,许慎在讲"六书"、述本义时也作过各种误解,因此埋没了不少词、字分化的事实。而从商周古文字系统中,可以看出在《说文》及各种典籍上看不出的汉语同源词书写形式分化的许多事实。这从非形声形式分化和形声形式分化中都可以看到。

1. 非形声形式分化显示的同源词关系

很多著述在涉及文字繁衍或古今字词关系时,常常有"某与某古同字"的说法,其中包含着多种文字关系,如分化字、通假字和同形字等关系。分化字常常是"某与某古同字"一语之所指。非形声形式分化同源词书写形式的"古同字"关系不在"亦声"和"右文"等说法可以解释之列。如:"小"和"少"、"女"和"母"、"言"和"音"、"珏"和"朋"、"月"和"夕"、"人"和"内"、"乡(鄉)"和"卿"、"史"和"吏""事"等,都是人们熟知的"古同字"实例。王力先生《同源字典》只从以上所举诸例中收录了"小少""人内"两组和"史吏事使"一组中的"史事使"三字。耐人寻味的是,《同源字典》分别收录"事使"和"史事"两组,却把与"事"字字形联系最直接、最密切的"吏"字排除在外,这并非偶然,其原因可能是太看重了语音关系而太忽视字形联系了,古音"吏"在舌音来母,与"史事使"所在齿音稍远。如果王力先生能亲自目验一下"事""吏"二字在周金文中确是纯粹的一个字,可能就不会割舍"吏"字,而且可以按着自定的音近条例用舌齿邻纽去解释它们,当然,有的音韵学家会用复辅音或其他原因作出解释。

有些同源词,虽然知道它们古音相同或相近,却很难意识到它们的词义联系,所以,就很容易埋没它们的同源关系。但如果能看到它们的初文古字,结合古文字用例,就会发现被埋没已久的词源联系。如《说文》"索""素""素"三字,小篆不古,许说有误,它们原本是同词一字,在西周金文中的写法像双手搓绞丝麻成线索形,在合体字里多省去表示双手的廾形,就如同古文字中从攴的"鼓"和不从攴的"壴"本是繁简二体的变化一样。战国郭店楚简中,《老子》"见素保朴"的"素"字,《缁衣》"干言如索"的"索"字,以及包山楚简的一些用例,都还明显继承着西周金文中双手搓绞丝麻成线索的形式。战国简帛文字中也有省廾的写法,但与从廾的形式仍然通用。秦后,从廾的"素"字废,不从廾的形式分化成写词有别的"索""素"二字。根据古文字材料,我们可以捕捉到"索""素"的古义及其分化的途径:远古先民在织布帛、制衣裳之前,先要用本色的丝麻之类纤维捻线搓索,这是"索""素"二词同源本义之所在;后世分化,"索"字专表示搓绞的行为和搓绞出的线索二义,而"素"字则专表示被搓绞物的本色即白色义,并由此引申出本色的生帛、质朴等义。

2. 形声形式分化显示的同源词关系

很大一部分形声字的声符不是纯粹的表音符号，而常常是词根或源词用字，科学地利用汉字谐声系统，对系联汉语同源词具有重要意义，这是学人尽知的事实。下文只是从利用古文字形体揭示被非古文字掩盖了谐声关系和语源一事举几个实例。

形声关系被掩盖的主要情况是声符淹没。如：

"或"，是"域"和"国（國）"的古字，许慎据篆文解释说："邦也。从口，从戈以守一。一，地也。"这一说法似是而非。目前还没见到甲骨文中的"或"字，旧释甲骨文的"或"字是误释。因此，殷商卜辞里没有"或（域、国）"这个词，卜辞中与后来侯国概念相当的词是"方"。目前所见"或"字以西周初期保卣例为最早，从⊙，从戈省（戈秘之象形）。如果孤立地看保卣的"或"字，似乎可以有修补地接受许说：从口，从戈（省）以守四界。但是，如果联系起来看，就大不同了。殷商卜辞中有一个独立的"⊙"字，用于记录天象，学者以为像太阳周围的光圈，是"晕"字初文。因此，保卣所见的"或"字不是会意而是形声，从词的派生关系看，⊙（晕）是"或（域、国）"的源词。远古先民对日晕、月晕的观察很久远，在语言中成词也一定很久远，后来才逐渐有了人世间辖域的概念，并且把这一认识同日晕这种天象相联系，因此在语言中以"⊙（晕）"称"或（域、国）"，这是十分自然的。金文用例显示，"或"和增从口的"國"字在西周时的意义只是域界、区域，"國"字用邦国义始见于春秋时期。这一古老的事实也证明着"或（域、国）"最初的域界义源自⊙。

《说文》："勹，象人曲形有所包裹。"考察古文字，可知小篆"勹"（包括许慎解为"从包省"的"勹"）来源不一，许慎立勹部，据篆形解从勹之意，淹没了一些字词的来源，这里仅从"勹"的来源之一举例。《说文》："旬，徧也。十日为旬。从勹日。""匀，少也。从勹二。""军，圜围也。四千人为军。从车，从包省。军，兵车也。"许慎解字形全误，在古文字中，"旬""匀""军"都是形声字，声符都是ᓚ，战国后期渐讹，至小篆与"勹"混同。"ᓚ"字形意尚无定说，它在卜辞中是高频用字，专用于写十日之"旬"。从一至十是数目的一个循环，拙意猜测其字形就是以抽象盘旋的单线条表示回环周绕之意，为了避免与囘（回、亘初文）字混误，在接近线条一端处贯穿一个短画以示循环起讫。因此，不仅直接从ᓚ得声的字多有回环周绕的意义特点，而且间接从ᓚ得声的二级形声字也还多有这种意义特点，显示出同源词的内部联系。"旬"字从日，表示记日的一个周期。"旬"声的"殉"表示陪葬的一种方式，仅仅训为"杀人以葬"（战国策注）、"以人从葬"（左传文公六年注），还不足以说明"殉"的词义特点。郑玄注《礼记》说"杀人以卫死者"近是。讲得最透彻的是孔疏《诗经·黄鸟》引述服虔的说法:"杀人以葬,璇环其左右曰殉。"就是把陪葬者环绕在墓主的周围。服虔的说法与考古所见的一些情况相合,接通了"殉"与"旬"乃至✿的语源联系。"勻"是"钧"的古字,从❀,✿声。❀是"冰"和"吕"古字,像金属坯饼形。《说文》:"钧,三十斤也。"这在后代有具体重量的量词应是源于古代的名词"勻",是尚未固定重量的一个铜饼,这如同被后人解为有固定高度的"仞"实源于没有固定高度的"人"。铜饼是圆形的,与✿的回环周绕义有一致性。"军"在古代常是动词,有驻扎义、包围义,朱芳圃说:"古者车战,止则以车自围。"(《金文诂林》,7758 页)"旬"也从✿得声,或体作"眴",是"瞬"的古字,《说文》所说"目摇",即眼珠回环转动。

有些形声字,在篆隶字形里也还显示着形声结构,声符如旧,但义符的本原模糊,或被误解。如:

"肖",《说文》解云:"骨肉相似也。从肉,小声。不似其先,故曰不肖也。"金文材料显示出"肖"字从月,不从肉,小篆"月""肉"混同,导致许慎误解。这不仅埋没了"肖"的本义,而且也掩盖了"肖"同它上下左右的同源词的联系。"肖"字以"小"为声,"肖"的语源就是"小","肖"本义是月相消减至微小,指月盈后渐趋消减小弱直至晦没的状况。因此,可以看到以"肖"为声的一群同源字都有渐趋消小的意义特点,如:"消",水消;"削",用刀刻削;"销",铄金,被销熔的金属固体逐渐变小而最终全成为液体;"峭",山峻,山势渐高而渐趋锐小;"梢",树枝末梢,越至尽头就越微小。[1]

二 从古文字记言材料看同源词

探求和系联汉语同源词,既离不开字形线索,也离不开语音线索,但这两条线索最终还是要落实到与词义的联系上。甲骨刻辞、金文、竹简、帛书等未经后人改动过的古文字文献,保留着很多时代久远的古词、古义,今人凭借具体篇章语句的内部关系及其他条件可能发现它们,发现古今字词血脉联系的某些内容,从而弥补传世文献用例和古人训诂的不足。这对系联同源词也会有开阔眼界的作用。以下仅举数例。

古文字材料证明"申"是"电(電)"的象形初文。西周克鼎、此鼎铭文用"申"字写"神",这是"神""电"同源的极好启示,它说明了先民曾经把"阴阳激耀"的闪电同神的观念联系在一起,对电的感知十分古远,"电"是"神"的语源。殷商甲骨文中没有"神"字,卜辞也没有用"申"字写"神"之例,因此可以推断,虽然商代人早已有了日月风雨山川等诸多自然神的观念和敬神的各种活动,但是,在语言中具有概括意义的"神"这个词,可

---

[1] 金国泰《释肖》,《吉林师范学院学报》1994 年第 1 期。

能产生于西周时代。

西周初期大盂鼎铭文记周康王要求大臣盂:"敏朝夕入讕。"古文字学家依据铭文上下文语义,都读"讕"为典籍中的"谏",那么,谏诤之"谏"是"讕"的简化形式[2]。据此,可以发现典籍中"谏"有诤义的根源及其早期的词义特点,"讕"是"阑"的派生词。《说文》:"阑,门遮也。"门栏、阻拦等义最初都应用"阑"字,"讕"字从言,本义当是用言语阻拦。对君上的某些言行用言语加以阻拦,这才是"谏"的初义。后代训"谏"偏重于"正"和"诤(争)"的意义,却昧于它的意义根源在"阑"。

在西周金文中,发现"客"字与"各""佫"(或从辵)同用,常见辞例是:"王各(客、佫)于某"、"王各(客、佫)某"。"各(客、佫)"的意义是至、来。"佫"有来、至义,见于《方言》《广韵》,而在典籍上写作"格""假(徦)";"各""客"在金文中的这一意义,不见于典籍。甲金文字形及词例证明"各"是"佫"和"客"的象事初文,本义是人从外面来至,"佫"和"客"最初都只是"各"的加旁异体字,"佫"字出现于殷商后期,"客"字出现的时代不晚于西周中期前半。"客"字从宀,有偏重行为主体的表义倾向,但区别并不明显。到东周,所见"客"字已经同"各""佫"分化,不再写动词,而只写与原动词相因的名词,即外面来到的人。春秋金文习用"宾客"一语,在战国金文、简文中,"客"也都是写名词,与楚帛书中仍然写动词的"各"字界限分明。秦后,"各"字成为逐指代词的专用假借字,原有的动词义转由"徦(假)"和"格"字书写。《同源字典》收录的"假(徦)格(佫)"一组,只有后起本字与假借字的关系,因为没注意到金文材料,所以把与"佫"词源最近的"客"丢开了。

"朔",在文献所见较早的意义有二:一是月相名及与此相关的夏历每月初一日;二是北方。"朔"字从月,所以写月相是字本义,写北方,是假借义。但从词源上推断,这两种较早的意义都出自"逆",而"逆"又出自"屰"。以现今归纳的古音系统,"逆""朔"虽铎部叠韵,但发声却分别在牙音疑母和齿音生母,似难相通,所以《同源字典》虽然在疑母下分别收录了"忤"(及"午"声多字)和"逆(屰)"、"逆"和"迎"两组同源词,却不收录从"屰"得声的"朔""斥"和间接从"屰"得声的"泝(遡、溯)"等字。但是,不仅字形显示着"逆"与"朔"同谐声,而且,在距今近3000年的早期古文字记言材料里还显示出典籍中看不到的一个事实,借"朔"字写的北方义本写作"逆",西周中期的同簋和五祀卫鼎铭文都如此,卫鼎记土田疆界四至以逆、东、南、西四方并列。"逆"之所以有北方义,是因为"逆"源于"屰",其词义中心特点在反向动作或反向状态,因此它有迎对、不顺、背反等义。古人观念以南方为正面,有背反义的"逆"就引申出与南方相对的意义,这与"北"由最初的乖背义("北"字本是二人背对背的形象)引申出与南方相对的方向义有近似的思

---

[2] 周金文另有"谏"字,但用的不是谏诤义,而是治理、整饬义,与"敕"字同用。

维逻辑。据目前所见古文字材料,月相专用字"朔"产生于春秋战国之际(温县盟书用例为最早),因为它写词单一,就被多义字"逆"的北方义挤入借用,并且不再退出。所以,战国以下"朔"字长期稳定地写着两个常用词,不仅表示北方义的常用词是源于顺逆之"逆",而且表示月相义的常用词也源于"逆",因为月初之一日,月相开始逆反性变化,这是晦朔之"朔"的词源。

三　古文字材料对同源词系联的验证作用

近年来,有学者提出在同源词研究工作中应构建验证机制。这十分必要而有意义。验证,可以用不同方式,从不同层面入手,古文字材料有相当可信的验证作用,试举数例。

《同源字典》收"御驭"一组,说:"在使马的意义上,'御、驭'实同一词。但'御'的引申义,如'防御'、'御用'等,都不写作'驭'。"验之以古文字材料,"御"之初文从卩,午声,在卜辞中多用为祭名,相当于《说文》之"禦",在西周金文中,有迎、迎击等义。"驭"之初文像手挥鞭驱马,在西周金文中有多例写名词驾车者义,与驱马驾驭义名动相因。"御""驭"二字初文形意迥殊,虽有同音关系,但在甲金文直至战国竹书中都无同用例,足证二者既没有词源联系,也没有文字联系。只是在秦统一天下前后的睡虎地秦简中,才始见"御"字通假为"驭"而写"驾御(驭)"一语,这种用法为汉代继承。因此,《说文》误以为"驭"是"御"的古文。《同源字典》以为二者是"实同一词"的异体字或同源字关系,不符合古文字实际。

《同源字典》以为"夜"与"昔"、"昔"与"夕"同源,加按语说:"'昔'和'夕'是同义词,'夜'则稍有差别。从天黑到星出叫'夕',也叫'昔';从天黑到天亮叫'夜'。有时也混用。"按:典籍上"昔"有"夜"或"夕"义,是用字通假,从词方面看,"夕"与"昔"并不同源。在甲骨卜辞中,"夕"用月形象意,显示出"夕"与"月"是最密切的已经分化了的同源词,"夕"的词义与"日"相对,相当于后世的"夜"。而卜辞中的"昔",虽然学者说字的形意并不一致,但所见用例都写今昔之"昔",并无与"夕"字相通之例,[3] 周金文也是如此。丰富的金文材料表明,西周时期,"夕"逐渐分化成"夕""夜"二词二字。铭文中习见"朝夕"而不见"朝夜",说"昼夜"而不说"昼夕",显示出分化的大势。但"夙夕"与"夙夜"又同义互见,显示出在渐变过程中残留着分化前的遗迹。书写形式鲜明地证实着"夕"

---

[3] 殷商卜辞的"夕"字有时写一个动词,是古代祭法之一,相当于典籍的"昔"或"腊",但这与今昔之"昔"无关。于省吾有专论。

"夜"二者的词源联系,始见于西周中期的"夜"字最初只是"夕"字的加声异体字。由此可见,"夜"与"昔"也没有词源联系,而且,二字在金文也没有相通之例。

"立"和"位",是古人已经认识到的"古同字"。《周礼·春官·小宗伯》:"小宗伯之职,掌建国之神位。"郑玄注:"故书'位'作'立'。郑司农云,'立'读为'位'。古者'立''位'同字,古文《春秋经》'公即位'为'公即立'。"周金文有大量实例证实了郑氏的说法,许多铭文内同一句或上下句中的"立"字读动词"立"与读名词"位"并见。《同源字典》没收"立位"一组,大概是觉得二者声母远隔,分别在牙音匣母和舌音来母,不能用书内确定的声母相近条例作出解释,而且连《说文》也认为"位"字是"从人立"会意而未说"立声"。但是,依据金文辞例,依据"立"字形意,依据古代词和字的分化区别规律,可以认定"立""位"是一组动名分化的同源词,它们在先秦一定有紧密的语音联系,只是今天该如何认识二者的语音联系。很多学者认为先秦汉语有复辅音 Kl-,这也许可以用来解释"立""位"同源的语音关系吧。

参考文献

何琳仪(1998)《战国古文字典》,中华书局。
侯占虎(主编)(2001)《汉语词源研究》(第一辑),吉林教育出版社。
马承源(1988,1990)《商周青铜器铭文选》(三)(四),文物出版社。
孙常叙(1998)《孙常叙古文字学论集》,东北师范大学出版社。
王　力(1982)《同源字典》,商务印书馆。
于省吾(1979)《甲骨文字释林》,中华书局。
———(1996)《甲骨文字诂林》,中华书局。
张世超、金国泰、孙凌安、马如森(1996)《金文形义通解》,日本京都中文出版社。
周法高(1974)《金文诂林》,香港中文大学。

（金国泰:北华大学南校区中文系,132033,吉林）

杨树达先生汉语词源研究述评

曾　昭　聪

提要： 杨树达先生有关汉语词源的研究突出表现在"形声字声中有义"的理论阐发和具体实例的研究方面。其成绩有三：一，在理论上继承了清代以来学者声近义近、义寓于声的学术观点，实践上又进行了许多考证，注重从声符探求词义，取得了很大成就；二，继章太炎、黄侃之后，十分具体地阐发了形声字声符有假借的理论，即认为形声字所记录的词义为声符字所假借的另一词义；三，从文字孳乳的角度主要是从形声字产生的途径探讨了源字与孳乳字的关系，在一定程度上阐明了声符所以示源之由。其不足有四：一，对"从某声字多有某义"的阐述少数地方在表述上言"凡"；二，从现代语义学与词源学角度来看，某些观点还有待修正；三，古文字材料的限制影响了研究的精密；四、过信《说文》的形义分析影响了研究的深入。

关键词： 杨树达　词源　形声字　声符　研究

○　引　　言

中国传统词源学研究经历了三个阶段，一是声训阶段，二是"右文说"阶段，三是"语转说"阶段。声训是用音同音近的词来训释词义、探求词源的方法。它是从音的角度来探源的，本不必考虑汉字形体，但是，由于汉字尤其是形声字形音义关系的特殊性，古人在运用声训这一方式探求词源时，不可避免地会注意到声符与词义之间的某种联系，这表明对汉语同源词进行探求，必然与汉字形音义结合的规律相联系。由声训到"右文说"，是从音义结合到形音义结合的词源探求，也是对汉字形声系统的深层理解。"右文说"的萌芽很早，正式诞生是在晋，盛行于宋，而发展于清；绵至现当代，更多的语言学家站在全新的高度，注重从声符来探求词义、研究词源，取得了丰硕的成果。本文主要谈谈中国现代语言学史上著名语言学家杨树达先生有关汉语语源研究，特别是"形声字声中有义"的研究。

杨树达(1885—1956)，字遇夫，湖南长沙人。幼嗜段王之学，后留学日本，接触到现代语言学理论。他对"形声字声中有义"研究是从探求词源入手的。他对词源的探求取得了很大的成绩，有如下原因：

首先是有着明确的指导思想。他曾在《积微居小学述林》[1]（以下简称《述林》）的自序中说："我研究文字学的方法,是受了欧洲文字语源学 Etymology 的影响的。少年时代留学日本,学外国文字,知道他们有所谓语源学。偶然翻检他们的大字典,每一个字,语源都说得明明白白,心窃羡之。因此,我后来治文字学,尽量地寻找语源。"由于有深厚的小学功底,又吸收了欧洲的语源学研究的传统,因此,在探求词源时就能高屋建瓴。

其次,探求词源时在方法上注意音义贯通,特别注意利用形声字声符以求义,例如《积微居小学金石论丛》[2]（以下简称《论丛》）的《释旐》篇："《说文·七篇上·㫃部》云：'旐,龟蛇四游以象营室,攸攸而长也。从㫃,兆声。'引《周礼》曰：'县鄙建旐。'……愚谓旐之为言召也,谓所以召士众也。"

最后,对新发现的古文字材料非常重视,因此,他的词源探求多能避免据讹变形体以索义之蔽。例如《述林·释启启》："《说文·二篇上·口部》云：'启,开口也,从户从口。'《三篇下·攴部》云：'启,教也,从攴,启声。'今以甲文考之,疑许君说此二字之形皆误也。甲文有启字,从户从又。又有启字,从户从攴。甲文从又从攴多不分,此二文为一字,皆以手开户之形。愚谓训开者当为此字,以手辟户,故为开也。训教之启,许解为从攴启声,愚谓当解为从口启声,盖教者必以言,故字从口,教者发人之蒙,开人之智,与启户事相类,故字从启声,兼受启字义也。……"

赵振铎先生指出："由于在观点、方法和材料上都有了新的内容,杨树达在词源探索方面有所突破。他吸收了'右文说'的合理因素,推求谐声偏旁所表示的意义,获得了空前丰硕的成果。"[3]

以上是从词源研究的总体方面而言的。杨树达对"形声字声中有义"的研究成就"不只是为少数字的语根寻找了理据,考证了它们的来源和演变,而且有系统的理论原则"。[4] 以下试分三方面总结其有关研究的成绩,并从四个角度论及其不足。

一 有关"声中之义"的具体揭示

杨树达在理论上继承了清代以来学者声近义近、义寓于声的学术观点,实践上又进行了许多考证,注重从声符探求词义,取得了很大成就。他的成果,主要见于《积微居小

---

[1] 杨树达《积微居小学述林》,中华书局,1983 年。
[2] 杨树达《积微居小学金石论丛（增订本）》,中华书局,1983 年。
[3] 赵振铎《训诂学史略》,329 页,中州古籍出版社,1988 年。
[4] 何九盈《中国现代语言学史》,518 页,广东教育出版社,1995 年。

学金石论丛》《积微居小学述林》二书中解释字词的文章中。《论丛》共六卷,其中卷一《说字之属上凡四十三篇》、卷二《说字之属下凡十七篇》与"声中有义"的研究有关;《述林》共七卷,其中卷一《说字之属上凡四十五篇》、卷二《说字之属中凡四十篇》、卷三《说字之属下凡三十五篇》、卷四《通考文字之属上凡二篇》中的一篇、卷五《通考文字之属凡六篇》中的四篇与此论题有关。合计共有 185 篇。据统计,这些文章中有三分之二以上利用声符对字词进行探讨。其中,有几篇长文,即《论丛》卷一《形声字声中有义略证》、《字义同源于语源同例证》、《述林》,卷四《造字时有通借证》,卷五《文字孳乳之一斑》、《字义同源于语源同续证》、《文字初义不属初形属后起字考》、《文字中的加旁字》,均举例极多,有的是专门对这一问题进行研究的,有些虽非专门讨论形声字问题,但牵涉到这一问题的很多。可以说,杨氏是自觉而有意识、有系统地通过形声字声符去进行汉语词义考索与语源研究的。

《论丛·形声字中有义略证》谓"自清儒王怀祖郝兰皋诸人盛倡声近则义近之说,于是近世黄承吉刘师培后先发挥形声字义实寓于声……以我国文字言之,形声字居全字数十分之九,谓形声字义但寓于形而不在声,是直谓中国文字离语言而独立也"。此文共举九条例证:

例一:关声雚声字多含曲义。例二:燕声旻声字多含白义。例三:曾声字多含重义加义高义。例四:赤声者声朱声叚声字多含赤义。例五:吕声旅声卢声字多含连立之义。例六:开声字多含并列之义。例七:邕声容声庸声字多含蔽塞之义。例八:重声竹声农声字多含厚义。例九:取声奏声恩声字多含会聚之义。

杨氏每一例中均举有不少形声字为证,如例一就举有如下例证:齿曲谓之齲,角曲谓之觠,膝曲谓之卷,手曲谓之拳,顾视谓之眷,行曲脊谓之趡,弓曲谓之彄,屈木为卮之属谓之圈,枉道而合义谓之權,革中辟曲谓之鞪,炎芏之萌句曲谓之蘳。每一字均引字书或文献以证其说,且于讹误或不明处略加辨正,结论精审、可信。

杨氏对"形声字声中有义"的研究并不限于此文,在《论丛》、《述林》二书中,他大量采用从声符以求词源的方法来探究文字本义。例如《论丛·释俛》,杨氏指出,"免声之字多含低下之义。"如《说文·日部》:"晚,暮也。从日,免声。"《页部》:"頫,低头也。"字或作俛。《月部》:"冕,大夫以上冠也。……从月,免声。"《左传·桓公二年》孔疏:"谓之冕者,冕,俛也。以其后高前下,有俛俯之形,故因名焉。……"《水部》:"浼,汙也。从水,免声。"《方言》卷三:"汜、浼、润、洼,洿也。"杨氏谓:"按凡地卑下者,水停畜而为洿池,水停则洿浊,义皆相因,知浼有下义矣。"《说文·革部》:"鞔,履空也。从革,免声。"杨氏指出:"按履空为下之物。"又如《释蓳》:"《史记·货殖传》曰:'堇堇物之所有。'《集解》引应劭曰:'堇,少也。'堇有少义,故堇声之字多含寡少之义。"如《说文·言部》:"谨,慎也。从言，堇声。"杨氏谓："盖谓寡言也。盖多言多败，慎者必自寡言始。"《广部》："廑，少劣之居。从广，堇声。"《人部》："僅，才能也。从人，堇声。"杨氏指出："按《文选》卷十六《叹逝赋》注引贾逵《国语》注曰：'僅犹言才能也。'知许君说本贾侍中矣。"《说文·食部》："饉，蔬不熟曰饉。从食，堇声。"指食物寡乏不足。《歺部》："殣，道中死人，人所覆也。从歺，堇声。"杨氏谓："谓乏食而死者也。"又《尔雅·释草》："椴，木堇。"释文云"堇本作槿"。槿字许书不载，《艸部》："蕣，木堇，朝华莫落者。"杨氏谓："按此朝花莫落之草所以名堇或槿者，谓其花时仅少也。"又《穀梁传·庄公二十九年》云："古之君人者，必时视民之所勤。民勤于力则功筑罕，民勤于财则贡赋少，民勤于食则百事废矣。"杨氏指出："勤谓少也。"

又如《论丛·释经》指出："壬声孳乳之字多训直"，《释颊》："左右谓之夹，在傍谓之挟，目旁毛谓之睒，面旁谓之颊，两膀谓之胁，其义一也。"《释雌雄》："此声字多含小义"，"厷声字多含大义"，"分声字亦多含大义"，"吴声字亦多含大义"，"取声聚声及音近之字多含小义"。《说袷》："会声之字多含会合之义"，"昏与会古音近，故昏声之字亦多含会合之义"。《说少》："少声之字皆有小义。"《说䁾》："毛声之字多含选择之义。"《说髮》："犮声字多含根本义。"《说皤》："番声及音近之字多含白义。"《说骹骭》："交声字多含直义"，"干声及音近之字亦多含直立之义"。

又《述林·释觾》："也声字多有邪义。"《述林·释桯杌桰》："刃声字多含碍止之义。"《释頯朏顩》："九声字多含高义。"《释姊》："古次声字多含比次之义。""帇与次古音同，故帇声字亦有含次比之义者。"《释谦》："兼声之字多含薄小不足之义。"《释衢》："瞿声字有分张旁出之义。""胂声字亦有分张之义"。《释弦》："从弦之字有急义。"《释虹》："凡从工声之字，皆有横而长之义。"《释凵凵》："去声之字多含开张之义。"《释卩》："凡叜声皆含曲义。"《释甬》："凡甬声之字，其物多具狭长之状。"《释箎》："耑声字多含圜义"，"专与耑古音同，故专声字亦含圜义"，"睘声之字多具圜义"。《释骠》："票声字多含白义。"《释骏骜》："从夋声之字皆含绝特之义"，"敖声亦多含绝特之义"。《释骠》："票声字多含白义"，"廌从票省声，故廌声字亦含白义"。《释踞》："居声字多含直义。"《字义同源于语源同续证》："寮声之字皆具穿通有孔之义"，"屯声字……皆含高义"，"凡赞声字皆含丛聚之义"。等等。

以上所述，不过是杨氏明言"从某声多有某义"之语者，共涉及62个声符；实际上，《论丛》《述林》二书中杨氏多从声符求语源、求本义，由于他借助于古文字形，从文献例证出发反复申论，并贯穿因声求义的学术思想，因此，他对"从某声字多有某义"的分析大多精审可信。

二 有关"声符有假借"的大力阐发

杨树达继章太炎、黄侃之后,十分具体地阐发了形声字声符有假借的理论,即认为形声字所记录的词义为声符字所假借的另一词义。

《论丛·自序》:"一九三三年春,偶忆《大学》'为人父止于慈'一语,谓慈字声类之兹即子,于是悟形声声类有假借。"《述林·造字时有通借证》可谓其研讨通借的理论性总结论文,关于声旁类通借即我们所说的声符假借,杨氏分三类加以研究。一、"由说文重文推知者"。例如,《说文·木部》:"柄,柯也。从木,丙声。"或作棅。杨氏指出:"按棅字从秉者,《三篇下·又部》云:'秉,禾束也。从又持禾。'秉有把持之义,柯柄可把持,故字从秉,受秉字之义。柄之从丙,则以与秉同音借其音耳,丙与秉同在古音唐部,声亦同也。"我们曾经谈到,《说文》对声符示源功能研究的表现方式之一就是重文声符互换,我们可以据重文以系源。[5] 杨氏最早意识到这一点,他对《说文》重文声符假借的研究,极大地启发了后人。二、"许不云重文而实当为重文者"。例如,《说文·艸部》:"荤,臭菜也。从艸,军声。""薰,香艸也。从艸,熏声。"杨氏指出:"按臭菜谓有气味之菜,非谓恶臭也。香艸之薰,亦谓有臭味之艸,二字盖本一文。《仪礼·士相见礼》:'夜侍坐,问夜膳荤,请退可也。'注云:'古文荤作薰。'是二字本为一字之证也。薰从熏声,即受义于熏。……若荤从军声,则第以军熏音近,假军为熏耳。"熏为何义?《说文·中部》:"熏,火烟上出也。"杨氏谓:"香艸臭气上升,与火烟之上出者事相类,故薰字从熏。"三、"从字义推寻得之者"。这一类杨氏举三十九例。例如,《说文·牛部》:"犗,騬牛也。从牛,害声。"杨氏指出:"按此谓牡牛割势使不能生殖者,字从害声,害盖假为割,谓于体中有所割去也。割从害声,害割古音同,故假害为割矣。"

破声符之假借以求本义的方法并不只限于《造字时有通借证》一文,《论丛》、《述林》二书亦时时贯穿了这一方法。例如《论丛·释慈》指出:《说文·心部》:"慈,爱也。从心,兹声。""按以声义求之,许君之训乃泛言之。若切言之,当云爱子也。……慈从兹声者,以兹与子古音相同故也。"即兹借为子。义如,《述林·释麛》引《说文·鹿部》:"麛,鹿子也。从鹿,弭声。"杨氏指出:"按《十二篇下·弓部》弭训弓无缘可以解辔纷,无子字义,而麛从弭声,训为鹿子者,弭字从耳声,耳与兒同声,从弭犹从兒也。……《十一篇下·鱼部》云:'鮞,鱼子也。从鱼,而声。'按鮞从而声,而训为鱼子者,从而犹从兒也。而与

---

[5] 曾昭聪《谈〈说文解字〉对声符示源功能的研究》,《古籍整理研究学刊》1998年第4、5期合刊。

耳古音同,耳与兒通作,故知而与兒亦可通作也。……人之小者谓之兒,鹿子谓之麛,鱼子谓之鲕,柱之小者谓之枹,栗之小者谓之梂,其义一也。"

采用假借声符的形声字,声符虽不能直接提示该形声字所记录的词义的语源,但我们如能以声为线索,破假借而得示源之声符,则词义自明。"声旁无义者,得其借字而义明。"殆无疑焉。杨树达精研于此,贡献极大。

三 有关"声中有义"的理据探讨

杨树达从文字孳乳的角度主要是从形声字产生的途径探讨了源字与孳乳字的关系,在一定程度上阐明了声符所以示源之由。这一研究主要表现于《述林·文字孳乳之一斑》一文中,另外,《文字初义不属初形属后起字考》、《文字中的加旁字》等实际上也对这个问题有所涉及。

《文字孳乳之一斑》主要是谈同源关系的,但实际上从声符字与形声字之间的同源关系中,亦可看出声符具有示源功能的原因。杨氏指出:"欲使学者确识二文之先后,大抵以声类(按,即声符字)与其孳乳字言之。""今约分六类述之,学者隅反可也。"一,能动孳乳,即"主孳之字为名字,而所孳乳之字为动字,此动字所表之动作,示名字之习惯作用或动作也"。例如,"面,颜前也,从页,象人面形。孳乳为偭,乡也,从人,面声。《礼·少仪》曰,'尊壶者偭其鼻。'树达按偭谓面乡人也。"二,受动孳乳,即"一名字,一动字,与能动孳乳同,其与彼异者,彼名字为动作之主体,此名字为动作之对象耳"。例如,"子……树达按子象初生子之形,许君云象形,是矣。……子孳乳为字,乳也,从子在宀下,子亦声。按乳下云:'人及鸟生子曰乳,兽曰产。'字为生子,子为被生之名也。"三,类似孳乳,即"被孳之字与主孳之字相类似也"。例如,"士,《论语·泰伯篇》云:'士不可以不弘毅。'皇侃疏云:'士通谓丈夫也。'按丈夫谓男子也。孳乳为牡,畜父也,从牛,土声。按牡从士声,许云从土声者,非也。人男子为士,牛之雄者为牡,相类似也。"(聪按,此例不确,下面将要谈及。)四,因果孳乳,即"主孳之字为因,被孳之字为果也"。例如,"分,别也,从八刀,刀,分别物也。孳乳为贫,财分少,从贝分,分亦声。或作穷,云:'古文从宀分。'树达按分为因而贫其果也。"五,状名孳乳,即"主孳之字为状字(通言形容词),被孳之字为名字也"。例如,"白,西方色也,阴用事,物色白,从入合二,二,阴数。或作皀,孳乳为帛,缯也,从巾,白声。树达按《后汉书·和熹皇后纪》注云:'帛谓缣素。'则帛为白色也。按白者状字,帛为名字也"。六,动名孳乳,即"主孳之字为动字,被孳之字为名字也"。例如,"引,开弓也,从引。引申为导引之义。孳乳为靷,引轴也,从革,引声。……又孳乳为紖,牛系,从糸,引声。读若弭。按紖所以引牛。引为动字,靷紖皆名字也。"

杨氏从六个方面讨论了源字与孳乳字的关系,结论可信,对于我们考察声符示源的理据有很好的作用。又《文字初义不属初形属后起字考》举有51组例证,其结论云:"综上所述,知所谓后起字者,当分二事:一曰加旁字,二曰形声字是也。加旁字复可分为形旁(即义旁)声旁二项焉。"又《文字中的加旁字》一文指出:"《说文》所载文字,象形指事会意形声四书之字往往有加旁者,今名之曰加旁字。加旁字有两种,一为加形旁,一为加声旁。"均从文字产生的过程探讨形义关系。总之,由于能充分注意到古文字形体分析,又注意形音义综合考虑,且于古文献能熟练运用,因此他对字义的分析,尤其在通过声符求义并总结声符与形声字义的关系方面,是相当正确的。他的成就值得我们认真地加以总结。

四　其研究中存在的不足

当然,杨氏研究中也存在着一些问题。这可以从以下四个角度分析:

其一,他对"从某声字多有某义"的分析大多精审可信,所不足者,少数地方在表述上言"凡",如《述林·字义同源于语源同续证》:"凡赞声字皆含丛聚之义",举有五个字为证:酇、攒、欑、儧、巑。这类表述前面已经例举。实际上这犯了同多数清儒一样以偏概全的毛病。事实上,我们只要能举出一个例外的例子,就可推翻这一论断。如"赞"声字,"灒",《说文》:"汙洒也。一曰水中人。"段注:"谓用污水挥洒也……'中'读去声,此与上文无二义,而别之者,此兼指不污者言也。"这一词义如要与"丛聚"义挂靠,必将牵强。又如"臜",不洁义。不见于《说文》。亦与"丛聚"无关。当然,杨氏这样说,也是有他的道理的,因为他所举例证,基本上是见于《说文》者,故极少数情况下可下这种论断。但语言文字是有历史发展性的,不能因《说文》中某些从某声的字有某义就言"凡"。

其二,从现代语义学与词源学角度来看,杨树达在某些方面的观点还有待修正。即如"声中有义"一说,就不够确切,因为"声中之义"并非字义或词义,而只是"义素"。"声中有义"之说,当代语言学家如王宁先生等已用"声符示源"一说取而代之。我们今天如果还沿用这些不够科学的术语的话,将有许多问题讲不清楚。

从现代语义学与语源学观点返观杨氏的某些说法,可以看出其中的一些问题。

例如杨树达指出,词义中具有相同义素的一组形声字,其相同义素往往都是它们的声符所显示出来的源义素,这也就是杨氏自己的"字义同源于受名之故同"的含义,我们可以将其概括为"同义异符同源论"。

他的《论丛·字义同源于语源同例证》举54组例证证明同义字有语源上的关系,《述林·字义同源于语源同续证》举21组例证。如《字义同源于语源同例证》第四十二组:"雄、麚、豭、羖、羒。"雄,《说文·隹部》:"雄,鸟父也。从隹,厷声。"厷声字多含大义。麚,《尔雅·释兽》:"牡鹿,麚。从鹿,叚声。"豭,《说文·豕部》:"豭,牡豕也。从豕,叚声。"叚声字多含大义。羖,《尔雅·释畜》:"夏羊,牝羭,牡羖。"杨氏指出:"羖与股为同音字,人膝以上为股,膝以下为胫。股大于胫,知羖亦当受义于大。"又"羖古音与假同,羖为牡羊,与麚为牡鹿豭为牡豕一律"。羒,《尔雅·释畜》:"羊牡,羒。"分声字多含大义。按杨氏之意,雄、麚、豭、羖、羒均谓雄性动物,体大是其特点,声符厷、叚、殳、分提示了各词义中"大"的特点。又如第八组"赠、贶、赏、贺、赇、赐"都因其声符可显示"增加"源义素故而各词义中亦均具有"增加"之特点。此即杨氏"字义同源于语源同"。但是,"字义同源于语源同"这一提法是有问题的。第一,各组形声字并非"字义同",而只是词义中含有相同的义素,是义素同,不是词义同。第二,各组形声字所记录的词义中具有相同义素,可以说是同义,但同义与同源不属同一范畴。正如何九盈先生所说的:"同源字都应该是同义字,但同义字并不全是同源字,所以'字义同源于语源同',这种提法本身就很含混,因为并不是所有字义相同的字都源于语源相同。就以赠、贶、赏、贺、赇、赐而言,只是一组同义词,它们并不是同一语源的族属关系,它们也不存在共同的语音形式。"[6] 当然,杨氏的这一研究价值还是有价值的,他类聚了很多组具有共同义素的词,而且这些义素多是由声符所显示的,这为我们进一步研究声符的示源功能提供了许多宝贵的材料以及从同类事物的比较中发现问题的研究方法。

其三,古文字材料的限制。例如《述林·造字时有通借证》一文中,他指出,《说文·言部》:"谥,行之迹也。从言,益声。""按益字与谥义不相会,益与易古音同在锡部,此借益为易也。"又《说文·贝部》:"赐,予也。从贝,易声。""按凡赠赏义之字皆以增加为义,赠之言增,贺之言加,赏之言尚,尚亦加也。独赐从易,易无加义,易以同音借为益也。"又《说文·彡部》:"鬄,髲也。从彡,易声。"杨氏指出:"按髲下云:'益发也。'鬄训髲,髲训益发,则鬄为益发可知。易益古音同,鬄从易,假易为益也。"杨氏从古训中发现了易、益古语同源的蛛丝马迹,难能可贵。根据现代学者的研究,易、益并非借字关系,它们最初应是同一字形,"'易'与'益'之分野本初是通过其同源母体的形义裂变来实现的,其后又各自经历了一个二次孳乳分化的过程,如'易'之为'锡'、'赐'、'晹','益'之为'溢'、'谥'即是。"[7] 由于受古文字材料及时代学术水平的限制,杨氏不大可能熟知易、益同源分化的源流,因此他文中对谥之从益、赐之从易、鬄之从易的解释是欠妥的。

---

[6] 何九盈《中国现代语言学史》,519 页。
[7] 王蕴智《益·易同源嬗变探析》,见《说文解字研究》(第一辑),339 页,河南大学出版社,1991 年。

又如前面谈到的《文字孳乳之一斑》一文中所谈"士"与"牡"的关系,亦不确切。"牡"见于甲骨文,以土表示雄性家畜或兽类,结合不同的兽类的形符,分别为雄性之牛、羊、马、鹿、豕等之专名,即后起字牡、羒、骘、麚、豭。后乃以牡为雄兽之通称。"士"不见于甲骨文,金文字形为王字之省,王为君王,士为官长,王象斧钺形,士亦象斧形,斧为工具,表示有所事,事、士通。《说文》:"士,事也。"[8]

其四,过信《说文》的形义分析。如《论丛·释伪》引《说文·人部》:"伪,诈也。从人,为声。"杨氏指出:"按《三篇下·爪部》云:'为,母猴也。其为禽好爪。'好爪者,言其喜动作屑屑,故为引申为作为之为,又引申为诈伪之伪,又引申为伪言之譌,皆受义于母猴之为。"按释"为"义为母猴已误,一系列引申都不免变成主观臆断。

当然,我们也要强调,总的来说,这类失误是瑕不掩瑜的。而且,这类失误,即使我们今天的学者在进行研究时由于各种原因也不能完全避免,所以,我们一是不能苟责前人,二是自己要特别小心谨慎,尽量减少各种失误。

(曾昭聪:暨南大学华文学院,510610,广东广州)

---

[8] 方述鑫等编《甲骨金文字典》,巴蜀书社,1993年。

浅论《释名》名源

魏宇文

提要：《释名》的声训是一种民俗声训，是老百姓对日常生活名词来源的一种推测，其中一部分符合语言科学，也有一部分只是民俗的说法。本文对《释名》的声训材料作了较全面的测查和分析，对刘熙的名源观进行了客观的评价。尤其是通过丰富翔实的材料，对《释名》名源作了较深入细致的研究，对促进《释名》深层次的研究有一定的价值。

关键词： 声训　名源　词源　文化背景　民俗文化

东汉刘熙的《释名》全书涉及的多半是名词，也有部分动词和形容词。刘熙用声训来解释名词的来源，他把名词的来源放在当时的历史文化背景下，结合民间俗语，考证名物，可见，《释名》不同于一般的经典的词源学著作，它有其独到之处。然而，前人在批评刘熙的声训时，往往只看到《释名》某些不符合语言科学的主观训释，而没有注意到它准确、形象地解释民俗名源的另外一些训释。其实，刘熙的以声探源有很多是符合词源学理论的，而部分不符合语言科学的声训，亦反映出当时的历史文化背景，在民俗学和文化学上有它特定的意义。

一　科学地探求名源

探求名源，很自然有两个问题必须解决好：一个是理论问题，另一个是"名"和"实"的问题。前者即是说，所探求的名源是否与科学的词源学理论相吻合，如果是，即《释名》以声探源，证明了音近义通，训释词与被训释词之间有同源关系，那么，这些名源就是科学的、合理的、站得住脚的；如果不是，就有待于进一步地，探求和研究。后者涉及"名"与"实"的关系问题。在这个问题上，王宁先生有一段精辟的论述："探求词源——逐一分析可以追寻到的造词理据，在具有大量成果之后，逐渐建立起一个个局部的词族系统，这属于语言词汇的本体研究；而阐释词源——对这些造词理据的真实性与合理性从文化历史的背景上加以证明和阐发，这已涉及语言与文化的关系。把阐释词源的诸多成果集中起来,可能大致看出以语言为中心的文化网络,形成语言与其他文化的互证关系。这就超出了语言的本体研究,具有了宏观语言学的意义与价值。科学的汉语词源学应当是这两方面工作的结合。"[1]王先生的这段话点出了科学的汉语词源学的精髓,这也就是指导我们分析《释名》名源的理论基础。

关于"名"与"实"的概念,我国古代的名辩之学早就在不同的文献中提出来了。《释名·释言语》:"名,明也。名实使分明也。"先谦曰:"《荀子·正名篇》:'制名以指实,上以明贵贱,下以辨同异,是名训为明之义也。'《春秋繁露·深察名号篇》:'鸣而命施谓之名,名之为言鸣与命也。'"《庄子·逍遥游》:"名者,实之宾也。"《墨子间诂·经说上》:"名,物,达也,有实必待文多也。命之马,类也;若实也者,必以是名也;命之臧,私也,是名也,止于是实也。声出口,俱有名。……所以谓,名也;所谓,实也。"墨子的意思是说:物为万物之通名,物有是实,名以文之,文者,实之加。马而命之马,是类也,凡马之实皆得名之马。人之贱者而命为臧,则臧非人之通名,人而名之臧,是私也。"名"是可以用来指谓客观事物的声音形式,"实"则是"名"所指谓的客观内容。

王宁先生在《浅论传统字源学》一文中对语言中的词的音和义的结合有几段论述:"《荀子·正名篇》说:'名无固宜,约之以命,约定俗成谓之宜,异于约则谓之不宜。'这段在语言学上经常被引用的名言,说明了词的音义联系不是天然的、有机的,而是偶然的,音与义的结合在使用语言的人们千百次重复应用已成习惯之后,才巩固下来,这就是约定俗成说。而另一种说法则认为,音与义之间是有必然联系的,凡音近之字,义必相通。最早的声训就是用音近之字来训义。宋朝王圣美创'右文说',以为凡同声旁的形声字意义都相近。清代黄承吉在《梦陔堂文集》里提出:'字义起于右旁之声说',又称'右音说',也认为有某声即有某义。这些说法都指出音近义通现象的存在,因而认为音义之间有必然的联系。"

"在语言发生的起点,音与义的关系完全是偶然的,是社会约定的。正因为如此,同一声音可以表达多种完全无关的意义,语言中因此产生大量意义无关的同音词;而相同或相近的意义又可以用不同声音来表达,语言中因此又产生了大量读音相异的同义词。这都说明音义结合的偶然性。"

"随着社会的发展和人类认识的发展,词汇要不断丰富。在原有词汇的基础上产生新词的时候,有一条重要的途径,就是在旧词的意义引申到距本义较远之后,在一定条件下脱离原词而独立,有的音有稍变,更造新字,因成他词。例如:'超',《说文》训'跳也',本义是超越,古音'透'母'豪'韵。引申为高远,另造'卓'字,音变为'端'母'沃'韵,

---

[1] 王宁《训诂学原理》,145—146页,中国国际广播出版社,1997年。

'卓'是'超'的派生词。也有的音虽无变,字分数形,随为异语。例如:跳舞的动作叫'舞',以舞祝神的人叫'巫',舞蹈的步伐叫'武',古音虽都为'明'母、'模'韵,但字分三形,这标志着三个相关的意义已经分化为三个同源词。同源词的派生词的音义,由于都是从根词早已结合在一起的音义直接或间接发展而来的,因此带有历史的、可以追溯的必然性。用以上两组词为例,'卓'的词义是由'超'字引申而来的,音是由'超'变化而来的,也就是说,'卓'的音义可追溯到'超'的音义,'超'是'卓'的源,'卓'与'超'便音近义通。'舞'、'巫'、'武'的词义都与跳舞有关,声音又一脉相承,它们的音义都可追溯到同一根词上去,自然显示音近义通关系。由于派生造词越到后来越成为普遍现象,因此,音近义通说便成为词汇理论中可以成立的规律。……"

"但是,传统字源学在对音近义通现象陈述时,没有科学地规定它的适应范围,而是仅仅举出一些无法概括全面的例证,却灌之以'凡'、'皆'等词而作成一种全称判断,这就使他们的理论发生以偏概全的片面性。在这种理论指导下,系联同源词的实践也就多有失当了。从音近义通发生的源由看,它只适用于同根的派生词,取消这个条件,把这个理论运用到非派生词或非同源的派生词之间去,这就要变成谬误。并且,同源词之间的音近义通关系只能追溯到它们共同的根词,而根词的音义联系又是约定俗成的。所以,从词汇的总体说,约定俗成仍是音义联系的总规律,音近义通不过是词汇发展某一方式所体现出的个别规律,二者在理论上是不可列入同一层次的。"[2]

王先生阐明了"约定俗成"与"音近义通"发生的源由以及它们各自的规律性,并且指出了二者不是处于同一理论层次的。

徐通锵先生也指出:"理据性和任意性,似乎前者强调语言的自然性质,后者强调语言的社会性质。这种性质与语言的实际状况不符。固然,语言符号的任意性强调的是语言的社会性质,但不能由此得出结论,说理据性着眼于语言的自然性质,因为理据的抽象和总结不是个人行为,而是一种社会习惯,需要受到语言社团的思维方式和语言结构的制约,但更重要的是语言社团如何将这种客观现象转化为主观的认识(意义),编成语言中的'码',并藉此进行交际。这种转化是语言在自组织的过程中逐步形成的,是一种社会现象,不是自然现象。"[3]

刘熙的《释名》的声训绝大多数证明了名源的原理,即专门演绎"名"与"实"结合的原因。名源和词源不同,词源是从训诂材料中总结、概括和归纳出来的,涉及的历代文

---

[2] 王宁《训诂学原理》,128—130页。

[3] 徐通锵《语言论——语义型语言的结构原理和研究方法》,290页,东北师范大学出版社,1997年。

献资料比较繁多,而名源解释的是事物名称的来源,在命名的时候,其概括性可能比较差,与一般的词源不同,它除了证名以外,还与考实有关,它与当时老百姓的日常生活息息相关;考实为了考名,探求名源,考释名源,亦带有当时历史文化上的特征。刘熙以生活物品的物类来分类,从表面上看,这样显得十分狭窄,实际上他解释的名源与事物的外部形态特征、颜色、动作特征等紧密联系在一起的,内容非常丰富,既形象又准确。名源还有民俗、博物等问题。王宁先生在《谈〈历代刑法考〉的训诂成就》[4]一文中指出:"事物的命名由来,往往与词所指物的某一特征有关,名与实的考据本是不可分的。名是实的信息载体,只有深入探讨了所指物的实况,才能更准确、更深刻地理解名源。"王宁先生的话科学地阐明了"名"与"实"的辩证关系,这对我们评价刘熙的名源观具有特别重要的指导意义。

《释名》全书科学地探求名源的实例很多,我们只举一部分加以分析和说明。例如:

(1)《释名·释首饰》:"粉,分也。研米使分散也。胡粉,胡,餬也,脂合以涂面也。"《说文·米部》:"粉,傅面者也。从米,分声。"徐锴系传:"古傅面亦用米粉。"《急就章》第三章:"芬薰脂粉膏泽筩。"颜师古注:"粉谓铅粉及米粉,皆以傅面,取光洁也。"《韵会》亦云:"古傅面亦用米粉。"《本草纲目》卷八金石部:"粉锡,[时珍曰]:'铅锡一类也,古人名铅为黑锡,故名黑锡。'《释名》曰:'胡者,餬也。和脂以餬面也。'"《渊鉴类函》卷三百八十一服饰部十二:"粉一,《博物志》曰:'纣烧铅锡作粉。'《淮南子》曰:'漆不厌黑,粉不厌白。'粉二,《汉书》曰:'惠帝侍中皆脂粉。'粉三,《广舆记》曰:'马嵬坡上土白如粉,女人面有黑点者,以水和粉洗之即除,人称贵妃粉。'"朱骏声《说文通训定声》:"……按:米末谓之粉,从米从分,会意,分亦声,傅于饵餈之上,亦所谓傅面欤。"

可见,"粉""分",音同义通。粉,本义指米粉,引申为研物成粉亦称"粉";分,本义是分开。刘熙对"粉"的命名是有理据的,"粉"的词义是研碎的"米粉"或"锡粉"、"脂粉",古代妇女用米碾细作搽面粉,以光洁面颊之用。这种探求名源的方法是科学的,既考名又考实。

(2)《释饮食》:"饼,并也。溲面使合并也。胡饼作之大漫沍也;亦言以胡麻著上也。蒸饼、汤饼、蝎饼、髓饼、金饼、索饼之属,皆随形而名之也。"《说文·食部》:"饼,面餈也,从食,并声。"《渊鉴类函》卷三百八十九食物部:"饼一:《方言》:'饼谓之饦,或谓之饦,或谓之馄。'《饼饵闲谈》:'饼搜餈麦面所为或合为之,入炉熬者名熬饼,亦曰烧饼;入笼蒸者名蒸饼;入汤烹之名汤饼,其他豆屑杂糖为之曰环饼;和乳为之曰乳饼。'《青箱杂记》曰:'凡以面为食煮之皆为汤饼。'《庐谌祭义》曰:'春祠用馒头、汤饼、髓饼、牢丸;夏

---

[4] 王宁《训诂学原理》,197页。

秋冬亦如之,夏祠别用乳饼;冬祠用环饼。'""牢丸"即"汤圆"。

可见,饼是我国古代面食的总称,根据不同的制作方法分为不同的品种,面食带汤的,统称汤饼。它包括今天的面条、面片儿、饺子和汤圆。"蒸饼"是蒸制而成的,是今天馒头、包子的总称。"胡饼"又称麻饼,因着上胡麻而得名,"髓饼"与"胡饼"均是烤制的。"蝎饼"是炸制的。由此可以看出,《释名》所解释的"饼"的名源是对的,"饼"是"并"派生出来的,"并"的词义与"饼"的词义的核义素在内容上是同一的。"饼"、"并"也是音同义通。

(3)《释言语》:"铭,名也。记名其功也。"毕沅曰:"《说文》无'铭'字,郑康成注《仪礼·士丧礼》曰:'今文铭为名。'又注《周礼·小祝》云:'铭,今书或作名,然则铭乃古文名也。'《周礼·司勋》云:'凡有功者,铭书于王之大常。《礼记·祭统》:'铭者,自名也,自名以称扬其先祖之美而明著之后世者也。'"叶德炯曰:"此钟鼎铭之铭。《左传·襄公十九年》传作:'林钟而铭鲁功焉是也,与典艺篇之铭别。'"又《释典艺》:"铭,名也。述其功美使可称名也。"毕沅曰:"《礼记·祭统》曰:'铭之义称美而不称恶。'"叶德炯曰:"此如碑铭、墓志铭之铭,故次于谏谥之前,与前言语篇之铭微别。"这是同条声训,但实际上意思不完全相同,毕氏、叶氏的解释已很明确,《释言语》中的"铭"是指铸或刻在钟鼎上的铭文,主要用来记述生平、事业或警戒自己的文字;《释典艺》中的"铭"是刻在石碑的文字,用来记功的。

《渊鉴类函》卷二百文学部:"铭一:《诗》传曰:'作器能铭可以为大夫。'《礼记·祭统》曰:'铭者,论譔其先祖之有德善、功烈、勋劳、庆赏、声名,列于天下。而酌之祭器,自成其名焉,以祀其先祖者,显扬先祖所以崇孝也。身比焉,顺也,明示后世,教也。夫铭者,壹称而上下皆得焉耳矣。'铭二:《西京杂记》曰:'昭帝时,茂陵家人献宝剑,上有铭曰:直千金,寿万岁。'铭三:《唐书》云:'太宗幸河北观砥柱,因勒铭于上以陈功德。'"由此可见,刘熙的声训是能够以声探源的,"铭"是"名"的派生词,它们均在明母,耕部,音同义通。

(4)《释首饰》:"冠,贯也。所以冠韬发也。"毕沅曰:"《说文》:'冠,絭也,所以絭发弁冕之总名也。'案:'贯当作毌,《说文》贯乃泉贝之贯,毌则穿物持之也,从一横毌,读若冠,今则通用贯字。'""冠"因笄横贯而名。"贯"(古"毌"字)是"冠"的源字,刘熙用源词来训释派生词,源词"贯"的本义是"穿钱的绳索",引申为"贯通",派生词"冠"的核义素为"横贯",两者音同义通。

《渊鉴类函》卷一百七十四礼仪部:"冠一:《礼记·曲礼上》:'二十曰弱冠。'男子二十冠而字。'"这里均指"冠礼",即古代的一种礼仪,男子二十岁举行冠礼,表示已经成人。《渊鉴类函》卷三百七十服饰部:"冠一:《淮南子》:'禹之趋时冠挂而不顾,屦遗而不取。'《春秋繁露》：'冠之在首,玄武之象也,玄武貌之最严威者,其象在后,反居首者,武之至而不用者矣。'冠二:《墨子》：'昔齐桓公高冠博带以治其国,楚庄王鲜冠组缨绛衣博袍以治其国。'《东观汉记》：'杨赐病疲,居无何,拜太常,诏赐所服冠帻绶带。'冠三:《唐明皇杂录》：'太平公主玉叶冠,希世之宝也。'《梁书》：'婆利国以璎珞绕身,头著金长冠,高尺余,形如弁缀,以七宝之饰。'冠四:《晏子春秋》：'景公为巨冠、长衣以听朝。'贾谊《新书》：'屦虽鲜,弗以加枕;冠虽敝,弗以苴屦。'冠五:《进贤冠赋》：'天道廓兮,日月为父;贤人作兮,衣冠为首。'"这很明显,"冠"指"帽子"、"戴帽子"等词义。《渊鉴类函》卷一百八十礼仪部："冠一:《周礼·小宗伯》：'大丧悬冠式于路门外。'《夏官》：'太仆大丧悬首服之法与宫门外。'"这里指的是"丧冠",是戴丧服的一种仪式。由此可以看出,"冠"是因为使用簪子将头发盘起来而得名,有"横贯"之义,刘熙是根据事物的功能、用途而命名的,他的解释是合理的。

(5)《释用器》："枷,加也。加杖于柄头,以挝穗而出其谷也;或曰罗枷,三杖而用之也;或曰丫,丫杖转于头,故以名之也。"《说文·木部》："枷,柫也,从木加声。""柫,击禾连枷也,从木弗声。"段玉裁注："柫……《方言》曰：'佥,宋、魏之间谓之攝殳,或谓之度,音量度,自关而西谓之棓,蒲项反,或谓之柫,音拂,齐、楚、江淮之间谓之桏,音怅怏,亦音车鞅;或谓之桲,音勃;《齐语》：'耒耜枷芟。'韦云：'枷,柫也,所以击草也。草当作禾。《王莽传》：'必躬载柫。'……戴先生曰：'罗连语之转,今连枷之制与古同。'"在这里,"枷"与"丫"同音为训。"丫杖"即今"拐杖"。叶德炯曰："《说文》所无本字,作枒,木部,枒,木也是也,古丫叉,字本作枒权。……枷、加、罗、丫皆取叠韵,枒与罗皆象枷中枝格之形而取名也。"在这里,刘熙是根据事物的制作方法来命名的。

(6)《释床帐》："帐,张也。张施于床上也。小帐曰斗帐,形如覆斗也。"《说文·巾部》："帐,张也。从巾长声。"《说文通训定声》引《尔雅·释训》："帱谓之帐,何承天纂,要在上曰帐,在旁曰帷,禅帐曰帱。"又《史记·袁盎晁传》："刀决张道。"索隐："军幕也,以张之。"《渊鉴类函》卷三百七十六服饰部："帐一:《海录碎事》：'斗帐,小帐也,形如覆斗。'唐《六典》：'凡大驾行幸预设三部帐幕:有古帐、大帐、次帐、小次帐、小帐。'帐二:《齐书》：'高祖俭素,内典黄沙帐。'《东宫旧事》：'皇太子纳妃有熟绦绫帐、绛绢幄。'帐三:《古诗》：'红罗複斗帐,四角垂香囊。'帐四:曹植诗：'华屏列耀,藻帐垂阴。'杜甫诗：'玉帐分弓射敌营。'帐五:张昱咏演法师惠纸帐诗曰：'银灯夜照白纷纷,四面光摇白縠文,隔枕不闻巫峡雨,绕床唯走剡溪云,风和柳絮何因到,月与梅花竟不分,塞北江南风景别,却思毯帐旧从军。'"由此看来,"帐"是指帐幕或军中帐营,一般都是睡觉时用来罩床用的,它由于用不同的质地作成,或用不同的装饰品饰之,或形状各异,或功能不一样而有不同的叫法,有不同的名称。刘熙的声训与《说文》相同,名源的探源是正确的,他根据事物的质地、功能来给"帐"命名的。

（7）《释言语》："福,富也。其中多品,如富贵者也。"《说文·礻部》："福,祐也,从示畐声。""富,备也,一曰厚也,从宀畐声。"段玉裁注："福,……《祭统》曰：'贤者之祭也,必受其福,非世所谓福也。福者,备也,备者,百顺之名也,无所不顺者之谓备。按：福、备古音皆在第一部。'""富,……富与福音义皆同。《释名》曰：'福,富也。'"《说文通训定声》："福,……《荀子·天论》：'顺其类者谓之福。'《韩非子·解老》：'全寿富贵直谓福。'《诗》：'瞻彼洛矣,福禄如茨。'笺：'爵命为福。'《周礼·膳夫》：'凡祭祀直致福者。'注：'谓诸臣祭祀,进其余肉,归祚于王。'……《广雅·释诂》：'福,盈也。'""富,……《易·家人》：'富家大吉。'疏：'谓禄位昌盛也。'《书·洪范》：'二曰富。'疏：'家丰财货也。'《诗·瞻卬》：'何人不富。'传：'福也。'《周礼·大宰》：'以富得民。'注：'谓薮中材物。'《礼记·祭义》：'殷人富贵而尚齿。'注：'臣能世禄曰富。'又《孟子》：'富岁子弟多赖。'注：'丰年也。'"毕沅曰："《礼记·郊特牲》：'富也者,福也。'"皮锡瑞曰："《说苑》引河间献王曰：'五福以富为首,是今文尚书作九五福,一曰富也。'"王引之说："《尚书》：'惟忔于富',当作'惟忔于福',则是富可假借为福。"《渊鉴类函》卷二百八十六人部："富一：《孝经》：'满而不溢所以长守富也。'《初学记》：'夫贵者必富,而富者未必贵也;故士之欲贵,乃为富也,然欲富者,非为贵也;从是观之,富人之所极愿也。'富二：《陶侃传》：'侃媵妾数十,家童千余,珍奇宝货富于天府。'富三：《盐铁论》：'富者,银口黄耳,金罍玉钟。'"从上面的材料看来,《释名》与《礼记》、毛传等是互训,即财富多为富,富有即为福。可见刘熙的名源解释是对的。

（8）《释言语》："德,得也。得事宜也。"毕沅曰："德,《说文·心部》作悳,云：'外得于人,内得于己也,从直从心。'"段玉裁注："悳,……内得于己,谓身心所自得也;外得于人,谓惠泽使人得之也。俗字叚德为之。德者,升也。古字或叚得为之。"王启原曰："《礼记·乐记》：'德者,得也。'《贾子新书》：'道术施行,得理谓之德。'"《说文通训定声》引《乡饮酒义》："德也者,得于身也。"又《庄子·天地》："物得于生谓之德。"《渊鉴类函》卷二百七十五人部："德一：《易》：'君子进德修业忠信所以进德也。'《淮南子》：'得其天性谓之德。'德二：《周易集解》：'周公修文德而越裳献雉。'德三：《汉书》：'建元元年诏曰：扶世导民,莫善于德,无能子文王说有为之德,开物成事。'德四：《左传》：'德,国之基也。'德五：汉李陵诗曰：'努力崇明德,皓首以为期。'"可见,《释名》声训和《礼记》的训释是相同的,上述文献中的"得理"、"得其天性"等均能和刘熙的"得事宜也"相为互证。

（9）《释言语》："智,知也,无所不知也。"《说文通训定声》："智,……按：知亦声。……字亦作智。《荀子》注引《孟子》：'然后智生于忧患。'是本字。经传皆以知为之。《法言·修身》：'智,烛也。'《韩非子·显学》：'智,性也。'《淮南·俶真》：'智者,心之府也。'《老子》:'绝圣弃智。'注:'圣智,才之善也。'《白虎通·情性》:'智者,知也,独见前闻不惑于事,见微之著也。'《淮南·道应》:'知可否者,智也。'"《渊鉴类函》:"智一:《榖梁传》:'知其不可知,智也。'《商子》:'愚者闇于成事,而智者见于未萌。'智二:《史记·樗里子传》:'樗里子者,名疾,秦惠王之弟也,滑稽多智,秦人号智囊。'智三:《汉书·艺文志》:'书以广听,智之述也。'《三国志·荀攸传》:'攸深密有志防,自从太祖征伐,常谋谟帷幄,时人及弟子莫知其言。'智四:《汉书·疏广传》:'疏广曰:子孙贤而多财,则损其智。'智五:苏轼:《魏武帝论》:'世之所谓智者,知天下之利害而审乎?计之得失,如斯而已矣。此其为智,犹有所穷,唯见天下之利而为之;唯其害而不为,则是有时而穷焉,亦不能尽天下之利。古之所谓大智者,知天下利害得失之计而权之以人。'"刘熙以同音为训,"知"为"智"的源词,"智"为"知"的派生词,以源词训派生词。"智者"即无所不知的人,是最有智慧的人。我们今天还把具体策划政治、经济、法律、文化和艺术等重要决策的群体叫做"智囊团"。

(10)《释车》:"勒,络也,络其头而引之也。"毕沅曰:"《说文·革部》:'勒,马头络衔也。从革力声。'"段玉裁注:"勒,……按:网部羁马落头也;金部衔马勒口中。此云落衔者,谓落其头而衔其口,可控制也,引申之为抑勒之义,又为物勒工名之义。《尔雅》:'辔首谓之革,革即勒之省,马络头者,辔所系也,故曰辔首。'""勒"是带嚼子的笼头,套在马头上。《说文通训定声》:"勒……为辔之所系,故曰辔首,……勒为衔之所系,故曰络衔,……勒、络双声。"《渊鉴类函》:"勒一:《字汇》:'有衔曰勒,无衔曰羁。'勒二:《晋书·愍怀太子传》:'太子好坤车小马,令左右驰骑断其鞅勒,使坠地为乐。'勒三:《西京杂记》:'武帝时,身毒国献连环羁,皆以白玉作之,玛瑙石为勒,白光琉璃为鞍。'勒四:《通鉴·宋纪》:'南汉王刘䶮性绝巧,尝以珠接鞍勒为戏龙之状,以献太祖。'勒五:晋棘据诗:'骐骥伏吴坂,不与伯乐俱,驽马同衔勒,岂得独卓殊。'"刘熙以"络"训"勒",是双声为训,"勒"的训释是以它的功能来作为探求名源的依据的。

(11)《释采帛》:"缣,兼也。其丝细致,数兼与绢,染兼五色,细致不漏水也。"《说文》:"缣,并丝缯也。""兼,并也。"段玉裁注:"缣,……谓骈丝为之,双丝缯也。《吕氏春秋》:'昔吾所以者,纺缁也。今子衣禅缁也,以禅缁当纺缁,子岂有不得哉?'任氏大椿曰:'禅缁,即单缁也。'余谓此纺即方也,并丝曰方,犹并船曰方,此纺非纺之本义。后汉《舆服志》及古今注并云:'合单纺为一系者同。'此方丝所谓兼丝也。"《说文通训定声》:"缣……按:即纺也、绢也、绡也。《广雅·释器》:'缭谓之缣。'缭者,绡之借字。"刘熙以同音为训,"缣"的意思是把各种各样的丝织品兼并在一起,这与"兼"的核义素"并在一起"是一致的,"兼"和"缣"是以初文训孳乳字,且音同义通,故刘氏的名源探求和词义解释是科学的。

(12)《释丧制》:"冢,腫也,象山顶之高腫起也。"毕沅曰:"郑注《周礼·叙官·冢人》云:'冢,封土为丘垅,象冢而为之。'案:《尔雅》:'山顶曰冢。'故云:'象冢而为之。'"又《释山》:"山顶曰冢;冢,腫也,言腫起也。"王启原曰:"《说文》:'冢,高坟也。'《左传·僖公十年》传:'祭地地坟。'《晋语》韦注:'坟,起也。'《穀梁传》云:'覆酒于地而地贲。'范注:'贲,沸起也。'又《三坟五典·汉王政张纳碑》俱云:'典贲,是坟有贲义,冢亦宜有腫义',故《广雅》亦云:'冢,腫也。'"朱骏声《说文通训定声》:"冢……《方言·十三》:'冢,秦晋之间或谓之垅。'《诗·緜》:'乃立冢土。'传:'大社也。'《诗·十月之交》:'山冢崒崩。'《西山经》:'华山,冢也。'注:'冢者,神鬼之所舍也。'《春秋说题辞》:'冢者,種也。落倚于山,分尊卑之名者也。'"可见,"冢"既是山顶又指坟墓;"腫"是"痈",《说文·肉部》:"腫,痈也,从肉重声。"段玉裁注:"肿瘍痈而上生创者。按:凡膨胀粗大者谓之痈肿。"《说文·疒部》:"痈,肿也。"段玉裁注:"按:肿之本义谓痈,引申之为凡坟起之名也。"由此来看,"冢""肿"均以其隆起的形状而得名,它们"音同义通",是同源词,刘熙探求的命名缘由是合理的。

以上的例子说明,刘熙的声训绝大多数是能够科学地探求名源的,类似的实例还有许多,由于篇幅有限,我们不能一概列举。与此同时,刘熙又兼收民间的第一手语言资料,虽然这些老百姓日常生活中常用的语言材料反映的语言事实不一定是最符合科学的语言学理论的,但均具有其一定的社会依据和符合当时的文化历史背景的。很可惜的是,这些语言材料,往往容易被世人忽视和误解,甚至被认为不能登大雅之堂而备受冷落。如果研究者不进一步深入研究,体会刘熙的良苦用心,理解他的探求名源的独特方法,那么,《释名》的在语言学史上的地位和价值就会被大打折扣。因为,刘熙的功劳就是巧妙地把科学的词源学和民间的名源学结合起来,令人耳目一新,使后人为之惊叹。

二 民间名源学的崛起——《释名》中的俗名源

刘熙在《释名》中除了通过声训科学地探求名源外,还解释了一大批俗名源,这些俗名源跟从训诂材料中抽出来的东西不完全一样,因为它们来自民间,来源于百姓的日常用语,往往带有浓厚的民间的俗文化。换句话说,刘熙在《释名》中对名源的解释,与他当时所处的历史时代有密切的关系,他把名源放在特定的历史文化背景下,然后用文化去阐释名源。然而,文化是一个环境,是一个背景,这就要求作者绝不能脱离名源去谈文化。我们必须明白,刘熙的名源学,虽然不是纯粹的词源学,但它们的规律是一致的。探求俗名源,很关键的问题就是要处理好"名"与"实"的辩证关系,考名的目的是为考实,考实便蕴涵着民俗文化。

黄易青先生指出:"实物的命名、运动的命名都从特征着眼,那么,所有事物的命名,都归结到从特征出发。所以,章太炎先生《语言缘起说》认为:'语言之初当缘天官,然则表德之名最夥矣。'这是说,表示事物特征的词最先产生。人们对自然、客观世界事物的认识,是从对具体事物及其运动的观察、感受开始的;到了命名的时候,已经有了归纳和抽象。所以,命名时已先有了对事物特征的感知。感知特征在前,命名在后;名称上,表示特征的词最先产生。"[5] 黄易青先生这段话概括了人们认识事物的递进过程,以及给事物命名的基本条件和基本方法,这对我们更深入地理解《释名》探求名源的方式和研究《释名》的训释条例有帮助。

例如:《释天》解释了天文历法、风雨雷电、四时变化等名称,名词的使用密度很高,与古代,尤其是汉代民间的日常生活息息相关。刘熙在《释天》中给事物名称命名时,很注意事物的外部特征,许多名称都是根据当时人们的思维规律归纳概括出来的。比如:古人称天地为"乾坤",如何得名的呢?刘熙的解释:"乾,健也,健行不息也。""坤,顺也,上顺乾也。"(《释地》)"乾"因"健"而得名,"坤"因"顺"而得名;古人把太阳叫做"日",把月亮叫做"月",它们又是如何得名的呢?刘熙说:"日,实也,光明盛实也。""月,阙也,满则阙也。""日"由"实"而得名,"月"由"阙"而得名;古人称一年四季为"春"、"夏"、"秋"、"冬",命名的理由则又是什么呢?刘熙的解释是:"春,蠢也。万物蠢然而生也。""夏,假也。宽假万物使生长也。""秋,緧也。緧迫品物使时成也。""冬,终也,物终成也。"这些训释均根据时空、次第、节气、时令等来命名(其中,"夏"的声训训释是牵强附会的,缺乏证据,令人难以置信)。

《渊鉴类函·岁时部》分别引用各类文献加以说明和佐证:《说文》:"春之为言蠢也,物蠢而生。"《礼记》:"南方者夏,夏之为言假也,长之养之假之仁也。"《律历志》:"春为阳中,万物以生;秋为阴中,万物以成,是以事举其中礼,取其和。"《说文》:"冬,终也,尽也。"由此可见,"春"、"蠢"同音,"春"由"蠢动"的"蠢"而得名,"夏"由"宽假"之"假"而得名,"秋"、"緧"亦同音,"秋"由緧迫之"緧"而得名;"冬"、"终"的声音关系是双声,"冬"由终成的"终"而得名,"终"是"冬"的派生词,"冬"的词义与"终"的核义素在内容上是一致的,只是前者为义项,后者为义素,处于不同的结构层次而已。这是合理的声训。

再如:《释天》云:"四时四方各一时。时,期也,物之生死,各应节期而止也。"毕沅曰:"《乡饮酒义》曰:'东方者春,南方者夏,西方者秋,北方者冬,故曰四方各一时。'"又曰:"逸周书周月解云:'万物春生夏长,秋收冬藏。'"又时训解云:"雨水之日桃始花,谷

---

[5] 黄易青《论事物特征与意象之异同》,《古汉语研究》1997 年第 3 期。

雨桐始花,清明萍始生,立夏十日王瓜生,小满之日苦叶秀,又五日靡草死,芒种螳螂生,夏至十日半夏生。"毕氏引用以上丰富的文献资料对这些名词进行了补充解释,一方面说明刘熙的声训是合理的,另一方面证实刘熙的命名理据是充分的,名源是经得起民间农谚的检验的,带有浓厚的民间民俗文化。

还有,"暑,煮也。热如煮物也。"先谦曰:"唐王维诗:'长安客舍热如煮。'宋文同诗:'六月久不雨,万物蒸煮熟。'"刘熙先用同声符的形声字作声训,然后又用形象化的比喻作义训,使人们更进一步了解"暑"的词义特点:热且象火煮物。清人王先谦引用后代诗人的诗句说明刘熙的解释是合理的,与当时人们的思维规律和民俗习惯是一致的。

此外,古人为什么把山的名称叫"嵩"、"岑"、"乔"、"甗"?《释地》云:"山大而高曰'嵩'。嵩,竦也,亦高称也;山小而曰'岑'。岑,崭也,崭峻然也;山锐而高曰'乔',形似桥也;山上大下小曰'甗'。甗,甑也,甑一孔者,甑形孤出处似之也。"《释水》:"人所为之曰潏,潏,术也,偃水使郁术也,鱼梁水碓之谓也。"毕沅曰:"《周礼·天官·渔人》:'掌以时渔为梁。'郑仲师注:'梁,水偃也,偃水为关空,以笱承其空。'水碓者于急流水中,偃水为之设转轮于其中,为机以碓米以代舂也,鱼梁水碓,皆人所为也。"沈兼士先生说:"觉刘氏所解,较《尔雅》、《说文》为详,而毕、王诸家均于'术也'之训区盖不释,殊为缺失。余意水碓之制,乃借水之回力以为用,故谓之'郁术'。'术'者,《说文》训为邑中道。城中之道,周转互通,亦取义于'回'。……"(《沈兼士学术论文集·与丁声树论释名潏字之义类书》)。

下面再举一些实例:

(13)《释书契》:"札,栉也。编之如栉,齿相比也。"这条声训是不对的,因为"札"和"栉"在意思上毫无关系,"札"的本义是古代用来写字的小木片,引申为"书札"、"奏札"等意思;"栉"则是"梳子、篦子的通称"。但刘熙解释"札"的形状如同梳子,其顶端用绳子编结在一起,下端诸札相互比连,就像梳子的齿孔一样排列整齐,这就形象地描述了"札"的形状,帮助后人了解当时书籍的形制,也反映出当时人们对书籍的热爱和崇拜。

《渊鉴类函》卷二百五文学部:"札一:《汉书·司马相如传》:上读《子虚赋》善之,召相如,相如曰:'是诸侯之事未足观,请为天子《游猎赋》',上令尚书给笔札,乃为《上林赋》。《古诗》:'客从远方来,遗我一书札;置书怀袖中,三岁字不灭。'札二:《后汉书》:'樊崇等西攻,更始无称号,欲立帝,求军中景王后者,惟盆子与茂及前西安侯为最,崇等议曰:闻古天子将兵称上将军,乃书札为符曰:上将军又以两空札置笥中,遂于郑北坛设场祠,列盆子三人居中立,以年次探札,盆子最幼,后探得符,诸将乃皆称臣。'"由此看来,刘熙对"札"的解释是对的,"札"的名源探求是有依据的。

(14)《释衣服》:"衫,芟也。芟末无袖端也。"《渊鉴类函》卷三百七十四服饰部:"衫一:扬雄《方言》:'陈、魏、宋、楚之间谓之襜或谓之单襦。'晋《东官旧事》:'太子纳妃有白縠白纱白绢衫并紫结缨。'衫二:《宋书》:'薛安都与魏战,魏多纵突骑,众军患之,安都怒甚,乃脱兜鍪,解所带铠,唯著绛纳裲裆衫,马亦去其装,驰贼阵猛气咆哮,所向无当其锋者。'衫三:《梁福庐陵记》:'成芳隐麦林山,剥苧织布为短襕宽袖之衣,著以酤酒自称隐士衫。'衫四:《唐诗》:'阳春二三月,单衫绣两裆。'"

《释衣服》:"裲裆,其一当胸,其一当背也,因以名之也;帕腹,横帕其腹也;抱腹,上下有带抱裹其腹,上无裆者也。"先谦曰:"即唐宋时之半背,今俗谓之背心,当背、当心,亦两当之义也。"黄侃先生说:"据此,是三物异制:两当,前蔽心,后蔽背,今通语之'嵌肩'也;帕腹,横陌腹而上有裆亲肤者,俗谓之'肚兜';在衣外御垢污者,吾乡谓之'抹腰','抹'即'袙、帕、陌'之音转也;抱腹,亦横陌腹而无上裆,妇人用之,北京人所谓'主腰'也。《广雅》以裲裆为袙腹,不如《释名》之晰。"[6] 黄侃先生用自己的方言及北京话来印证《释名》"裲裆"的名源是有依据的,是符合当时的语言实际的,并且比《广雅》的解释更令人信服,由此看来,黄侃先生对《释名》的研究是很深入的,对它的评价亦较为客观。因此,"裲裆衫"即无袖之背心。刘熙的解释"衫,芟也"。乍看来,似乎有点牵强,"衫"、"芟"在意义上是毫无关系的,因为"芟"的本义是"除草",引申为"除去",但是,刘氏取其"除去两个衣袖,即为衫(裲裆)",这里指的是无袖的背心或短褂,很显然,刘熙是根据事物的特征来命名的,是符合当时的民俗、民风的,也反映了汉代的服饰文化。"衫"的名源也是有以上文献资料作为佐证的。现在,客家方言里仍然保留有"肚褡"(小孩用)、"单衫"、"衫裤"、"衫袖"、"衫领"等说法。

(15)《释床帐》:"席,释也。可卷可释也。""席"是铎韵邪母,"释"为铎韵书母,两者叠韵为训,但意义上似乎有点勉强。《渊鉴类函》卷三百七十七服饰部:"席一:《说文》:'席,藉也。'《毛诗》:'我心匪席,不可卷也。'席二:《史记》:'苏秦激张仪,令相秦以马荐席坐之。'席三:《拾遗记》:'周穆王时,西王母来敷碧蒲之席,黄莞之荐。'席四:《拾遗记》:'昆仑山有蒬红色可编为席,温柔如毯毛。'《湘东备录》:'朝鲜国出满花,席草性柔,虽折屈而不损。'席五:后汉李尤铭:'施席接宾,士无愚贤,值时所有何必羊肫。'"从上面的材料,我们可以知道,"席"是由"蒲"等材料制成的,它的特点也因制作材料不同而有区别,刘熙的"可卷可释"是有理据的,这说明刘熙对老百姓的日常生活非常了解,也说明汉代"席"的使用已很普遍了。以前,客方言中流行有"秆荐"一词,是用稻草、麦秆编织而成的,客家人常用之来御寒。如今,客方言中仍有"草席"、"竹席"、"藤席"等词,这些席能折叠,能捆绑,使用方便,保存亦非常简单,深受百姓的欢迎。可见,刘熙对"席"

---

[6]《黄侃论学杂著》,418 页,上海古籍出版社,1980 年。

的解释是根据事物的性能特点来命名的,并有其他文献的佐证,这样的声训是不应该轻易否定的。

(16)《释饮食》:"糁,黏也。相黏敫也。""糁"是指以米和羹、饭粒、粒状物等意思。《渊鉴类函》引《庄子》:"原宪居鲁藜羹不糁。"《正字通》:"投粒羹中亦曰糁。"这些"糁"均指以米粒(饭粒)和羹。如今,客家方言中仍有"饭糁"、"饭黏"的说法,这里指饭粒。刘熙以"黏"训"糁",是叠韵为训,以事物的状态来命名的,是符合当时的方言文化的。

综上所述,《释名》全书有两方面很值得一提的:一方面,刘熙用"以声探源"的方法探求事物的名源,是符合科学的词源学理论的,《释名》中绝大多数声训为同源词的系联与研究提供了丰富的语言材料;另一方面,刘熙把名源放在当时特定的历史文化背景之下,因此,《释名》中有部分声训表面上是音同或音近,但义不通,我们也不能轻易否定这些声训,而是要结合当时的历史环境,文化背景和民俗风情,以及许多超出语言本体的因素,加以深入研究,全方位的阐释,就会得出合理的结论。对《释名》名源的研究,开辟了语源研究的新途径,它为我们重新认定《释名》的性质和价值具有特别重要的意义和指导作用。

参考文献

方俊吉(1987)《音训与刘熙的释名》,台北学海出版社。
孟蓬生(2000)《上古汉语同源词语音关系研究》,北京师范大学出版社。
王 宁(1997)《训诂学原理》,中国国际广播出版社。
王先谦(1984)《释名疏证补》,上海古籍出版社。
徐通锵(1997)《语言论——语义型语言的结构原理和研究方法》,东北师范大学出版社。
殷寄明(1998)《汉语语源义初探》,学林出版社。

(魏宇文:暨南大学文学院中文系,510632,广东广州;广东省梅州市嘉应学院,514015,广东梅州)

文化词源和比较文化词源

李 海 霞

提要： 文化词源是具有人的评价色彩的造词理据。文化词源按出现范围的大小，可以分为三类：一般文化词源（跨语系的命名理据）、区域文化词源（同一语系内部跨语族语支的命名理据）和民族文化词源（一个民族独有的命名理据）。汉语和英语味觉场、颜色场和金玉场命名理据的比较，显示两种语言的文化词源在刚柔评价、联想命名的丰富性和趣味性等方面有很大差异。这种差异表现了不同的社会性格。

关键词： 一般文化词源　区域文化词源　民族文化词源　词源比较

一　文化词源

先说什么是词源，再讨论什么是文化词源。词源是词的音义来源。单纯词的音义来源是另一个词或非词（如仿声造词），合成词的词源有不同层级。初级词源是每个单纯成分的词源，即单纯词词源，终级词源是整个结构的命名来源。词形长者还有不同的中级词源，如"电灯泡"的初级词源是电、灯和泡的理据（电，似放电时阗阗的雷声；灯，犹登，瓦豆，高脚盘。油灯火炷放在高脚盘里；泡，灯泡圆圆似水泡）二级词源是电灯的理据（意译 electric light），终级词源是电灯泡的理据（圆形泡状的电灯）。

什么是文化词源？广义地说，语言本身是文化现象，所有的词源多少都有文化意义。"蟋蟀"的词源是摹声，"仲"的词源是中，这类联想主要是认知上的，我们这里不讨论这种词源。我们要讨论的是狭义的文化词源。狭义的文化词源，指具有人的评价色彩的造词理据，即人在造词时的喜恶哀乐惧等联想。它们常采用比喻、象征、借代的方式产生。如"睡得好甜"的"甜"，是对味道甜的愉快的联想。

文化词源按出现范围的大小，可以分为三类：一般文化词源、区域文化词源和民族文化词源。

A. 一般文化词源，指出现在不同语系中而没有借用关系的相同命名理据。这种联想是许多民族都可能有的，并不代表某种文化的特色。例如，汉语和英语的下列3组词源：

①渴望:汉语见于南朝。以生理感觉"渴"来表示希望之切。

　　thirst for:渴望。命名义"为……而渴"。

②海豚:义为海猪。出《本草纲目》。

　　sea hog:命名义"海猪"。

③左右:人类的双手普遍是右利的,源于左右的联想造词,汉语和英语很相似。汉语的"左"指偏,不正确。如旁门左道(邪路),左喉咙(五音不正的歌喉)。右则指上,《史记·廉颇蔺相如列传》:"位在廉颇之右。"又指尊崇。唐刘禹锡《天论上》:"右贤尚功。"现代汉语的"右派"是贬义词,因为共产党在国际上是"左派"。英语的左是 left,亦指不正。大写 Left 指左派,过激分子。left-handed(左手的)亦指笨拙的,不诚恳的,有恶意的。left-footed(左脚的)亦指笨拙的,不自然的。right(右),作动词指纠正。亦指正确的,公道的。

B. 区域文化词源,指出现在同一语系中而没有借用关系的相同命名理据。它反映一种地域文化的特色,是超民族或超语族的,但不超语系。例如,汉藏语系中的下面3组词源(由于考察的语种有限,仅凭材料说话;若找到以下词源超语系的证据,则成为一般文化词源):

①脸眼睛:即面子,傣语。[1]

　　眼睛脸:即面子,布依语。

②死活:汉语指无论如何。

　　死活:水语指无论如何。

③狗仔:彝族人认为,贱的东西易活。为了孩子好养,长辈有时给孩子取一些很下贱的小名,如"狗仔"、"狗皮"、"猪屎"等。[2]汉族也有这种习俗,称儿子为猪儿狗儿叫花子丫头等。但是汉族不以大小便命名。

C. 民族文化词源,指只出现在一个民族语言中的命名理据,反映该民族的文化特色。如下列 5 例词源(亦仅凭材料说话):

孝顺:汉语指一种竹制的瘙痒耙,长柄有指掌,可以瘙背,代替孝顺儿女。

熊猫:汉语俗指政府或单位要人,取其为"重点保护对象"。

大肝:京族话指勇敢。[3]

---

[1] 中央民院少数民族研究所《中国少数民族语言》,309 页,四川民族出版社,1987 年。以下凡引该书的材料,不再出注。

[2] 戴庆厦、曲木·铁西《彝语义诺话动物名词的语义分析》,190 页,《民族语文研究新探》,四川民族出版社,1992 年。

[3] 欧阳觉亚、程方、喻翠容《京语简志》,51 页,民族出版社,1984 年。

couch potato：英语指终日懒散在家的人。命名义是"沙发上的土豆"。

Dragon：英语指龙，亦指凶恶的人，魔鬼等。龙在英语世界是不受欢迎的东西。

有些命名理据看似相同，但是，联想对象不一样，不是相同词源。如"土豆"，汉语指马铃薯，而傣语指花生（其实花生才是真正的豆，属豆科；马铃薯在茄科）。金钥匙，英语指贿赂，有诙谐味；重庆的儿童读物《金钥匙报》具课辅性质，则意在开启智慧。

二 文化词源的比较

许多语言的"五"来自于手或拳的名称，"尺""寸"来自身体部分之名（汉语的"尺"大约等于尺骨的长度；"寸"本指一指宽，尺寸的量度义即来源于此），抽象的认知离不开具体事物的帮助，不过这些名称里没有包含什么主观评价。文化词源则十分主观，有明显的人类中心性，上面我们看到人们如何偏袒右利。并且，文化词源在历史长河中一成不变，反映人们的社会意识比词语本身更稳定。下面，我们选择三个语义场把汉语和英语的词源作一番比较（为了照顾语义场，这里分析的基本上是义项之源。义项之源与词源同质，义项单立即是词）。

1. 味觉场

辛辣。这是很刺激的味道。许多地方的汉人都爱吃辣椒。辣在汉语里引申指批评讽刺的尖锐，亦指厉害：手段辣。厉害的姑娘叫辣妹子。英语的 peppery（辣的），本义为"胡椒的"，英国最早引进的辣料是胡椒，后来对来自南美洲的辣椒几乎不吃。peppery 引申指脾气暴躁的，（言辞）尖刻的，激烈的，同汉语差不多。也许由于胡椒不如辣椒辣，一些刺激性的文化义英语用苦、酸和咸表示，汉语则用辛、辣表示。

甘甜。这是和美的、人类普遍喜欢的味道。汉语甘有愿意、乐意之义：死了也心甘；甘拜下风。甘的动词义有很大的含忍性。汉族人推崇忍，当代还有些人买来"忍"字的条幅挂在家里，作座右铭。甜引申指令人愉快的，美好的：忆苦思甜。温柔爱笑的姑娘叫甜妹子。小孩儿言辞乖巧讨人喜欢叫嘴甜。动听的话叫甜言蜜语（多有贬义）。睡得酣畅叫睡得甜。

英语 sweet（甜），亦引申为美好的，可爱的，睡得酣的。另外又指新鲜的，和蔼的，亲切的，艰苦的（反语）等。发生通感指芳香的，悦耳的。作名词又指亲爱者，亦作 sweetheart（甜心）。a sweet pilot 熟练的飞行员，sweet people 好心肠的人。sweet 作动词指谈恋爱。

酸。酸是一种怪而刺激的味道。汉语的酸引申指悲伤的，嫉妒的：心酸；看她那个酸味儿(醋味)！也指不大气的,不爽快的。"文革"时经常责骂"知识分子的酸臭味",其实,"酸臭味"多是文明讲理的行为,那时倒退到以粗野为美。英语的 sour(发酵的,酸的),引申指坏脾气的、乖戾的、愁眉不展的、敌对的、讨厌的、乏味的、刺耳的、拙劣的,等等。如 sour expression 烦躁的表情,a sour view of things 对事物的阴郁的看法。英语的酸,还有一个源自拉丁语的 acid 引申指尖刻的,近于 peppery(辛辣的)。英语"酸"的消极义项很多,但没有悲伤和嫉妒义。

苦。这是人们不喜欢的味道。汉语苦的文化义指感觉难受的、艰辛地。多用于贫穷和劳累,如劳苦、辛苦、训练苦、十年寒窗苦、把孩子苦大等。英语 bitter(苦)亦有"痛苦"的文化义,却很少把劳动的艰辛叫做苦。英美属于科学的原创国,人民大都喜欢工作,有良好的体力和脑力劳动素质。此外,bitter 还有悲伤的、刺痛的、怀恨的、抱怨的、讥讽的、严酷的等意义,作副词有剧烈义。如 a bitter wind 刺骨的寒风,a bitter argument 激烈的争论, bitter remarks 刻毒的话, bitter discipline 严格的训练。

咸。汉语咸没有什么文化义。英语 salty(咸)又指泼辣的、尖锐的、有海上生活气息的、富有(航海)经验的、风趣的、(马等)难驾驭的。英语"咸"的意义与海洋联系很好理解,可是,咸为什么有刺激性联想？据从新西兰留学回来的友人说,新西兰的英国移民不爱吃盐,非常爱吃糖。所以,英国人对咸味很敏感,认为刺激。再者,英国是破碎的陆地,人民常生活在海上,对海水那刺激性的咸味深有感触。

2. 颜色场

红。这是刺激性的令人兴奋的颜色。汉语红的文化义,有得宠、出名、顺利成功等,如红人、红歌星、开门红。因为汉族以大红为喜庆之色,婚娶、新店开业等装饰得满堂红；又觉得荣耀最值得大喜大庆。"又红又专"、"红心"的"红"指对执政者的忠诚,跟古汉语"赤胆忠心"的赤同义。这个意义更早来自"赤子",婴儿或眷恋故土的人。今红色象征革命,来自外语。英语的 red(红),没有上述联想,而偏重于血、火与激烈。英国人的婚礼尚洁白,而吊丧却捧着姹紫嫣红的鲜花。red 的文化义有赤热的、血腥的、残酷的、英国的(因英国地图常把本国领土染成红色)；革命的、共产党的(常有贬义)等。

黄。汉语黄的文化联想,古代有中正之义,因为汉人把自己所居住的黄土地视为"五方"之中央。《诗·邶风·绿衣》："绿衣黄里。"毛亨传："黄,正色。"扬雄《太玄·太玄文》："黄不黄,何为也？曰:小人失刑中也。"范望注："黄,中也。不黄,故失中也。"重庆方言"黄"指不熟练的："我是黄司机,让开点！"此义来自雌黄,传统用之涂抹写字时出现的错误,故胡说叫信口雌黄。今黄有淫秽义,来自外语。和汉人相反,英美人不喜欢黄色。英语的 yellow(黄),古即有嫉妒义,今文化义还有猜疑的、(报刊杂志等)低级趣味的、耸人听闻的、评论不实事求是的、懦弱的、卑怯的。yellow-dog(黄狗)指可耻的、破坏罢工的。yellow 的某些贬义引申,可能与下面两件事有联系。19 世纪在法国等地流行的廉价通俗小说,封面黄色,叫 yellowback(黄皮)。1887 年法国某城市一个工厂主收买了工会头目,组织了一个傀儡工会,破坏工人罢工。愤怒的工人打破了这个工会的所有玻璃窗。据说资方就用黄纸裱糊,人称"黄色工会"。yellow 也指黄种人,美国俗语的"懦弱、卑怯"之义,也可能同黄种人不肯参加南北美洲工人的罢工有关。

蓝。汉语蓝没有什么文化义。英语 blue(蓝),文化义为忧郁的、沮丧的,蓝色的深沉调子使英美人产生了压抑联想。blue 又指(女人)有学问的、清教徒的、禁律严的、下流的、淫猥的。名词文化义指女学者。此义源自 Blue Stocking society(蓝袜子社会),18 世纪伦敦的主要由女子参加的文学俱乐部的绰号。"下流的、淫猥的",可能是对清教徒的讽刺。blue film(蓝色影片),色情片。blue bar,色情酒吧。今汉语译黄色影片、黄色酒吧。既然黄色也有淫秽义,汉语就不必再译蓝色的同类义。

绿。汉语绿没有什么文化义。英语绿的文化义有:嫩的、无经验的、幼稚的、易受骗的、精力旺盛的、有精神的、十分嫉妒的等。a green wound,新伤口;green-eyed(绿眼的),嫉妒的。用猛兽的眼睛作譬喻。汉语的嫉妒叫眼红,着重于火热的情欲。瑶语称妒忌为"眼黑",[4] 着重恶的评价。

紫。汉语紫没有什么文化义。英语 purple(紫,深红)有辞藻华丽的、华而不实的、刺激的等文化义。因为英王和贵族穿的紫袍也叫 purple,引申出华丽、华而不实之义。西方人经常"犯上"。

白。《现代汉语词典》白的文化义名词指丧事,动词指用眼白看人(表示轻视或不满):白了他一眼。形容词指无代价的:白吃。又指反动的(白匪),这是引进的意义。今英语 white(白)文化义有:纯洁的、清白的、善良的、忠实的、幸运的、(政治上)白色的、极端保守的等。They treated us white. 他们公正(白色)地对待我们。英语"白"有许多美好的文化义,唯政治意义例外,或许是受俄语的影响。苏联 1918 年建立红军,打击沙皇的白军。白就同反动的,极端保守的相联系了。

黑。这是最暗的、人类不喜欢的颜色。《现代汉语词典》黑的文化义有坏的、狠毒的、秘密的、非法的。"文革"时,黑的文化义极为发达。黑帮、黑五类、黑窝子、黑干将、黑后台、黑手之名满天飞,有的至今生命力不衰。今俗把超生的孩子叫黑娃儿(没有户口)。英语的 black(黑),有的文化义与汉语相同。black-hearted(黑心的),邪恶的。a black look(黑脸的),愠怒的。另外,还指阴郁的、悲惨的、凶恶的、不吉利的、非法交易

---

[4] 毛宗武、蒙朝吉、郑宗泽《瑶族语言简志》,21 页,民族出版社,1982 年。

的、被(罢工工人)抵制装卸的、不荣誉的等。黑色是英美人丧礼的颜色。

3. 金玉场

这里只比较金和玉两种最典型的宝物名的文化义。

金。汉语本指铜,后指黄金。古汉语金的文化义指贵重的。扬雄《剧秦美新》:"金科玉条。"李善注:"金科玉条,谓法令也。言金玉,贵之也。"英语 gold(金子,金的), golden(金的),指内在和外在的美。gold 指(行为)高贵、善良。a heart of gold(金心),高贵的心。golden,文化义有兴隆的、贵重的、绝好的、朝气蓬勃的、有出息的、第 50 周年的。英美人把结婚 25 周年叫银婚,50 周年叫金婚。golden age(黄金时代),并非指青年时代,而指 65 岁以后的年纪。

玉。这是汉族人最喜欢的宝物,玉的文化义指美好的、高洁的等。我统计了《汉语大词典》中含"玉"的复音词,达 1267 个,这是一个庞大的同素词集合。许多"玉"用于美称,主要有:

有关女性的:玉容、玉颜、玉箸(女子的眼泪)、玉姿、亭亭玉立、玉女、小家碧玉

美好的、色白而美好的:玉温(仁德)、玉食、玉米、玉竹、玉梅(白梅)、玉盘(月亮)

高洁的:冰清玉洁、玉碎、玉粟(舍利子)、玉真(仙人)

有关帝王的:玉皇大帝、玉音、玉旨、玉座、玉书(诏令)、金科玉律

汉人取名,不论男女都喜欢用"玉",至少在清代还是这样。现代恐怕受域外文化的影响,"玉"较少用作男子的饰物,作名字也主要用于女性了。

汉人如此钟爱玉,而不是像西方、印度等民族那样钟爱黄金,形成了自己的文化特色,有人说中国文化是"玉文化"。为什么我们崇拜玉?这要从玉本身和中国文化两方面来分析。玉温婉莹洁,光滑细腻,可爱而好把玩,与女性的特征相似。女性比男性更喜欢玉饰。汉人的性格是阴性化的,崇尚阴柔屈从,害怕直言、犯上和冒险。理想的人格模式——君子得具有玉的品质。《诗·秦风·小戎》:"言念君子,温其如玉。"勇敢,今天我们可能认为是全世界都尊崇的美德,可是一部《论语》,"勇"字共出现 16 次,就有 9 次用于消极语境,如"好勇过我,无所取材"(《公冶长》)、"勇而无礼则乱"(《泰伯》)。看来"勇"在孔子心目中并非褒义词。儒道释三家铸就中国特色,儒家讲让,道家讲退,佛家静守。有个法家很厉害,也首务尊君。前些年有人写《阳刚的隳沉》一书,说国人的阳刚气隳沉于对外称臣的宋代,实在是不了解我们自己。

英语 jade(玉),文化引申义与汉语相反,为荡妇,轻佻的女人。

汉语和英语的这些词场,表现出的一般文化词源少,不同的区域和民族文化词源多,说明两种语言文化的巨大差别。现代汉语新词新义的增加,大多来源于英语的直接

或间接输入；而输入的观念又是导致旧词旧义死亡的主要原因。汉英的交流大大加快了汉语发展的步伐。

　　同汉语和日语相比，英语的基本词有着多得多的引申义、比喻义，联想生动形象而富于幽默。仅就文化词源而言，笔者取两部都收词 5 万余的中型词典《现代汉语词典》和《新英汉词典》[5]作了统计(汉语包括《新华字典》的单字和红色、白色等复词；英语除"金"取了 gold 和 golden 外，都用一个单词)。"红黄蓝绿紫黑白辣甜酸苦咸金玉"14 个词的文化义，汉语有 48 个，英语有 171 个。笔者对比过一个较大的语义场——动物场，也是如此。kingfish(王鱼)是一种大型食用鱼，引申指首领。the biggest toad in the puddle(水坑里最大的癞蛤蟆)，指政界要人，巨子。人们说汉语造词有形象性的特点，这是只观察了汉语，没有观察别的语言。哪一种语言的造词不形象？具体形象的东西是联想的基础，人类没有能力凭空抽象什么。K. 巴索发现阿帕齐印第安人用身体部位词翻译汽车部位词，凡 19 个。如注油口叫嘴，前部车灯叫眼睛，电气系统的配件叫血管，非常形象。[6]若说语言的形象性有不同，就在于比喻义之类的发达程度。以上 14 个词的比喻义、象征义、借代义、比拟义等，汉语有 55 个，英语有 351 个。英语比喻义的发达，与该文化内在的系统性是一致的。英美人创造了引人入胜的文学艺术，英语文艺作品在世界上流传最广。英美的文字书籍重视插图，连大学的国文教科书也充满好玩的图画。这些都得益于其发达的形象思维。

　　对文化词源的分类和比较，是沟通语言学和文化学的工作，过去一直被忽视。零星的举例不能发现许多问题，因此，笔者采取语义场的抽样比较方法，试图发现一些带规律性的东西。

(李海霞：西南师范大学文献所，400715，重庆)

---

[5]　葛传椝等《新英汉词典》(电子版)，上海译文出版社，2000 年。
[6]　马清华《文化语义学》，97 页，江西人民出版社，2000 年。

夬族同源词试联*

董莲池

提要： 本文对以"夬"为声符的同源词进行了探讨。
关键词： 夬　同源词

夬，小篆写作🗝，许慎释其本义是"分决也"，分析它的构形是从又，ㄓ像决形。所谓分决介言分裂决断，"从又"则是说分裂决断和手有关，所以选择"又"为会意偏旁。"ㄓ"则像决裂物的形状。如果仅就小篆形体本身来看，许慎的这个解释十分合理，因为"ㄱ"像刀形，|表示一物，刀在其上，手持物于下，正是一副分决之像。不过，朱骏声却不同意许慎的这个解释。他在《说文通训定声》中指出："按本义当为引弦彄也。从又，ㄱ像彄，|像弦，今俗谓之扳指。字亦作觖，《周礼》'缮人抉拾'，注：'挟矢时所以持弦饰也，著右手巨指，以抉为之。'"由于过去人们没有看到比小篆更早的夬字形体，朱骏声的讲法只能算是推断，并不大为人们所相信。今天来看，朱氏当年的这个推断相当正确。夬字的初形写作（见曾侯乙墓"𧽤"所从），像指上套圈箍状的扳指之形。故夬的本义确如朱说。根据字形，我们可以推见，夬是一种圈箍，由夬字初形到𧽤，到𦥑其间经历了由𢍏（包山简）到𠂎（秦简）到𠂎（战国纵横家书）的过程。其中，𠂎这个形体颇具启发性，从这个形体中我们可以看到表示扳指形的ㄥ符号是有缺的。1976年，殷墟妇好墓出土了一种玉质套指物，见下图：

（侧视图） 　　　　　　（正视图）

---

*　本文在交流过程中，曾得到烟台大学教授杨琳先生斧正，谨志谢忱。

整理者称其为玉扳指,认为即见于《诗·卫风·芄兰》中称之为"韘"的物什。[1]而韘,《说文》释为"射决也"。说其功用是"所以拘弦",又云"以象骨"为之,"韦系,著右巨指"。段注云:"即今人云扳指也。经典多言决,少言韘,韘唯见《诗》。"言"决"实即言"夬","决"从夬得声,也就是说上举出土于殷墟妇好墓中的玉扳指就是今天所见最早的夬,字形和实物正相合,整理者的推断是可信的。由夬的实物图形可见夬之为物是内中空成筒状,外鼜然有缺(见上举侧视图)。夬字之本义及所表之物形状既明,下面我们就可以以此为线索,系联出夬系同源词族。

《说文》总共收有从夬得声字计19个,它们是:

抉,挑也。从手,夬声。

玦,玉佩也。从玉,夬声。

赽,踶民。从走,夬声。

趹,马行兒。从足,夬声。

映,眀目也。[2]从目,夬声。

肷,孔也。从肉,夬声。读曰决。[3]

契,画坚也。从㓞,夬声。

闋,城缺也。从覃,夬声。古者城阙其南方谓之闋。

缺,器破也。从缶,夬声。

突,穿也。从穴,夬声。

疾,病也。从疒,夬声。

袂,袖也。从衣,夬声。

駃,駃騠马。父赢子也。从马,夬声。

夬,夬兽也,似猚猚。从色,夬声。

快,喜也。从心,夬声。

决,行水也。从心,夬声。

妜,鼻目间皃。从女,夬声。

鈌,刺也。从金,夬声。

齀,阜突也。从䶅,夬声。

由《说文》之释,联系夬之为物,可系联者有玦、映、肷、闋、突、袂、缺、快、决、抉,前十

---

[1] 见中国社会科学院考古研究所编辑《殷墟妇好墓》,文物出版社,1980年。
[2] 此据小徐本及朱骏声《说文通训定声》。
[3] 同[1]。

个可分为组,它们是衍于夬的环形套筒而外表齾然有缺的形状特点得名成词。

下面试加简要解说:

1. 玦

玦之为物,其形作下揭状:

由于举图可以看到玦是环形而有缺口的一种物件,与夬环而中空,外表齾然有缺相合,故其得名成词衍夬之声,名之为"玦"。

2. 䀹

许训"睅目也"。睅,许训视貌。朱骏声《说文通训定声》:"按目䀹下曰睅,含怒之视。低首侧目似之。""䀹下"则成筒状。又考典籍常"睅睅"连言。如《孟子·梁惠王下》:"饥者弗食,劳者弗息,睅睅胥谗,民仍作慝。"赵岐注:"在位在职者又睅睅侧目要视。"焦循正义:"互相谗短,则其目亦互相忿视,故知睅睅为侧目而视。""目互相忿视"必双眼圆睁,故睅目谓䀹。则䀹是夬之环圈的形貌特点而衍夬声得名。

3. 胅

许训"孔也"。段注:"蒙雎言则为尸孔也。"徐灏笺:"俗谓臀孔为窟,即胅之声转也。"孔洞以环圆形为常,夬正具孔洞状,故胅衍夬声得名。

4. 缺

许训其义为城缺。城指城墙,是都市的防护设施。其为物,环绕都市而树立,有缺,恰如夬状(见上举夬之左图),故衍夬之声得名。

5. 穴

许训"穿也"。穿穴而得洞,状类环形。故衍夬声得名。

6. 缺

许训"器破也"。器破必有缺罅,故缺衍夬声得名。

7. 袂

许训"袖也"。袖即衣袖,圆筒形物而有接缝类夬,故衍夬声得名。

8. 快

许训"喜也"。喜亦乐也,喜乐即心情通畅,所感必洞然大明。故快衍夬声得名。

9. 决

许训"行水也"。"行水"谓疏通渠道使水畅流。其行为乃是使地表孔然有缺,故决衍夬声得名。

10. 齞

许训"阜突也",突训穿也。阜突谓穿阜得其通道,其阜必孔然有缺。段注:"突,穿也,谓两阜间空阙处也。"徐笺:"两阜间空阙处,故曰齞。"

第二组除根词之外,只一抉字。抉,许训"挑也",挑谓挑拨。夬主戴在手上挑拨弓弦以为射发之用,盖射者必戴夬,挑弦必以夬,久之,夬便和挑拨在概念上混合一体,遂呼挑拨为抉,则抉是衍夬主拨的特点得名成词。

剩下的赽、趹、契、疾、駃、夐、妜、鈌等八字,虽然也从夬得声,但考其得义尚看不出与夬有关,当非此族,不论。

(董莲池:东北师范大学古籍整理研究所,130024,吉林长春)

"趵突泉"释名

吴庆峰

提要："趵突泉"之得名，未见有人研究过，只听到一些俗间的说法。文章第一次从音义上考求"趵突"的名源。文章的要点有三：（一）推定"趵突"的古名为"乐"，其名是从泉水的欢腾喷涌、声势浩大而得来的。（二）"乐""泺""趵突"，三者写法虽异，而名源为一。"趵突"之与"乐""泺"，并非另立新名，而只是"乐""泺"的世俗读音。（三）曾巩定名为"趵突"、元好问定名为"爆㪍"，在记录当时的世俗读音上是完全一致的。"爆㪍"之所以不传，为"㪍"字太难认，而又讹为"流"，脱离了其本名。"㪍"各书俱讹为"流"，应当订正。

关键词： 趵突泉 释名

趵突泉是大自然的杰作，是泉城人民的骄傲。她以其荡人心魄的英姿，赢得了"天下第一泉"的美名。

趵突泉古名泺（流成河称泺或泺水），这在《春秋》里即有记载。《春秋·桓公十八年》："春，王正月，公会齐侯于泺。"杜预注："泺水在济南历城县，西北入济。"杨伯峻《春秋左传词典》："泺，齐地，今济南市趵突泉。"《春秋》只记了个名字，没有任何解释；东汉许慎的《说文解字》记得稍详，云："泺，齐鲁间水也。"最早对泺进行描写的是北魏的郦道元，他在《水经注·济水》中写道："济水又东北，泺水入焉。水出历城县故城西南，泉源上奋，水涌若轮。《春秋·桓公十八年》'公会齐侯于泺'是也。俗谓之为娥姜水，以泉源有舜妃娥英庙故也。"其后文人学士官吏等来游而记之者甚多。宋曾巩《齐州二堂记》："自崖以北，至于历城之西，盖五十里，而有泉涌出，高或至数尺，其旁之人名之曰趵突之泉……趵突之泉冬温，泉旁之蔬甲，经冬常荣，故又谓之温泉。其注而北，则谓之泺水。"元张养浩《趵突泉诗》："三尺不消平地雪，四时常吼半天雷。"明乔宇《观趵突泉记》："其泉凡三穴，其出喷高尺许，珠沫大涌。士人云：'数十年前，高二三尺许。'"[1]清钱泳《履园丛话·古迹·趵突泉》："趵突泉在山东济南府西门外吕祖庙前，三窟突起，声如殷

---

[1] 引文均见《趵突泉志校注》，济南出版社，1991年6月第1版。

雷。"清末刘鹗的《老残游记》也写了趵突泉的胜况。据老人们回忆,直到上个世纪五六十年代,趵突泉仍是日夜喷涌,并无干涸之事。[2] 总之,有史以来(史前亦当如此),趵突泉就是这样三窟喷涌,永不歇渴,声威浩大,气势磅礴。笔者所以详写趵突泉的喷涌声势,其意在追索其得名之由。

据山东省博物馆王恩田研究员说:"就是甲骨文发现没有多久的1915年,著名甲骨学家罗振玉就在《殷墟书契考释》一书中发现了甲骨文的'泺'字,并指出这就是许慎《说文解字》所说的见于《春秋》记载的'泺'。""这是在10万片甲骨中所见到的唯一的一个'泺'字,弥足珍贵。"但王先生认为,因为有"泺"字的这条卜辞是残辞,不能确知这条卜辞的文意,无法判断"泺"是否属于地名。而"泺"和"乐"又往往由于读音相同可以通用,如在金文虘钟中喜乐的乐就写成泺。因此,"我们还不能就此得出这条卜辞中的'泺'字就是济南和趵突泉的古地名'泺'的结论。""虽然甲骨文中的'泺'字目前还无法肯定是地名,但甲骨文中却有作为地名的'乐'字。见于甲骨文的'乐'字共有10条,其中5条说'在乐',1条说'步于乐'。""'乐'无疑应是地名。"王先生经过对商纣王征伐夷方所经路线的考证,证明"甲骨文中的地名'乐'就是《春秋》中的'泺'","从而把济南和趵突泉见于文字记载的历史上溯到商代"。[3] 我们认为,王先生的考证非常周密,结论是科学的。

这就是说,作为趵突泉古名的"泺"即"乐"。"乐"应是趵突泉最早的名字,而"泺"之加水,名源与"乐"是一样的。地下日夜喷涌的三股泉水,为什么会名"乐"呢?这要对"乐"字进行研究。

"乐"(繁体作"樂"),甲文作🎵,金文作🎵,小篆作樂。《说文·木部》云:"乐,五声八音总名。象鼓鞞。木,虡也。"罗振玉《增订殷墟书契考释》云:"从丝附木上,琴瑟之象也。或增白以象调弦之器。……借泺为乐,亦从𣬛。许君谓象鼓鞞,木、虡者,误也。"周谷城《古史零证》云:"玩的小鼓,用绳系起来,悬在架上,曰乐。"详"乐"字之形,大致是通过乐器之象来表示"音乐"之义。如《易·豫》:"先王以作乐崇德,殷荐之上帝,以配祖考。"又如《汉书·礼乐志》:"夫乐本情性,浃肌肤而臧骨髓,虽经乎千载,其遗风余烈尚犹不绝。"

但"乐"之音乐之义尚可追究。笔者以为,音乐之义来源于快乐;喜悦、欢乐、愉快,才有音乐。所以,《礼记·乐记》云:"乐也者,乐其所自生。""乐也者,情之不可变者也。"这都是说,"乐"的音乐之义是从快乐而引申出来的。而快乐、喜乐的乐,正是"趵突"的

---

[2] 历史上,趵突泉曾因干旱等原因停喷过二三次,但那是极短暂的时间。
[3] 王恩田《甲骨文中的济南和趵突泉》,载《济南大学学报》2002年第1期。

名源。

《庄子·至乐》:"天下有至乐无有哉?"《释文》云:"乐,欢也。"《一切经音义》引《苍颉》云:"乐,喜也。"欢喜则动,欢喜则生,故《易·象上传》云:"君子以饮食燕乐。"虞翻注:"震为乐。"《淮南子·本经训》:"地载以乐。"杨倞注:"乐,生也。"《春秋繁露·为人者天》:"乐,夏之答也。"其《阳尊阴卑》又云:"乐气为太阳而当夏。"综观上面的注释,可知"乐"含有腾动、盛大之意。泉之得名为"乐",实是从其欢腾喷涌、声势浩大取象的。

泉取名为"乐",加水则为"泺",二者古字是相通的。自《春秋》记名为"泺",《说文》因之,泉名就定为"泺"了。"泺"之名代代相传,而至于宋,曾巩题名曰"趵突"。或以为"趵突"与"泺"不侔,应是另立新名。但笔者认为,曾氏明言"其旁之人名之曰趵突之泉",则"趵突"并非另立新名,而只是"泺"的土俗读法。金朝元好问《济南行记》云:"爆流泉在城之西南。泉,泺水源也。……近世有太守[4],改泉名槛泉,又立槛泉坊,取《诗》义而言,然土人呼爆流如故。爆流字又作趵突,曾南丰云然。"元氏既云"字又作",必然"爆流"、"趵突"同名同音,仅不同字。《说文》有"厸"字,古文作"烾",即"突"字。元氏当时所书,必是"爆烾"二字。[5]"爆烾"之与"趵突",读音完全相同。

但是,"泺"是怎样读作"趵突"("爆烾")的呢?

上古有复辅音声母,这是学术界比较一致的看法。"泺"是复辅音声母,其声母可拟为"bl",其韵属药部,可拟为"ǎuk"。[6]这样,"泺"在上古的读音就是"blǎuk"。这个读音沿着读书音和俗读音两条道路向下发展。其读书音分为两个音,在《广韵》里有反映。《广韵·铎韵》:"泺,陂泺。""匹各切"。又"泺,水名,在济南"。"卢各切"。前者今读作 pō,后者今读作 luò。段玉裁在《说文》"泺"下注云:"《经典释文》引《说文》匹沃反,此盖音隐文也。玄应曰'凡陂池,山东名为泺,匹博反,邺东有鸬鹚泺'是也。幽州呼为淀,音殿。按,泺泊,古今字,如梁山泊是也。"按"水泊"字古只作"泺",故段云"泺泊,古今字"也。《广韵·铎韵》"傍各切"有"泊"字,其义为"止也",即后世"停泊""泊船"字,非"水泊"之义。此处段氏所解为"泺"的"隐文"之音,即《广韵》"陂泺""匹各切"之音;至于"卢各切"之音,则为平常的读书音,无待解释也。

---

[4] 指赵抃。赵是北宋西安人,历知杭州府、青州府。

[5] "爆流字又作趵突",其意不顺。"爆流"、"趵突"显是二名,不当用"字又作"。既用"字又作"则说明"爆流"、"趵突"同音同名,仅用字不同。考之《说文》,其"厸部"有"厸"字,云:"厸,不顺忽出也。《易》曰:'突如其来如',不孝子突出,不容于内也。"又云:"厸,即《易》'突'字也。"并下出古文作"烾"。今按,"厸",古文作"烾",亦即"突"字。元好问当初必作"爆烾"二字,后人不识"烾"字,故妄改作"爆流"。其实"爆烾"、"趵突"在记录当时的语音上,是完全相同的。后来各书"爆烾"均讹作"爆流",宜订正之。

[6] 此拟音据郭锡良《汉字古音手册》北京大学出版社,1986年11月。

"泺"的俗读音,则为百姓世代相传的土俗读法,是那些不识字的人口口相传下来的读法。就泉名来说,虽然《广韵》作"卢各切",但百姓并不买账,仍依上古的"blǎ uk"读下来;后来复辅音消失,声韵发生变化,就分读作两个音节,即"趵突"("爆忞")。曾南丰是即土音作名书字的。因曾氏名气大,他定作"趵突",就流传下来了。元好问定作"瀑忞",虽亦与土音相合,但"忞"字太难认了,而又讹作了"流",脱离了本名,不能流传下来。赵抃把泉定名为"槛泉",不是没有来头,但流传不下来,这是因为没有"土俗读法"为依据,如空中楼阁也。[7]

要之,笔者以为"趵突"即是"泺"的后代俗读之音;"泺"之得名,是取其喷涌不息、声势浩大之意的。有人称"趵突"即"蓓蕾"之音转,以为三水腾涌,如花之蓓蕾;但此只释得"趵突",则与"泺"字无当也。亦有人解"趵突"为"噗突",谓泉水"噗突"、"噗突"往上冒;但趵突之水日夜喷涌,三根水柱,永不歇竭,而不是"噗突"、"噗突"地间歇性地喷发。所以,"趵突"之为"噗突"之说,只是声音的简单比方而已,而与"趵突"之语源,毫无相干之处。拙作《"芒砀"衍释》曾释及"趵突",认为其"因水势浩大而得名"。[8]本文可与其互相印证,证"趵突"之得名诚不诬也。

(吴庆峰:山东师范大学文学院,250014,山东济南)

---

[7] "乐"的"音乐"的音义,将另具专文探讨。
[8] 此文题为《"芒砀"衍释》,载《徐州师范大学学报》1997年第2期;又见《音韵训诂研究》153—162页,齐鲁书社,2002年。

"不榖"蠡测

廖扬敏　雷莉

提要： 本文认为"不榖"可能是古汉语中残留的百越底层语，而非《礼记》中所说的是四夷君长对内的自称。"不"为词头，"榖"即"我"。在壮、傣、瑶等语言中，词头"布"及其变体与"不"作用相仿。而 ku 及其变体与"榖"有对应关系，在人称代词中，都有"词头＋代词"的形式。百越语对汉语量词"个"的借用，促使词头[kai-]、[ka-][kɯ-]出现，并与[pou-]、[pu-]、[po-]共存，而后由于[k]的脱落，于是[kai-]、[ka-]、[kɯ-]演变成为[a-]。百越语的词头发展可能是从"不"到 ka-到"阿"，最后消失，今天与"不榖"对应的是壮语的(ka)²ku¹、(kai)³ku³、kɯ⁵¹kaɯ³³（我）。

关键词： 不榖　百越底层词语　壮语　傣语

《礼记》载："东夷、北狄、西戎、南蛮，虽大，曰子。于内自称曰不榖。"而据笔者对先秦"不榖"用例较多的《左传》、《国语》作的初步统计和笔者的母语壮语以及所收集的材料来推测，笔者认为"不榖"可能是残留在古汉语中的百越底层语。

"不榖"的用例在《国语》中凡 11 见，其中楚王 5 见，越王 4 见，吴王 2 见。《左传》中凡 21 见，其中楚王 16 见，周天子 1 见，王子朝 2 见，齐桓公 2 见。可见"不榖"主要为南方君主所用，楚王用得最多，《礼记》的说法不确。楚、越、吴三国的地域正是古代百越民族及苗蛮民族的居住地。笔者推测"不榖"为百越底层语的理由如下：

1. 古籍记载暗示楚、越、吴的王族已经土著化。
2. 古代百越、苗蛮的后裔壮、傣、苗、瑶等民族语言中有与"不榖"有语音对应关系的例证。

据《史记》所载，楚、吴、越三国王族都来自中原，甚至与周王室有血缘关系，他们操华夏语言，但我们也应看到土著民族的深刻影响。《史记·吴太伯世家》载："吴太伯，太伯弟仲雍，皆周太王之子，……太王欲立季历以及昌，于是太伯、仲雍二人乃奔荆蛮，文身断发，……太伯之奔荆蛮，自号句吴。荆蛮义之……立为吴太伯。"《史记·越王句践世家》："越王句践，其先禹之苗裔，而夏后帝少康之庶子也……文身断发，披草莱而邑焉。"《正义》引《吴越春秋》云："禹周行天下，还归大越，登茅山以朝四方群臣……崩而葬焉。至少康,恐禹迹宗庙祭祀之绝,乃封其庶子于越,号曰无余。"《史记·楚世家》载:"楚之先祖出自帝颛顼高阳",周成王封熊绎于楚蛮。其后人"熊渠曰:'我蛮夷也,不与中国之号谥。'乃立其长子康为句亶王……皆在江上楚蛮之地"。颜师古在《汉书·地理志注》中引赞云:"自交趾至会稽七八千里,百越杂处,各有种姓,不得尽云少康之后也。"这种分析很有见地。楚、吴、越尽管传说王族来自中原,但长期与人口占优势的百越民族杂处,并早已入乡随俗,产生借词现象很自然。熊渠自称蛮夷,楚王用土著语来自称也应是自然的事。"句吴"、"句践"、"句亶王"之"句"是词头。李锦芳认为历史上的"瓯"、"句吴"、"乌浒"都是古代百越人某个分支的族称,它们与今天的木佬语、黎语支的"人"一词有对应关系,都来自早期侗台语,先秦、秦汉时音近 a、au。瓯、句吴、乌浒的上古音是:瓯 * ug、句吴 * kug * ngwag、乌浒 * wag * hngwagx;保定黎 u²aau¹、中沙黎 nga¹aau¹、黑土黎 ha³au²、村话 ngaau³⁵、木佬 o⁵³(ɤo³³)、拉基 a³³hu³³。古百越人以"人"为"我族类"之称,有的以单音节词"瓯"记录,有的以双音节词"句吴"、"乌浒"记录。[1]"无"、"不"、"夫"、"孚"、"颇"在古代百越人名中用作冠首字,意为"王、首领",上古音 * mjag、* pjag、* pj gx、* phjə gw、* phar,与侗台语的父亲、祖父二词相近,原始台语 * bɔ、* peu。古代吴、越首领的名称无余、不寿、夫概、孚错枝、颇高等,其冠名方式及结构与侗台语一致,是以王号冠首。[2]

笔者在壮、傣、瑶、苗语中发现有与"不穀"有对应关系的例证,认为"不穀"可能是古汉语中残留的百越底层语,其结构为"词头＋代词","不"为词头,"穀"即人称代词"我"。

(一)"不"的来源

1.1 "不"与"布"都是来源于表示男性、表示尊长的"父",而"夫"或"甫"都是"父"的引申。

张双庆、张惠英先生在《从词头"不、布"谈起》[3]中指出:汉语词头"不"和南方少数民族语的词头"布"声音相近,用法相类,意义相通,都是来源于表示男性、表示尊长的"父",而"夫"或"甫"都是"父"的引申。文中举出了很多古今汉语用"不"作词头的例子,有《史记》中有 22 例用"不"字的人名。也举了海南临高话、壮语、布依话的例子。"不"不仅可用作人名首字,还可用作称呼的首字。

1.2 壮、傣、瑶、布依语等民族语中,"不"、"布"用以表示男性、雄性、父亲、夫、个(指

---

[1] 李锦芳《侗台语言与文化》,39—40 页,民族出版社,2002 年。
[2] 李锦芳《侗台语言与文化》,327—328 页。
[3] 张双庆、张惠英《从词头"不、布"谈起》,《中国语文》2002 年第 4 期。

称男性或人的量词)、这等意义。

壮语、布依语都有以"不"、"布"作词头,以表示男性、雄性、父亲、丈夫、个(指称男人或人)、这等意义。壮语的"布"有 pou-/pu-/pho- 三种形式。布依语的词头为 pu-。

在傣语方言中,"布"[1] pu/po/pɔ/phu 可用作表示男性、雄性的词头或名词。如:pu¹thau³/po³thau³ 老翁 | pu¹maau⁵ 男青年 | po⁶maai³ 鳏夫 | pu⁵ta¹ 外祖父 | po⁶tsau³ 公公 | kai⁵phu³/kai⁵pu⁴ 公鸡。[4]

在瑶族布努语方言中,"布"po/pou 亦作表示"人"的词头,如:po³no²/pou³nou² 瑶族;瑶人(自称) | po³kjang³ 壮族 | po³khai⁵ 客人 | po³shi³ 鳏夫 | po³/pou³ 父亲。按:po/pou 词头可能是从壮语中借来,布努语中的壮语借词很多。瑶语中还有一套表示"人"的词头 no/nou,如:no²/nou² 人 | no² su² 青年 | no² lo⁴ 老人 | no² hu³/nou³ hou³ 穷人。[5]

(二)"穀"与"我"的对应

2.1 "穀"与少数民族语言中的"我"的对应

在壮语中,"我"的发音可以概括两类,一种为 ku,一种为 kou(也有记作 kau 的),大都是第一调。前缀可有可无。在傣语方言中"我"的发音有:kau⁶(芒市) | ka⁶/tu⁶xa³(孟连) | to¹xa³/ku¹/to¹xɔi³/kau¹(景洪) | ku¹/xɔi³(金平) | kɐu¹(武定) | kau¹(元阳) | kau²(绿春)。Ku、kau、kou、kɐu、ka,与"穀"有对应关系。[6] 韵母 a/u 和 au/ou 之间的对应从传统来说是鱼部和幽部、侯部之间的转化,按宋金兰的说法则是开口元音和合口元音之间的交替。[7]

2.2 "穀"与尊称

据洪波提供材料[8],西双版纳傣语和龙州壮语的第一人称代词还分通称、谦称、卑称、尊称、昵称等形式。如西双版纳傣语:通称为 hau² 我;我们;咱们 | 谦称为 to¹xa³ 我/tu¹xa³ 我们 | 卑称为 xɔi³ 我/to¹xɔi³ 我/tu¹xɔi³ 我们 | 尊称为 ku¹ 我/kau¹ 我/tu¹ 我;我们 | 昵称为 ha¹ 我。龙州壮语:通称为 ngo⁶ | 谦称为 lai⁴ | 尊称为 kau¹。两地的尊称有 ku/kau/tu,ku/kau 与"穀"有对应关系。说明在壮语和傣语中"穀"表示尊称。

2.3 苗语、瑶语中的"我"可能是壮语的借词

在瑶语和苗语的个别方言中,"我"的发音也和"穀"有对应关系。如标敏瑶话音

---

[4] 周耀文、罗美珍《傣语方言研究》,196—324 页,民族出版社,2001 年。
[5] 蒙朝吉《瑶族布努语方言研究》,193—233 页,民族出版社,2001 年。
[6] 周耀文、罗美珍《傣语方言研究》,320 页。
[7] 宋金兰《汉藏语形态变体的分化》,《民族语文》2002 年第 1 期。
[8] 洪波《上古汉语第一人称代词"余(予)""我""朕"的分别》,《语言研究》1996 年第 1 期。

ku³,先进苗话音 ko³。但笔者怀疑是壮语的借词。因为瑶族苗族与壮族长期杂居,借用壮语是很自然的事。与壮语有很密切关系的布努语,它们另有一套人称代词。其人称代词有单数、双数、多数之分。壮语没有这种分法。如以第一人称:tɕung³ 我(单数)|a¹ 我俩(双数)|pe¹ 我们(多数)。[9]

(三) 少数民族语言中的"词头＋代词"结构

3.1 田林壮语:pu⁴lɐi⁵ 谁;pou⁴te⁶ 那个男人;她的丈夫;pou⁴ni³ 这个男人;pou⁴ku¹ 我的丈夫;xo⁴lou⁵ 我们;xo⁴ɬu¹ 你们;xo⁴te¹ 他们。词头有 pu、pou、xo。

隆安壮语:(ka)²ku¹/kai³ku³ 我;(ka)²lou¹ 我们;(ka)²mɯng⁵ 你;kai³ɬu³/xu³ɬɯɯ¹ 你们;(ka)²te¹ 他;xu³te¹/kai³toi⁶ 他们;pou³lou¹ 谁。词头有 ka、kai、xu、ka²-、kai³-可用可不用。kai³-的读音与量词 kai³(个)相同。

西林壮语:单数的人称代词就明确用 kai(可加可不加)。如:单数第一人称:(kai)⁵ku²/ngɔ⁴/ɛ²;单数第二人称(kai)⁵muŋ²/la²;单数第三人称:(kai)⁵ti²。[10]

武鸣壮语:kɯ⁵¹kau³³ 我;kɯ⁵¹mɯng³¹ 你;kɯ⁵¹te³³ 他;kɯ⁵¹rau³¹/pu⁵¹rau³¹ 我们;kɯ⁵¹nai⁵¹ 现在;此时;这个;kɯ⁵¹ma³¹/kai²⁴ma³¹/kai²⁴kɯ⁵¹ma³¹ 什么;词头是 pou/pu/kai/ka/kɯ。

傣语:phu³lɐi¹/pu⁵la⁶/pha⁵lau¹ 谁;词头是 pu、pha。

瑶语:po³tau⁶ 谁;tau⁶ 哪,词头是 po。

可见在壮、傣、瑶民族语言中,都有"词头＋代词"的结构形式。词头有 pou-/po-/pu-/pha-/kai-/ka-/kɯ-。

3.2 少数民族语言词头 a-、ka-(qa-)与汉语方言词头"阿、圪(尕、个)"

张惠英先生在《汉藏系语言和汉语方言比较研究》[11]中指出:词头 a-、ka-(qa-)差不多在每个少数民族语言中都能见到。在汉语方言中,词头"阿"也是从南到北,到处可见;"圪(尕、个)"词头,虽然不像"阿"常见,但在北方和南方的一些方言中也能见到。民族语言的词头 a-、ka-(qa-)和汉语方言词头"阿、圪(尕、个)"不只声音相近,而且用法也相似。它们实际上都是来源相同的一组变体。k-声母容易失落的情形,在汉语方言和民族语言中都能见到。k-声母的失落不仅表现在词头上,也表现在实词上。昆明附近玉溪话古见母溪母字都读同零声母字。侗台语的布央语的词头 ka-/qa-/ʔa-/ʔe-系列正好展现出 k-声母逐步弱化失落的轨迹。民族语言的词头 a-、ka-和汉语方言

---

[9] 蒙朝吉《瑶族布努语方言研究》,232 页。
[10] 李锦芳《西林壮语人称代词探析》,《民族语文》1995 年第 2 期。
[11] 张惠英《汉藏系语言和汉语方言比较研究》,117—135 页,民族出版社,2002 年。

的词头"阿、圪"来源相同,大概就是那个最常用的量词"个"用作词头、有时失落 k-声母的结果。张先生从黎语的词头 kɯ²-/ʔɯ³-和壮语词头 kɯ⁵¹-/ka⁵¹-/kai²⁴-推测词头 a-/ka-来源于"个"。

(四)推论:今天的民族语言已经没有与"不穀"有直接对应的语音形式。在壮、傣、瑶等民族语言中广泛分布的词头 pou-、pu-、pho-、po-、pɔ-、phu-、pha-与"不"作用相仿。而"穀"又与民族语言中的 ku、kau、kou、kɐu、ka 有语音对应关系,在壮、傣、瑶等语言的人称代词中都有"词头(pou-、pu-、po-、kai-、ka-、kɯ-)+代词"的结构形式。武鸣壮语中的 kɯ⁵¹rau³¹/pu⁵¹rau³¹(我们)说明 pu-和 kɯ-可以互相替换,这意味着 pou-、pu-、po-和 kai-、ka-、kɯ-在"词头+代词"的结构形式中可能是先后出现的两组词头形式,在某些方言中处于共存的状态。在武鸣壮语中是两者并存,在隆安、西林壮语中是 ka-、kai-和人称代词的结合形式,在傣语、瑶语中是"不"+疑问代词的形式。"不穀"在今天与之对应的只有壮语中(ka)²ku¹/(kai)³ku³/kɯ⁵¹kau³³这样的语音形式了。而隆安、西林壮语中的 ka-、kai-已是可用可不用,隆安壮语的词头 ka-、kai-表现出了过渡性:在人称单数、复数中都可以用;kai-的读音与量词 kai-(个)相同。这些支持张惠英从黎语词头 kɯ-/ʔɯ-和壮语词头 ka-/kɯ-/kai-推测词头 a-/ka-来源于"个"的推断。西林壮语中的 ka-只用于单数人称。布央语的词头 ka-/qa-/ʔa-/ʔe-所表现出 k-声母失落的轨迹,以及在壮语中随处可见的以"阿"作词头的称呼语,也许正暗示着百越语的称谓语有一个从词头"不"到 ka-到"阿",甚至消失的这么一个发展过程,量词"个"的借用是一个关键,促使词头 kai-、ka-、kɯ-与 pou-、pu-、po-有了分工。另外,汉语的南方方言粤语、闽语、吴语、客家话等都有个词头"阿"用于称呼、人名前。因此,我们推测"不穀"可能是残留在古汉语中的百越底层词语。

(五)存疑:笔者对于以上推测心存疑虑,因为笔者仍无法解释"穀"的-k 韵尾和少数民族语言的开单节之间的对应关系问题。可能是今天的百越语的"我"脱落了-k 韵尾。"穀"属于屋部。邢公畹先生在《汉台语比较手册》[12]中指出上古汉语屋部与台语的 ai、aai、au、aau 有对应。如:广州话"木"mok⁸〈muk〈﹡muk 与傣雅语 mai⁴、西双版纳傣语 mai⁴、德宏傣语 mai⁴、泰语 mai⁴、水语、毛难语 mai⁴ 的"树木、木头"有对应;广州话"谷"kok⁷〈kuk〈﹡kuk 与傣雅语 khau³、西双版纳傣语 xau³、德宏傣语 xau³、泰语 khau³"稻"有对应。泰语的 khau³ 有两个义项"百谷总名""东西物品",古汉语"穀"也有这两个义项。之所以斗胆抛出此文,是想借此获得方家的批评指正。

---

[12] 邢公畹《汉台语比较手册》,473—477 页,商务印书馆,1999 年。

参考文献：

司马迁(汉),《史记》,中华书局,1959年。

(唐扬敏:广西师范大学中文系,530001,广西桂林;雷莉:四川大学采访对外汉语教学中心,610064,四川成都)

释"尞"

傅 亚 庶

提要: 本文以汉字形声字中从"尞"得声的字为材料,系统分析其在文献中的具体意义。笔者认为从"尞"得声的字在词义上是同源词。最初的尞由祭天而得名,后来此核心语义按三个方向发生同源分化现象:从尞得声的字有些具有明和白的意义,有些具有缠绕和环绕的意义,有些具有空的意义,这三个方面的意义最后都可以从"尞"这一名物内部得到解释。

关键词: 尞 同源分化 明 白 缠绕 空

"尞"在古代为焚柴祭天之礼。《说文》:"尞,柴祭天也。"《玉篇》:"尞,柴尞祭天也。"《尔雅·释天》:"祭天曰燔柴。"郭注:"既祭,积薪烧之。"《周礼·春官·大宗伯》:"以禋祀祀昊天上帝,以实柴祀日、月、星、辰,以槱燎(段玉裁作"槱尞")祀司中、司命、风师、雨师。"尞与柴、槱实乃一事之别名。《风俗通义·祀典篇》:"槱者,积薪燔柴也。"《诗经·大雅·棫朴》"薪之槱之"下毛传曰:"槱,积也。"郑笺:"白桵相朴属而生者,枝条芃芃然,豫斫以为薪,至祭皇天上帝及三辰,则聚积以燎之。"《文选·东京赋》薛注:"槱之言聚也,谓聚薪焚之,扬其火炎,使上达于天也。"段玉裁曰:"烧柴而祭谓之柴,亦谓之尞,亦谓之禷(即《诗经》之"槱")。"上古祭天之礼以焚柴为特征,尞字甲骨文作"※"、"⚡",字形像在积柴下燃火,火焰升腾,会焚柴之意,故后代"尞"字通行,词义以此为核心而孳乳,发生同源分化现象。从词义变化的系列来看,以"尞"谐声的字大致有以下三个方面的意义。

一 从尞得声的字有些具有明和白的意义

燎嫽獠膫璙镣 潦鹩憭瞭僚嫽

《说文》:"燎,放火也。"《广雅·释言》:"燎,烧也。"《诗经·小雅·正月》:"燎之方扬,宁或灭之。"郑笺:"火田为燎。"后燎又为火把,即古代庭院里点燃的火炬。《周礼·秋官·司烜氏》:"凡邦之大事,共坟烛庭燎。"郑玄注:"坟,大也。树于门外曰大烛,于门内曰庭燎,皆所以照众为明。"《诗经·小雅·庭燎》"庭燎之光","庭燎有辉"。《说文》:

"煇,光也。"段注:"析言之,则煇、光有别,朝旦为煇,日中为光。庭燎即古代庭院里点燃的大烛。《说文》:"䃾,炙也。"段注:"其音同炙,其义同燎。"《说文》:"獠,猎也。"獠是夜猎,即宵田。《尔雅·释天》:"宵田为獠,火田为狩。"郭注:"《管子》曰:'獠猎毕弋。'今江东亦呼猎为獠,音遼。或曰即今夜猎载炉照也。"《诗经·郑风·大叔于田》:"火烈具举。"正义曰:"此为宵田,故持火焰之。"《说文》:"膋,牛肠脂也。"脂色是白的,而且润泽有光,如《诗经·卫风·硕人》"肤如凝脂",即以"凝脂"来赞美庄姜的皮肤白润而且油光发亮。《说文》:"璙,玉也。"又"镣,白金也。"《尔雅·释器》:"白金谓之银,其美者谓之镣。"《诗经·小雅·瞻彼洛矣》:"鞸琫有珌。"毛传:"大夫镣琫而镠珌。"释文:"本又作璙。"是镣、璙皆含白色之义。《说文》:"潦,雨水大兒。"段注:"雨水谓雨下之水。"《礼记·曲礼》:"水潦降。"释文:"雨水谓之潦。"《庄子·秋水篇》:"禹之时,十年九潦。"又称之行潦,《左传·隐公三年》:"潢汙行潦之水。"杜注:"潦,流潦。"服虔曰:"行潦,道路之水。"水大则泛出白色,俗称大水"白茫茫的一片",谓大水白且发亮。《说文》:"鷯,刀鷯,剖苇。"《尔雅·释鸟》:"刀鷯剖苇。"郭注:"好剖苇皮,食其中虫,因名云。江东呼芦虎,似雀,青斑长尾。"因所剖之苇皮、内膜均为白色,故此鸟得名曰鷯。《说文》:"憭,慧也。"《方言》三:"南楚病愈者……或谓之知。知,通语也。或谓之慧,或谓之憭。"郭注:"慧、憭皆意精明。"钱绎曰:"凡人病甚则昏乱无知,即差则明了快意,故愈谓之慧,知亦谓之慧,愈谓之憭,……意并相通也。"《玉篇》:"憭,意精明也。憭又与瞭义相通,《周礼·春官·眡瞭》郑玄注:"瞭,目明也。"《孟子·离娄》上:"眸子不能掩其恶。胸中正,则眸子瞭焉。"注:"瞭,明也。"析言之,憭之与瞭,一为心明,一为目明,都是明亮的引申义。《文选》宋玉《神女赋》:"眸子炯而精明,瞭多美而可观。"这是刻意描写神女的眼睛发着亮光的美。《说文》:"僚,好皃。"段注:"此僚之本义也。自借为同寮字,而本义废矣。"《诗经·陈风·月出》:"佼人僚兮。"释文:"字又作嫽。"《方言》二:"钊、嫽,好也。青徐海岱之间曰钊,或谓之嫽。"好貌犹貌美也,后以嫽代僚。按《月出》之意,佼人即美人,因其皮肤白皙,故以"僚兮"咏之。

二　从尞得声的字有些具有缠绕和环绕的意义

缭　撩　辽　墽

《说文》:"缭,缠也。"桂馥《义证》曰:"缠也者,《一切经音义》六引作'绕也'。《广雅》:'缭,缠也。'《楚词·九歌》:'缭之兮。'《后汉书·班固传》:'缭以周墙。'注云:'缭犹绕也。'"朱骏声《说文通训定声》:"《礼记·玉藻》:'再缭四寸。'疏:'绕也。'《荀子·议兵》:'矜纠收缭之属。'注:'缭绕,言委曲也。'"《说文》:"撩,理之也。"《一切经音义》十四引《通俗文》曰："理乱谓之撩。"《广雅·释诂》二："撩，理也。"理谓理顺缠绕致乱之物，故"撩"以此得义。《说文》："轑，车盖弓也。……一曰辐也。"《玉篇》："轑，车辐也。"《周礼·考工记·轮人》："轮人为盖。"孙诒让《正义》曰："《释名·释车》云：'盖在上，覆盖人也。'程瑶田云：'盖亦轮人为之者，轮圆盖亦圆。盖弓之趋于部也，犹轮辐之趋于毂。'"弓是支撑车盖的弓形木架，以圆形分布，如同现代雨伞的伞骨，又如车轮的辐条辐凑于车毂一样，因此，轑有环绕之义。《说文》："寮，周垣也。"《广雅·释宫》："寮，垣也。"《疏证》曰："垣之言环也，环绕于宫外也。寮之言缭绕也。"寮与缭在环绕这一意义上通用，《后汉书·班固传》上："西郊则有上囿禁苑，林麓薮泽，陂池连乎蜀汉，缭以周墙，四百余里。"《文选》张衡《西京赋》："缭亘绵联。"薛注："缭亘犹绕了也。"朱骏声《说文通训定声》："以缭为之。今谓之围墙。"古人祭天，初期在野外除草扫地而祭称为墠，以后封土而祭称为坛。受当时天圆地方观念的影响，这祭坛是圆形的，文献中又称为泰坛。《礼记·祭法》："燔柴于泰坛，祭天也。"泰坛也就是礼书中所谓的圜丘。《礼记·祭法》、孙希旦《集解》引马晞孟曰："燔柴于泰坛，所谓'祭天于地上圜丘'。"故泰坛与圜丘乃一物二名，取其高大之寓意称泰坛，取其坛法天而呈圆形称圜丘，故以上诸词"环绕""缠绕"之义，乃承圜丘之圆形衍生而来。

三　从尞得声的字有些具有空的意义

簝　寮　藔　遼

《说文》："簝，宗庙盛肉竹器也。"《广雅·释器》："簝，笼也。"《周礼·地官·牛人》："凡祭祀，共其牛牲之互与其盆簝，以待事。"郑司农注："盆所以盛血，簝受肉笼也。"祭神杀牲时，盆是用来盛牛血，簝是竹编器皿，故用来盛肉，因其中空，有缝隙，故名曰簝。《说文》："寮，穿也。"《广雅·释诂》三："寮，空也。"王念孙《疏证》曰："《众经音义》卷一引《仓颉篇》云：'寮，小空也。'张衡《西京赋》云：'交绮豁以疏寮。'"《西京赋》薛注："疏刻穿之也。"《说文》："藔，干梅之属。"段注："郑注《周礼》云：'干藔，干梅也。有桃诸梅诸，是其干者。按郑意《周礼》上文桃是濡者，此著干以别之。'"干指水分蒸发掉，故干梅犹言空梅。《玉篇》："藔，草木茎叶疏也。"疏亦有空义。《说文》："遼，远也。"《广雅·释训》："遼遼，远也。"《诗经·小雅·渐渐之石》："山川悠远，维其劳矣。"郑笺："其道里长远。邦域又劳劳广阔。劳者，遼之也。"是劳劳犹遼遼也。道里长远，谓地域广阔，亦含空阔之义。祭神焚柴，积薪之时，需中空，使空气流通，火势才燃烧得旺，以上诸词之"空"义，疑承此衍生而来。

（傅亚庶：东北师范大学文学院，130024，吉林长春）

温州方言"出""赤"考

许 小 颖

提要： 对于温州方言中语音为"tsʰʅ⁵"、语义为"赤裸"的语素,《温州方言词典》与《浙南瓯语》分别选用"出"和"赤"作为其本字。根据温州方言词语连读变调的规律及其次方言的语音,本文认为该语素的本字应该是"赤"。

关键字： 温州方言 出 赤

《温州方言词典》[1]收录了下列一组词[2]：

【出臀】tsʰʅ⁵ dø² =〖出臀头〗tsʰʅ⁵ dø² dø² 不穿裤子,露出下身。

【出巴脚】tsʰʅ⁵ po¹ tɕia⁷ =〖出里脚〗tsʰʅ⁵ lei⁴ tɕia⁷ =〖出里巴脚〗tsʰʅ⁷ lei⁴ po¹ tɕia⁷ 赤脚。出,集韵至韵尺类切："自内而外也。"

【出膊裸】tsʰʅ⁵ po⁷ lai⁴ =〖出膊袒裸〗tsʰʅ⁵ po⁷ da⁴ lai⁴ 光着上身。

【出身裸体】tsʰʅ⁵ saŋ¹ lei⁴ tei⁴ 不穿衣服光着身子。

由于词典将这些词条中表示"赤裸"意思的第一个字的本调记为阴去调,因此作者在集韵阴去调的字中找到了字音为"至韵尺类切"、表示"自内而外也"义的"出"字,并认为"出"字是这些词语中第一个读做"tsʰʅ⁵"的字的本字。

但颜逸明所著的《浙南瓯语》[3]却将《温州方言词典》中"出里脚"一词记为"赤里脚",这也意味着上述词语中表示"赤裸"义的首字都可以记为"赤"字,"赤"为昌母梗摄开三昔韵,是一个阴入字。"赤"和"出"的韵类和调类相去甚远,本不应该相混,那么,在这两本有关瓯语研究的最重要的方言著作中,到底哪一本是正确的呢？

从意义上看,集韵将"出"解释为"自内而外也",这一释义较难与上述词语中表示的"赤裸"的意思联系起来,而"赤"字与这些词语的意义相合。因此,从表意方面考察,颜著较为合理。

从语音方面看,"出"为"迟类切","类"属止摄合口三等脂韵,"脂"韵字的"水、虽、

---

[1] 游汝杰、杨乾明编撰,江苏教育出版社,1998年12月。
[2] 参看《温州方言词典》第6页。
[3] 124页,华东师范大学出版社,2000年1月。

锤、锥、醉"等字在当今的温州话中都读为[ʯ]韵,而且根据上述词语在温州方言中的连读变调的情况将首字分析为阴入字也无不可。因此,根据温州话的情况看,《温州方言词典》在字音的处理上还是合乎逻辑的。

那么《浙南瓯语》在语音的处理上是否存在不当之处呢? 这其中包括两方面的问题:一是"赤"字在温州话中是否可以读成[ʯ]韵;二是上述词语中的首字是否也可以是一个声调为阴入的字。下文分别加以分析。

"赤"属于昌母梗摄开三昔韵,"昔"韵字中,"隻"字在温州话中可以读做[ʯ]韵,可见"赤"字在温州话中是可以读作[ʯ]韵的。

由于表"赤裸"义的词在温州方言中不能单用,其本调只能根据温州话的变调规则从上述所列举的二字词、三字词和四字词中倒推。参照《温州方言词典》本身的标调系统以及郑张尚芳先生的《温州方言的连字变调》一文对温州方言连读变调的情况,结合目前温州话的具体发音,我们认为上述词语的首字也完全可以是阴入字。具体推导过程如下:

从两字组的变调情况看,前字为阴去字和前字为阴入字,后字为阳平字的,其变调后的前字的声调相同,如"戏台"和"药丸"连读后的调值均为:"11+12",根据《温州方言词典》的标注,上述词语中二字组词语"'出'臀"变调后的调值为"11+12",因此,该词的前字既可以是阴去字,也可以是阴入字。

三字组词语包括:"出臀头"、"出巴脚"、"出里脚"、"出膊裸"。这四个词变调后的调值分别为:"53+11+1""53+53+13""53+53+13""53+53+35"。如果把这三个词的前字改为阴去字,分别为"斗(阴去)门头"[4]、"四方桌","四五百,障眼法","四不像,布谷鸟",它们的变调形式仍然相同。因此,在三字组中,前字同样既可以是阴去字,也可以是阴入字。

四字组词语有:"出膊袒裸""出身裸体"。在《温州方言词典》的标音中,这两个四字词的前两个字在连读后都变为轻声。在四字组的连读变调中,前两个字读作轻声的现象在温州方言中十分普遍,如"四时八节"[5]、"面店老师"[6]、"密牙细嚼"[7]。在温州方言中,四字词的前两个字在连读中的调值受后面两个字变调后的调值影响,与其本身的字调无关。[8] 因此,在"出膊袒裸""出身裸体"这两个词语中,首字的声调为阴入也是完全可能的。

---

〔4〕 温州的一个地名。
〔5〕 参看《温州方言词典》,15页。
〔6〕 参看《温州方言词典》,22页。
〔7〕 参看《温州方言词典》,23页。
〔8〕 参见郑张尚芳《温州方言的连读变调》,《中国语文》1964年第2期。

综合上文有关韵类和声调的分析,我们认为这两本著作在语音上都有其合理的一面,那么我们是否要仅根据意义来判定颜著中的"赤"字较为合理呢?

事实上,温州地区的一些瓯语次方言可为这两字之争提供非常有力的证据,请看下表中有关表"赤裸"义词、昔韵字及脂韵字在温州方言及其次方言中韵母的读音情况:

		温州瓯语	平阳城关瓯语	瑞安城关瓯语
表"赤裸"义词		ɿ	i	i
昔韵字	脊射适释积迹惜昔席夕石	ei	i	ei
	隻赤	ɿ, ei		ɿ
	译液腋	iai		i
	益籍		ia	
	易	i	i	
脂韵字	水虽锤锥穗	ɿ	y	øy
	轨龟柜葵类	y	y	y
	唯维惟位	u		
	醉	ɿ, ai	y, ai	ai
	衰泪垒翠粹愧	ai	ai	

从上表的情况看,虽然温州话中不少脂韵字可以读作[ɿ]韵,表明属于脂韵的"出"字也可以读作[ɿ],但在次方言平阳城关瓯语和瑞安瓯语中,昔韵字和脂韵字是泾渭分明的。在平阳城关瓯语中,多数昔韵字读作[i],少数读做[ia],而脂韵字则读作[y]和[ai];在瑞安城关瓯语中,多数昔韵字读做[i]和[ei],少数读做[ɿ],而脂韵字则读做[y]、[øy]和[ai]。因此,就平阳城关瓯语和瑞安城关瓯语这两个次方言的情况看,本文讨论的表示"赤裸"义的词的本字只能是"赤",而不可能是"出"。也就是说,颜著所用的"赤"字是正确的。而《温州方言词典》因只考虑到温州方言的读音而选用"出"字,是有失偏颇的。

参考文献

颜逸明(2000)《浙南瓯语》,华东师范大学出版社。
游汝杰、杨乾明(1998)编撰《温州方言词典》,江苏教育出版社。
余迺永(2000)《新校互注宋本广韵》,上海辞书出版社。
郑张尚芳(1964)《温州话的音系》,《中国语文》第1期。
——— (1964)《温州方言的连读变调》,《中国语文》第2期。
中国社会科学院语言研究所(1981)《方言调查字表》,商务印书馆。

(许小颖:北京师范大学文学院,100875,北京)

附:各篇英文标题及提要

Appendix: English titles and abstracts of every thesis

(1) Reconstruction and Consummation of Chinese Lexical Semantics Reconstruction and Consummation of Chinese Lexical Semantics Basing on the Subject of Ancient Text's Interpratation
Wang Ning

Abstract: The consummation of structure of Chinese Iinguistics'subject can't be without the reconstruction and consummation of Chinese lexical semantics. The kernel of the subject of ancient text's interpretation is meaning. That is the base to construct Chinese lexical semantics. The subject of ancient text's interpretation forms such semantic meaning out look; Semantics meaning is the kernes of language, there is system in the meanings, and there is independent value to study semantic meaning. Word accumulate and develop to become a system according the law of independent organization. Lexical meaning is independent system and is equil to that of phonetics and grammer.

Keywords: semantics; the subject of ancient text's interpretation; subject building

(2) Discussing "To Explain through Extending" again:
Reflection on the Combination of Gloss and Lexicology
Bai Zhaolin

Abstract: This article explains the connotation of "method" and analyses the three main methods of traditional explanation, which were just like three feet of a tripod. Based on this, the article points out the shortcomings of "to explain through meaning". Then it puts for-ward "to explain through extending", which can stand together with "to explain through body" and "to explain through pronunciation".

Keywords: explain through body; explain through pronunciation; explain through meaning; explain directly; explain through extending

(3) Release with the text the righteousness material synthesized to process the phrase righteousness
Sung Yongpei

Abstract: To analysis and synthesize the righteousness material release with the text, it should examine the righteousness material, firstly, whether it can embody the text language circumstance. Secondly, we should test whether the release intention and method of the righteousness material can benefit to narrate the speech meaning of the phrase explained. Thirdly, it is necessary to examine how the multiple righteousness material express the same item from different sides, that is to say, how a certain item synthesizes numerous righteousness material.

Keywords: Release the righteousness with the text; synthesize; the phrase righteousness processes

(4) Finding the Traditional Exegetics'Contribution to the Lexical Research by *Guangyashuzheng*(《广雅疏证》)
Tang Ziheng

Abstract: From the content of *Erya*(《尔雅》), *Guangya* (《广雅》) and *Guangyashuzheng*(《广雅疏证》), the traditional exegetics has contributed to the lexical research greatly, especially on acceptation. This infection is not only confined to gathering and explaining the ancient words, but also drawing the outline of the lexical research from *Erya*(《尔雅》) that forming in the end of Pre-Qin Dynasty or at the beginning of Han Dynasty. From word statistic of *Guangya* (《广雅》) and the subcommentary of Wang Niansun, we can find that the lexical research of exegetics is not only for explaining the meaning of Confucian classics. The exegetics scholars have attentioned not only on the rare words but also on plenty of new words, everyday expressions, spoken language and so on.

Moreover it is an effective way according with the fact of Chinese that thinking much of the relation of the sound, form and meaning.

Keywords: exegetics; *Guangyashuzheng*(《广雅疏证》); lexis; acceptation

(5) From Sun Yirang's *Xungu* (训诂) To distinguish the he vocabulary study and the exegetics study
Fang Xiangdong

Abstract: It's indivisible that the vocabulary study and the exegetics study in ancient times. But, they have developed to two independent domains today. Since the two domains are intercrossed, it's meaningful to connect them together to discuss their character and distinction, which can help to deepen the study of both domains. Based on the example of Sunyirang's explanation of words, this thesis reveals the similarities and the dividing line etc., providing a more systemic and ombedded view on the basis of predecessors' explanations.

Keywords: vocabulary; exegetics; text; method; the dividing line

(6) The methods Defining Directly in Chinese Explanations of the Meanings of Words
FENG Haofei

Abstract: The methods defining directly is one of important methods defining from meaning angle in Chinese explanations of the meanings of words. These methods may be divided into 22 types, the 10 types of them are too difficult to comprehend. In this thesis, they will be introduced detailedly.

Keywords: Chinese; the method defining the meanings of words; the method defining from meaning angle; the methods defining directly

(7) The Difference and complementarity in the Studing of meaning of words —lexicology
Yang Duanzhi

Abstract: The meaning of words of Chinese study, which in the history of Chinese is roughly undertaken by two different academic departments, Critical interpretation of ancient texts and Lexicology. Critical interpretation of ancient texts is the ancient scholar of our country from traditional discipline of studying the semanteme of Chinese of the cognitive respect. Lexicology is a new discipline that has been formed under the influence of western linguistics in the last hundred years. They represent two major traditional studies of the meaning of words of Chinese vocabulary. They differ in disciplinary condition, philosophical foundation, research range, and historical stages in Chinese development. Therefore, There is a very great difference both in the research approach and in the theoretical system to understand the meaning of a word of vocabulary. However, because of what they have been studied being all the meaning of words of vocabulary, they have certain interior identity. Difference and interior identity reflect complementarity of the two disciplines, and complementarity includes originality of the meaning of word studies of Chinese vocabulary. Its focal point lies in the questions, such as the language unit of Chinese, the nature of Chinese "character", structure and regularities of the vocabulary, And vocabulary system, etc.

Keywords: Study the meaning of words of vocabulary; Difference; complementarity; Critical interpretation of ancient texts; lexicology

(8) Some issues on semantic unit in the lexical research of archaic Chinese
Zhang Lianrong

Abstract: The analysis on semantic unit is the prerequisite of understanding lexical system in archaic Chinese. It is a complicated and unresolved situation yet. This article is composed of three parts. We illustrate some questions in our research by examples in the first part; next we sort out some major views from academic circles and put forward a view of ourselves at last. We hold that we must use different name to distinguish symbol from an object of study and to distinguish semantic units from different gradations. It must beinspected in the language to diverge the correspondence relations between character and morpheme, because the morpheme has very important status in the lexical study of archaic Chinese. we must differentiate the character of Polymorphemic word in our study.

Keywords: semantic units; correspondence relation; morpheme; word; sememe; Character

(9) On the issue of basic vocabulary: from the perspective of basic category
YANG Tongyong

Abstract: Basic category belongs to the one easy to be perceived and easy to be mastered on the category scale and is the result of human's cognition. The borderline of basic category words are not determined by subjective impression and isolated from the members of vocabulary arbitrarily. The several characteristics of basic category words are summarized on the basis of experiments. Since the basic category is definite, so is basic category vocabulary. On the other hand, although basic vocabulary has three characteristics, different people have different understandings about it and thus the identification of its members is different. So the extension of basic vocabulary is unclear and the concept has no good in pushing the linguistic research.

Keywords: category; basic category; basic vocabulary; important vocabulary

(10) The Formation and Structural System of the Primary Morphemes Aggregation in Modern Chinese
Sun Yinxin

Abstract: Primary morphemes in modern Chinese act as one-level of language unit, emerging and being handed down in each historical period of the development of Chinese, which have entered in the materials for word formation in modern Chinese synchronic system. All the primary morphemes have composed a relatively stable and open system, the primary morphemes aggregation, in which different primary morphemes can form various smaller aggregations according to their elements, such as phonetic form, semantic components and word-formation function. Therefore, systematicness and ranks can be revealed in the internal structure of the primary morphemes aggregation.

Keywords: morphemes; the primary morphemes aggregation; systematicness; ranks; modern Chinese

(11) Semantic Prosody and Discriminate Synonyms
Wang Zepeng

Abstract: The debate on the definition of synonyms has been ongoing for a long time. This article summarizes the previous studies about it, and argues that the differences of synonyms are implied in the attached emotions and pragmatics meanings of modern vocabulary. To discriminate synonyms scientifically, this article examines the semantic prosody of synonyms by taking some synonyms as cases and using corpus, under the direction of the theory of semantic prosody in the semantics of modern vocabulary. Thus it offers an available approach of objective analysis to discriminate synonyms.

Keywords: semantic; semantic prosody; synonyms

(12) Two Problems in Semantic Study on Lexicalization of Chinese Disyllabic Compounds
Fu Yu

Abstract: It is very important to study Chinese disyllabic compounds from the angle of semantic. In this paper, we try to prove that semantic motivated lexicalization of disyllabic compounds on the basis of predecessors' studies. At the same time, we understand the importance of semantic in the forming and development of lexicalization of disyllabic compounds, so we put forward a proposal that we must pay close attention to the study on semantic limitation of morphemes in the course of lexicalization.

Keywords: semantic; lexicalization of disyllabic compounds; disyllabic compounds; lexicalization

(13) Introduction of Etymology into Entries of Middle-sized Chinese Dictionaries
Zhao Peijie

Abstracts: The article analyses a common phenomenon in most middle-sized dictionaries: the insufficient or ambiguous explanation of etymology in each entry. This lack may bring unnecessary difficulties for the readers or cause undue misunderstanding of the words. The researcher proposes that a concise introduction of etyomology will be able to assist readers to have better understanding of the entry.

Keywords: middle-sized Chinese dictionaries; etymologies; translating meanings

(14) On the correlation of motivation of word and codability
Xie Haijiang

Abstract: Codability means the degree to which an aspect of experience can be described by the vocabulary of a language. Languages differ in the degree to which they provide words for the description or naming of particular things, events, experiences, and states. This paper contrasting some semantic fields between Chinese and foreign languages, Chinese dialects and common speech, Chinese dialects and dialects, Ancient Chinese and common speech, advances two theorems: (1) semantic feature is more concrete, saturation degree of motivation of semantic field is higher, gloseme in the semantic field is more, and codability is higher; (2) semantic feature is more abstract, saturation degree of motivation of semantic field is higher, gloseme in the semantic field is less, and codability is lower.

Keywords: motivation; codability; semantic field

(15) Metaphor, word-meaning change and Chinese words'teaching
Zhu zhiping

Abstract: Metaphor is widespread in human languages. But the ways that word-meaning changes affected by metaphor in different languages often shows a national style since the differences of cognition between different nations. The national style behind the word-meaning change will bring with difficulties to second language learners in their Chinese words study. Therefore its necessary for teachers to pay close attention to the national style behind the word-meaning change and try to use the universality of metaphor in teaching Chinese as second language.

Keywords: the universality of metaphor; the way of word-meaning change; second language words'teaching

(16) Schools and Theory of Etymology
Zhang Zhiyi, Jianlan

Abstract: This paper advocates etymology must all-embracing seven etymological school: philosophical school, philological schools, historical-comparative schools, schools of national linguistics, dialectological schools, schools of regional typology, folk-etymological schools. Must race to control eight theoretical commanding point: diachronic system theory, macro etymology, theory of language-union, methodology, four theories of differential quality.

Keywords: all-embracing; schools; theory; commanding elevation

(17) The philosophy implication of Chinese denomination
— Also a discussion on controversy of arbitrariness and demonstrability
Zhou guangqing

Abstract: In order to facilitate the research on exploring deeply the basic regularity of Chinese denomination and vocabulary development, and help to try to approach the supreme aim of understanding cultural world and discussing the human being, this article mainly research goal and function, classification and summary, argument and expression of Chinese denomination. From the reality of Chinese denomination, the author investigate the philosophy implication and discuss the arbitrariness and demonstrability of language sign.

Keywords: denomination; the basis of word creation; philosophy implication

(18) Character Fountainhead and Etymon
Zhang Shichao

Abstract: Letterpress "character" and "word", "character fountainhead" and "etymon" twain parts conception, and expatiated the difference and relation between character fountainhead disquisition and etymon disquisition, point out the problem in traditional character fountainhead disquisition, bring forward a new way of character fountainhead, namely use the ancient writing mostly, neaten the "*ziru*"(孳乳)drive phenomena of Chinese characters physique, and explore it's rules. We can't confuse character fountainhead disquisition with etymon disquisition, but character fountainhead disquisition will offer evidence and clue for etymon disquisition.

Keywords: character; word; character fountainhead; etymon

(19) Same-Origin-Character And Paronym In Chinese
Du Yongli

Abstract: In the field of Chinese study, "same-origin-character" and "paronym" are by no means strange concepts. However, clear definitions of the very intension and extension of the two concepts have not been given so far. In certain current definitions for the two above, "same-origin-character" and "paronym" are confused and used as equivalents. This paper argues that: when it comes to paronym, we should begin with the sound and the meaning of the word; if we are to discuss same-origin-character, we must begin with the very shape of Chinese character. Sometimes, the two concepts share the same shape of character, yet, they're totally different in nature and they shouldn't be confused without differentiation. This paper analyzes the distinction between same-origin-character and paronym from the relationship between Chinese language and Chinese character, the sense-constructing nature of Chinese character and the multiplication process of Chinese character, gives definitions to the two concepts as follows: "same-origin-character" means a group of characters that were multiplied from the same root—which was usually a symbol indicating the sound of the character; "paronym" means a group of words, which have the same implicit sememe and same or similar sound. What same-origin-characters record can be paronyms, for example, jīng(巠), jīng/jìng(径), jīng(茎), jǐng/gěng(颈), jīng(经)and jìng(胫),which are not only same-origin-characters but also paronyms; bì/pì(辟), bì(避), pì(譬), pì(闢)and pì(僻), which are same-origin-characters, but not paronyms; tiān(天), dǐng(顶)and diān(颠), which are paronyms, but not same-origin-character, for there is no any relation in shapes. Definitions of same-origin-character and paronym must be clarified before we can establish scientific studies on origin of Chinese character and Chinese word.

Keywords: Same-Origin-Character; Paronym

(20) On "the Meanings in Harmony" Among Chinese Cognates Linked by Phonetic Signs
Bao Shilin

Abstract: Clearly the theory "the sounds similar, the meanings in harmony" is much more scientific than "right-part theory". Due to the defect of Chinese archaic phonetics study, as well as the knowledge of the systematization of word meanings, it's unreasonable to discard the forms of Chinese characters in the practice of linking cognates. From the point of the theory of Chinese character-formation and modern linguistics, the phonetic signs of pictophonetic characters, to some extent, do have the function of conveying meanings. What's more, we can learn the chacteristic of indicating the origin of the cognates with the same phonetic signs by sematic analysis.

Keywords: phonetic sign; linking cognates; the type of conveying meanings; sematic relation; the characteristic of indicating the origin of the cognates

(21) A Research on the Ancient Written Materials and the Chinese Cognate Abstract
Jin Guotai

Abstract: The unearthed ancient written materials are of great significance to the research on the Chinese cognate and therefore worth full notice. The character patterns of the Chinese ancient language can show many facts about diversions of the written forms of the cognates which the "Talking about the Articles and Explaining the Characters" and other now existing classical books and records fail to include. In addition there are enough examples of form-sound differentiations and non-form-sound differentiations in them. According to the semantic relations in the discourses and sentences of the ancient written materials, the archaic meanings of many ancient words can be discovered and so can the remains of derivative process of the many cognates. Another function of the ancient written materials is that they can confirm the links among the cognates.

Keywords: ancient characters; cognates; character's form; Language-recording materials; confirm

(22) On the study of Chinese etymology by Mr. Yang Shuda
Zeng Zhaocong

Abstract: The study of Chinese etymology by Mr. Yang Shu-da performed extrudely in the theoretical explanation and the study of concrete examples of the view that the phonetic signs of the pictophonetic characters indicating the origin of the word. The achievements that he had gotten can be differentiated into three points. The first, he inherited the doctrine that "sound phonetic neared, the meaning neared" theoretically, and did much textual researches practically, and paid much attention to the phonetic signs when study the meanings and got much achievements. The second, he illuminated the view after Zhang Taiyan and Huang Kan that phonetic sign can have debit and credit, that means the meaning of a pictophonetic characters came from another phonetic sign. The third, he studied the relation between the original characters and propagated characters and illuminated the reasons that the phonetic signs have the functions of indicating the origin of the word from the angle of characters propagating especially from the producing way of pictophonetic characters. The shortcomings of his study can be differentiated into four points. The first, he said "all" sometimes when explained the view that much of the phonetic signs have the functions of indicating the origin of the word. The second, some of his views had to be corrected from the view of modern semantics and etymology. The third, the restrict of ancient characters influenced the exactitude of his study. The fourth, sometimes he believed excessively the book Shuowen Jiezi, and that influenced the depth of his study.

Keywords: Yang shuda; etymology; pictophonetic characters; phonetic signs; study

(23) Superficial View on The Noun Source of *Explanation of Noun* (《释名》)
Wei Yuwen

Abstract: The sound shift of *Explanation of Noun* (《释名》) is one kind of folk custom sound shift. It is used to guess the noun source of daily life by common people. Some of the parts accord with the language science, but some are only the statements of folk custom. Not only overall analysis on the materials of sound shift of *Explanation of Noun* (《释名》) but also some objective evaluation on the view of LiuXi's noun source has been made in this paper, especially this paper made some careful research on The Noun Source of Noun of *Explanation of Noun* (《释名》) by rich, full and accurate materials. It is good for promoting the deepgoing research on *Explanation of Noun*.

Keywords: sound shift; noun source; wordlore; cultural background; folk custom culture

(24) Cultural Derivation and Comparing Cultural Derivation
Li Haixia

Abstract: Cultural Derivation is the word-making reason carrying people's value. According to the extension of the derivation appearing, cultural derivation can be divided into three kinds: common cultural derivation (among different language systems); regional cultural derivation (within a same language system) and national cultural derivation (in a single nation's language). The writer compares Chinese cultural derivations with English in three fields: the tasting senses, color senses and treasure. The result shows that there are great difference existing in the view about strong and weak, the abundance of associative naming and so on. They come from different national character.

Keywords: common cultural derivation; regional cultural derivation; national cultural derivation; compare of derivation

(25) A Reach on the Paronym of *Guai* (夬)
Dong Lianchi

Abstract: This paper argues the paronym of *guai* (夬).

Keywords: *guai*(夬); paronym

(26) Explanation of the Name *Baotu*(趵突) Spring
Wu Qingfeng

Abstract: The reliable source of the name *Baotu*(趵突) Spring has not been studied till now, and there are only some folk explanations. The article studies it from its pronunciation and meaning. There are three points: Firstly, it reasons that the ancient name of *Baotu*(趵突) Spring is *Le*(乐), which is called because the spring water is gushing forth elatedly and has a large threatening force. Secondly, although the ways of writing *le*(乐)、*luo*(泺)、*baotu*(趵突) are different, the sources of name are sole, *baotu*(趵突) is the folk pronunciation, rather not another new one. Thirdly, Zenggong(曾巩) named the spring *baotu*(趵突), and Yuan Haowen(元好问) named it *baotu*(爆㶇). In fact, the two names are completely identical while they described the folk pronunciation at that time. Why isn't the name of *baotu*(爆㶇) handed down or popular? Because the character of *tu*(㶇) is difficult to be known and was taken the character of *liu*(流) for granted, which is quite alien to its original meaning. The character of *tu*(㶇) is considered as the character of *liu*(流) in many books wrongly and ought to be corrected.

Keywords: *Baotu*(趵突) Spring; explanation of name

(27) A Surmise of *bugu*(不穀)
Liao Yangmin, Lei Li

Absrtact: This paper argues that *bugu*(不穀) is a substratum of the *baiyue*(百越) nationality language in the ancient Han language, against the viewpoint in *liji*(《礼记》) that is a self-addressing pronoun used by the Yellow River. According to the Zhuang, Thai, Yao and other language of the minority inhabited in the southern China, in the word *bugu*(不穀), *bu*(不) is a prefix, and the root *gu*(穀) means I, in the form of prefix + pronoun. The borrowing of the quantifier [ke] from the Han language contributes to the development of prefixes [kai-], [ka-], [kɯ-] in the *baiyue*(百越) nationality language, which co-exist with the native [pou-], [pu-], [po-], and the later dropping of [k] turns [kai-], [kai-], [ka], [kɯ-] into [ʌ-], and [ʌ-] disappears finally. There is a corresponding relation between *bugu*(不穀) and the pronoun of Zhuang language (ka)², ku¹, (kai)⁸ ku⁷, kɯ⁵¹ kaɯ³³ (I) today.

Keywords: *bugu*(不穀); substratum of the *baiyue*(百越) nationality language; Zhuang language; Thai language

(28) A Research on the *liao*(尞)
Fu Yasu

Abstract: According to the words which *liao*(尞) indicates sound in pictophonetic characters, This thesis systematicly analyses the concrete meaning of the words when they appear in history documents 。 The author think that the words which *liao*（尞） indicates sound have the same source, the first meaning of *liao*（尞） is offering a sacrifice to Heaven and the polarization of the same source occurs towards three directions in this key meaning afterwards, some of these words have the meaning of bright, white, some twine , some empty, All the three kinds of meaning can be interpreted from the internal of the *liao*（尞）.

Keywords: *liao*（尞）; polarization of the same source; bright; white; wine; empty

(29) A Research of *chu*（出）*chi*（赤）in Wenzhou Dialect
   Xu Xiaoying

Abstract: *Wenzhou Dialect Dictionary*（1998）uses *chu*（出）and *Ou dialect in South-zhe*（2000）uses *chi*（赤）respectively as the original character of morpheme"tsh≈⁵" which means "nake" in Wenzhou Dialect. Based on the rules of the tone sandhi and the pronunciation of the sub-dialects in Wenzhou dialect, this paper proposes the original character of this morpheme is *chi*（赤）.

Keywords: Wenzhou Dialect; *chu*（出）; *chi*（赤）